Classroom in a Book

Adobe® InDesign® CS3

Peachpit
Press

Publié par Peachpit Press
47 bis, rue des Vinaigriers
75010 Paris
Tél. : 01 72 74 90 00

Réalisation : edito.biz
Mise en page : edito.biz

ISBN : 978-2-7440-8198-9
Copyright © 2007 Peachpit Press
Tous droits réservés

Peachpit Press est une marque
de Pearson Education France

Titre original : *Adobe® InDesign® CS3
Classroom in a Book® for Windows® and Mac OS*

Traduction : Paul-Durand Degranges

ISBN : 978-0-321-49201-2
Copyright © 2007 Adobe Systems Incorporated
Tous droits réservés

Les ouvrages d'Adobe Press sont publiés
et distribués par Peachpit Press, Berkeley, CA

Kathryn Chinn
Responsable de produit Adobe InDesign CS3 et Adobe InCopy
Adobe Systems, Inc.

Merci d'avoir acheté Adobe InDesign CS3 Classroom in a Book, *le manuel d'apprentissage officiel d'Adobe System. Nous espérons que vous apprécierez autant que nous les améliorations apportées à InDesign CS3. Grâce à ces nouvelles fonctionnalités, vous allez encore améliorer votre créativité et votre productivité.*

Chaque nouvelle version d'Adobe InDesign est conçue en tenant compte des remarques des utilisateurs et de leurs expériences. Avec InDesign CS3, les artistes et concepteurs réaliseront bien plus facilement leurs créations, les équipes de production respecteront les délais sans effort et le service informatique pourra réduire ses coûts tout en maintenant son efficacité. À chaque nouvelle version, la presse et les professionnels de la création sont toujours plus nombreux à adopter InDesign de par le monde. Ils augmentent ainsi leurs performances, conçoivent des contenus sans égal et assurent des sorties très fiables pour l'impression.

Les nouvelles fonctionnalités d'InDesign CS3 sont en parfaite adéquation avec les besoins actuels de la production.

Bonne chance dans votre apprentissage,

Kathryn Chinn
Responsable de produit
Adobe InDesign CS3 et Adobe InCopy

Contenu du CD-ROM*

*Le CD-ROM est fourni dans sa version originale, en anglais.

Le CD-ROM *Adobe InDesign CS3 Classroom in a Book* contient tous les fichiers dont vous aurez besoin pour réaliser les cas pratiques proposés dans les leçons, ainsi que d'autres contenus qui vous permettront d'aller plus loin dans l'exploitation des possibilités d'InDesign. Pour localiser rapidement les fichiers dont vous avez besoin, reportez-vous à la présentation du contenu du CD-ROM ci-dessous.

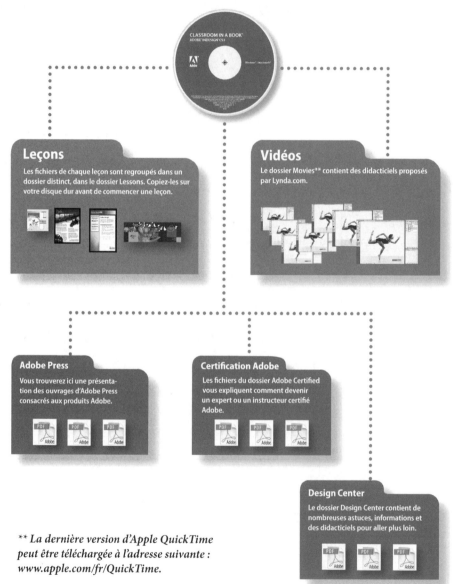

Leçons

Les fichiers de chaque leçon sont regroupés dans un dossier distinct, dans le dossier Lessons. Copiez-les sur votre disque dur avant de commencer une leçon.

Vidéos

Le dossier Movies** contient des didacticiels proposés par Lynda.com.

Adobe Press

Vous trouverez ici une présentation des ouvrages d'Adobe Press consacrés aux produits Adobe.

Certification Adobe

Les fichiers du dossier Adobe Certified vous expliquent comment devenir un expert ou un instructeur certifié Adobe.

Design Center

Le dossier Design Center contient de nombreuses astuces, informations et des didacticiels pour aller plus loin.

** La dernière version d'Apple QuickTime peut être téléchargée à l'adresse suivante : www.apple.com/fr/QuickTime.

Sommaire

1   L'espace de travail d'InDesign

2   Mettre en page un document

3   Travailler avec les blocs

4   Importer et modifier du texte

5   Travailler avec le texte

6   Travailler avec la couleur

7   Travailler avec les styles

8   Importer et lier des graphiques

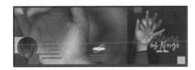

9   Créer des tableaux

10   Travailler avec la transparence

11   Assembler de longs documents

12   Imprimer et exporter au format PDF

13   Traiter un contenu XML

Introduction

Bienvenue dans Adobe® InDesign® CS3. Solution idéale pour créer des documents graphiques, InDesign est un outil de conception et de production très performant. Il offre une précision et un contrôle inégalés ainsi qu'une intégration transparente avec les logiciels graphiques professionnels d'Adobe. InDesign permet de produire des documents en quadrichromie de qualité professionnelle sur des presses couleur à gros volumes et d'imprimer vers une large gamme de périphériques et de formats d'impression. Enfin, il permet de créer des fichiers PDF et de convertir les documents pour les utiliser sur Internet, en les exportant vers les formats XHTML ou XML.

Rédacteurs, artistes, graphistes et éditeurs, tous peuvent communiquer avec un public plus étendu que jamais et sur une diversité de supports jusqu'alors inégalée.

À propos de ce manuel

Adobe InDesign CS3 Classroom in a Book® fait partie de la série officielle des ouvrages de formation aux logiciels de publication et de graphisme d'Adobe Systems, Inc.

Ses leçons ont été conçues pour vous permettre d'apprendre à votre propre rythme. Si vous découvrez Adobe InDesign, vous allez vous familiariser avec les concepts et les fonctions de base nécessaires à la maîtrise du logiciel. Si vous utilisez déjà Adobe InDesign, ce *Classroom in a Book* vous fera découvrir de nombreuses fonctions avancées ainsi que beaucoup d'astuces et de techniques. Vous emploierez ainsi au mieux cet outil de conception passionnant.

Chaque leçon propose la création d'un projet spécifique en plusieurs étapes. Mais vous aurez aussi tout loisir d'explorer et d'expérimenter à votre gré le logiciel. Vous pouvez suivre le livre du début à la fin ou consulter uniquement les leçons qui correspondent à vos centres d'intérêt et à vos besoins. Chaque leçon s'achève par un ensemble de questions-réponses qui permettent de revoir son contenu.

Contexte d'utilisation

Avant de commencer votre apprentissage avec *Adobe InDesign CS3 Classroom in a Book*, vous devez connaître le fonctionnement de votre ordinateur et de son système d'exploitation. Vous devez savoir vous servir d'une souris, ainsi que des menus et commandes standard, mais aussi ouvrir, enregistrer et fermer des fichiers. Si vous avez besoin de revoir ces techniques, consultez la documentation de votre système Windows ou Mac OS (ou l'Aide en ligne).

Installation d'Adobe InDesign

Assurez-vous également que votre système est correctement configuré et que vous avez installé les logiciels et le matériel nécessaires.

Le logiciel Adobe InDesign CS3 ne figure pas sur le CD-ROM de cet ouvrage, vous devez l'acquérir séparément. Pour obtenir des instructions complètes sur son installation, consultez le fichier Lisez-Moi relatif à l'installation sur le DVD-ROM d'application.

Installation des polices de *Classroom in a Book*

Les fichiers des leçons de *Classroom in a Book* emploient les polices installées automatiquement avec Adobe InDesign CS3. Certaines de ces polices se trouvent sur le DVD du produit et d'autres sont installées avec InDesign. Vous les trouverez aux emplacements suivants :

- Windows : [disque de démarrage]\Windows\Fonts.

- Mac OS : [disque de démarrage]/Bibliothèque/Fonts.

Pour plus d'informations sur les polices et leur installation, consultez le fichier Lisez-Moi sur le DVD-ROM d'application.

Rétablissement des préférences par défaut

Les fichiers de préférences contrôlent la manière dont les panneaux et les paramètres des commandes apparaissent à l'écran lorsque vous ouvrez le logiciel InDesign. Chaque fois que vous quittez InDesign, la position des panneaux et certains paramètres de commandes sont enregistrés dans ces fichiers. Si vous souhaitez restaurer les paramètres par défaut des outils et des panneaux, vous devez supprimer les fichiers de préférences. S'ils n'existent pas, InDesign créera de nouvelles versions de ces fichiers la prochaine fois que vous démarrerez le programme.

Vous devez restaurer les valeurs par défaut des préférences au début de chacune des leçons. Vous serez ainsi certain que les outils et les panneaux fonctionnent comme l'indique l'ouvrage. Lorsque vous aurez fini le livre, vous pourrez restaurer les paramètres que vous avez enregistrés.

Pour enregistrer vos fichiers de préférences :

1. Quittez Adobe InDesign CS3.

2. Recherchez les fichiers InDesign Defaults et ActiveWorkspace.xml.

– Sous Windows, les fichiers se trouvent dans le dossier Documents and Settings\ *Nom de l'utilisateur*\Application Data\InDesign\Version 5.0.

Note : Pour accéder à ces fichiers de paramètres, il peut être nécessaire de sélectionner l'onglet Affichage dans la boîte de dialogue Options des dossiers, puis de cocher l'option Afficher les fichiers et dossiers cachés.

– Sous Mac OS, les fichiers InDesign Defaults et ActiveWorkspace.xml se trouvent dans le dossier Utilisateurs/*Nom de l'utilisateur*/Bibliothèque/Préférences/ Adobe CS3/Version 5.0.

3. Faites une copie de ces fichiers dans un autre dossier de votre disque dur.

Pour supprimer les fichiers de préférences :

1. Quittez Adobe InDesign CS3.

2. Recherchez les fichiers InDesign Defaults et ActiveWorkspace.xml.

– Sous Windows, ces fichiers se trouvent dans le dossier Documents and Settings\ *Nom de l'utilisateur*\Application Data\InDesign\Version 5.0.

– Sous Mac OS, ces fichiers InDesign Defaults et ActiveWorkspace.xml se trouvent dans le dossier Utilisateurs/*Nom de l'utilisateur*/Bibliothèque/Préférences/ Adobe CS3/Version 5.0.

3. Supprimez les fichiers InDesign Defaults et ActiveWorkspace.xml.

4. Lancez InDesign. L'application crée un nouveau jeu de fichiers de préférences avec les valeurs par défaut.

Si vous n'avez pas besoin d'enregistrer vos paramètres personnels, vous pouvez revenir aux paramètres par défaut en appuyant sur les touches Ctrl+Alt+Maj (Windows) ou Ctrl+Option+Cmd+Maj (Mac OS) au moment du démarrage d'InDesign. Cliquez sur Oui pour supprimer les préférences. Cela permet de réinitialiser les préférences du programme mais pas l'espace de travail. Pour restaurer l'espace de travail par défaut, cliquez sur Fenêtre > Espace de travail > Par défaut.

Pour restaurer les préférences enregistrées après avoir suivi les leçons :

1. Quittez Adobe InDesign CS3.

2. Recherchez les fichiers que vous avez sauvegardés, puis faites-les glisser dans le dossier d'InDesign.

– Sous Windows, les fichiers InDesign Defaults et ActiveWorkspace.xml sont situés dans le dossier Documents and Settings*Nom de l'utilisateur*\\Application Data\\InDesign\\Version 5.0.

– Sous Mac OS, les fichiers InDesign Defaults et ActiveWorkspace.xml se trouvent dans le dossier Utilisateurs/*Nom de l'utilisateur*/Bibliothèque/Préférences/Adobe CS3/Version 5.0.

Copie des fichiers d'exercices de *Classroom in a Book*

Le CD-ROM *Adobe InDesign CS3 Classroom in a Book* inclut des dossiers qui contiennent tous les fichiers nécessaires aux différentes leçons. Chaque leçon possède son propre dossier, que vous devez copier sur votre disque dur afin de l'utiliser. Pour économiser l'espace de votre disque dur, vous pouvez copier le dossier de chaque leçon au fil de votre progression et le supprimer une fois la leçon terminée. Pour installer les dossiers de leçon, procédez comme suit :

1. Insérez le CD-ROM *Adobe InDesign CS3 Classroom in a Book* dans votre lecteur de CD-ROM.

2. Créez un dossier sur votre disque dur, puis nommez-le **IDCIB**.

3. Choisissez l'une des actions suivantes :

– Pour copier tous les fichiers des leçons, faites glisser le dossier Lessons du CD-ROM dans le dossier IDCIB.

– Copiez le dossier de la leçon que vous souhaitez utiliser.

Profils colorimétriques

Il se peut qu'à l'ouverture de certains fichiers, vous receviez un message d'avertissement relatif à la non-concordance du profil. Ce type de message n'a rien d'affolant. Cliquez simplement sur OK pour le fermer.

InDesign CS3 prend en charge une vaste gamme de paramètres pour répondre au mieux à vos besoins en matière de gestion de la couleur. Si les paramètres de votre ordinateur ne concordent pas avec ceux utilisés pour la création d'un document, InDesign vous adresse ce type de message à l'ouverture du document pour vous l'indiquer. Pour plus d'informations à ce sujet, reportez-vous à la rubrique À propos des profils colorimétriques manquants et non concordants de l'Aide d'InDesign.

Ressources complémentaires

Adobe InDesign CS3 Classroom in a Book ne remplace pas la documentation qui accompagne le logiciel. Seules les commandes et les options utilisées dans les leçons sont expliquées dans ce livre. Pour de plus amples informations sur les fonctionnalités du programme, reportez-vous aux ressources suivantes :

• L'Aide en ligne, à laquelle vous accédez en choisissant Aide > Aide d'InDesign. (Pour de plus amples informations, consultez la Leçon 1, "L'espace de travail d'InDesign".)

• La documentation d'Adobe InDesign CS3 est disponible en version papier et vous pouvez la commander en ligne à l'adresse suivante : **www.adobe.com/go/ gntray_store_books_fr**.

• Le site Web Adobe Design Center fournit des centaines de cours et articles proposés par des experts. Vous y trouvez également des articles traitant de la création. Rendez-vous sur la page : **www.adobe.com/fr/designcenter**.

• Le DVD *Adobe CS3 Video WorkShop*, fourni avec le logiciel, contient 250 didacticiels vidéo sur InDesign et les autres produits de la gamme Creative Suite 3.

Voici également d'autres liens utiles :

• La page d'accueil d'InDesign : **www.adobe.com/fr/products/indesign**.

• La page d'accueil des forums sur les produits Adobe :
www.adobe.com/fr/support/forums.

• InDesign Exchange : **www.adobe.com/cfusion/exchange**.

• InDesign plug-in : **www.adobe.com/products.indesign**.

• Des ressources pour la formation : **www.adobe.com/fr/training**.

Certification Adobe

Les programmes de certification Adobe sont conçus pour aider les utilisateurs d'Adobe à améliorer et à promouvoir leurs compétences sur un produit. Le programme Expert certifié Adobe (ACE, *Adobe Certified Expert*) est conçu pour reconnaître les grandes compétences des utilisateurs experts. Les formateurs ACTP (*Adobe Certified Training Providers*) sont tous des experts certifiés Adobe habilités à dispenser une formation sur les logiciels d'Adobe. Disponibles dans les classes ACTP ou sur le site, ces programmes sont le meilleur moyen d'apprendre à maîtriser les produits Adobe. Pour de plus amples informations sur les programmes de certification Adobe, visitez le partenariat avec le site d'Adobe à l'adresse suivante : **www.adobe.com/fr/support/certification**.

Nouveautés d'Adobe InDesign CS3

Bienvenue dans Adobe® InDesign® CS3. Cette puissante application de mise en page a connu une mise à jour importante. *Adobe InDesign CS3 Classroom in a Book* va vous livrer les clés essentielles pour réaliser le meilleur travail dans ce logiciel, mais aussi vous faire partager ses nouvelles capacités et fonctionnalités. Si vous connaissez déjà les précédentes versions d'Adobe InDesign, vous trouverez ici une multitude de possiblités nouvelles dont le but est d'accroître et d'améliorer votre productivité.

Dans cette présentation, nous décrivons les principales nouveautés d'Adobe InDesign CS3. La liste complète des améliorations apportées au logiciel est évidemment plus longue ; vous pouvez la consulter sur le site Web d'Adobe, à l'adresse **www.adobe.fr**.

Espace de travail amélioré

InDesign CS3 propose un nouvel espace de travail. Vous pouvez ranger les panneaux à gauche ou à droite de l'écran, lequel peut se fermer et s'ouvrir. Il est également possible de le réduire sous la forme d'une icône, mais aussi d'afficher ou de masquer individuellement les panneaux en cliquant sur leur icône. Pour plus d'informations sur ce nouvel espace de travail, reportez-vous à la Leçon 1, "L'espace de travail d'InDesign".

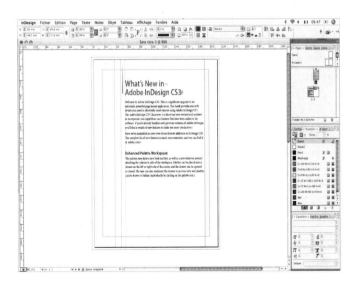

Interface utilisateur personnalisable

Vous avez maintenant le loisir d'activer, de désactiver ou de colorer les éléments du menu, à l'aide d'une interface analogue à celle de Photoshop, accessible en choisissant Édition > Menus. Vous pouvez aussi modifier facilement l'interface utilisateur grâce à une meilleure interaction des scripts avec celle-ci.

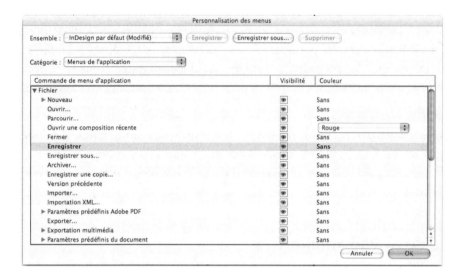

Meilleure productivité

InDesign CS3 offre de nombreuses méthodes pour travailler plus rapidement. Par exemple, lorsque vous faites glisser des pages vers un autre document, la boîte de dialogue Déplacer des pages s'ouvre et vous demande où vous souhaitez les placer. Cette boîte de dialogue propose un champ dans lequel vous spécifiez le déplacement des pages vers n'importe quel document ouvert. De plus, le panneau Pages affiche maintenant des miniatures des documents et des gabarits. Lorsque vous sélectionnez des objets, en double-cliquant sur un bloc graphique, vous basculez entre l'outil Sélection et l'outil Sélection directe. En double-cliquant sur un objet qui fait partie d'un groupe, vous pouvez désormais sélectionner cet objet.

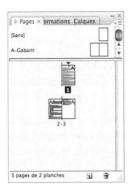

Fonctions étendues de mise en page

Cette nouvelle version garantit également une plus grande souplesse et un meilleur contrôle dans la manipulation des gabarits. Cela se révèle pratique lors de la création de plusieurs documents qui partagent tout ou partie des pages de gabarit. Le panneau Pages permet de charger les pages de gabarit d'un autre document. Si vous chargez une page de gabarit déjà existante, InDesign la met à jour avec la version la plus récente. Il est également possible d'octroyer des attributs à chacun des objets afin d'éviter d'écraser la totalité de la page de gabarit, même lorsque vous sélectionnez la commande Libérer tous les éléments de gabarit. Cela facilite la mise à jour de plusieurs éléments d'une page sans devoir les sélectionner individuellement et vous évite également d'écraser tous les éléments de la page de gabarit. De plus, le panneau Alignement est maintenant doté d'un menu qui permet de choisir un alignement relatif à la sélection, à la marge ou à la planche.

Traitement de texte intelligent

InDesign est célèbre pour ses fonctionnalités typographiques et InDesign CS3 ne fait pas exception à la règle. Les listes à puces et les listes numérotées ont été améliorées, par exemple, dans la gestion des niveaux hiérarchiques ou des sauts de paragraphes dans une liste. À présent, il est possible aussi d'organiser les styles de texte à l'aide de dossiers personnalisables dans les panneaux Styles de paragraphe et Styles de caractère. Des améliorations ont également été apportées à l'outil Rechercher/Remplacer dans la prise en charge des expressions, la recherche ou le remplacement d'attributs d'objets ou de requêtes enregistrées ou encore dans la personnalisation de l'étendue d'une recherche. La fenêtre Application rapide permet en outre de trouver un menu, un menu contextuel, une commande d'un panneau ou des scripts. Pour plus d'informations sur les listes à puces et numérotées ainsi que sur d'autres fonctionnalités du traitement de texte, reportez-vous la Leçon 5, "Travailler avec le texte".

Optimisation du traitement des éléments graphiques

Si vous travaillez régulièrement avec des graphiques, vous apprécierez les améliorations apportées dans leur gestion. Les débutants verront ainsi que, lorsqu'ils placent un élément graphique, la miniature de l'image ou du fichier texte s'affiche sur le curseur, leur assurant de positionner l'image adéquate. Dans la boîte de dialogue Importer, vous avez aussi la possibilité de sélectionner plusieurs fichiers afin de les charger dans le curseur de positionnement en même temps. De plus, le nouveau panneau Contrôle propose des boutons pour obtenir une symétrie horizontale ou verticale de l'image, ou pour lui faire effectuer une rotation de 90° dans le sens horaire ou antihoraire. Pour plus d'informations sur le traitement des éléments graphiques, consultez la Leçon 8, "Importer et lier des graphiques".

Importation de plusieurs fichiers.   *Boutons de symétrie et de rotation.*

Parmi les autres évolutions, notons également les nouveaux effets qu'on peut appliquer à tous les objets : lueur interne, lueur externe, biseau, estampage et satin. Ces effets sont accessibles par la commande Objet > Effets et ils peuvent être visualisés dans le panneau Transparence. Pour plus d'informations sur la transparence, consultez la Leçon 10, "Travailler avec la transparence".

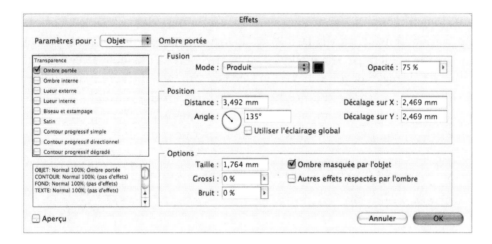

Améliorations pour les longs documents

De nombreux perfectionnements facilitent le travail sur les livres et les longs documents. Par exemple, il est possible de créer et de gérer des livres contenant plus de cent documents. Dans la boîte de dialogue Options de synchronisation accessible dans le panneau Livre, une nouvelle option permet la synchronisation des pages de gabarit en plusieurs documents du livre. D'autre part, les utilisateurs qui travaillent avec de longs documents écrits en plusieurs langues bénéficient maintenant d'une boîte de dialogue Options de tri, accessible par le menu du panneau Index, qui permet de déterminer quel type d'écriture (Romain, Cyrillique, Grec, etc.) doit s'afficher et dans quel ordre. Pour plus d'informations, reportez-vous à la Leçon 11, "Assembler de longs documents".

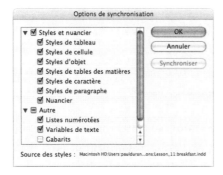

XML

Les utilisateurs confirmés apprécieront les améliorations relatives à XML. Lors de l'importation de fichiers XML, la boîte de dialogue Options d'importation permet d'indiquer le fichier XSLT à appliquer au fichier XML. Vous pouvez également créer un jeu de règles de mise en page (à l'aide de scripts) qui réalisent des actions telles que la mise en forme et la création de cadres. Ces règles peuvent s'appliquer aux fichiers XML que vous importez ou à des contenus XML déjà importés. Pour plus de détails, reportez-vous à la Leçon 13, "Traiter un contenu XML".

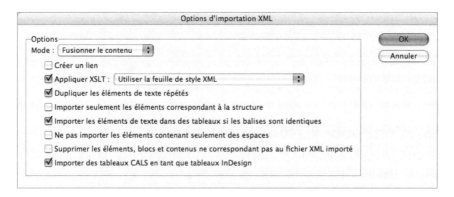

Comme nous l'avons signalé précédemment, cette liste est loin d'être exhaustive, mais elle vous donne déjà un bon aperçu de la volonté d'Adobe de fournir à ses utilisateurs les meilleurs outils afin de répondre au mieux à leurs exigences. Nous espérons que vous apprécierez autant que nous de travailler avec InDesign CS3.

*L'équipe d'*InDesign CS3 Classroom in a Book.

Hecho en
Mexico

Exploring Mexican Folk Art

One of the most exciting things about vacationing in Oaxaca is the large artist community that lives and works there. My wife Judith and I traveled there last May and came home with many more pieces for our collection than we had ever imagined. Judith is a collector by nature. Every square inch of our tiny Manhattan apartment is filled with a treasure from one of our trips. I wanted to experience more than just the exchange of money with a merchant—I wanted to meet the artists. Having grown up in a family of sculptors (my father took commissions for his work from around the world), I wanted to see how these people crafted

their pieces, how they lived, and what their art meant to them. Judith was more interested in buying art, but she finally agreed to go with me to meet a folk artist I heard about named Henry Luis Ramor.

As Judith and I stepped into the adobe shop, a cheerful black-haired boy greeted us. "My father's expecting you," he said as he led us down a hall into a spacious room filled with hundreds of statues, clay pots, and tin artifacts that Ramos designed.

The brilliantly colored pieces captivated me. I couldn't stop investigating and touching them. I could see the influence of the Mayan culture and other native tribes. "My father did these," the boy said with a wide grin. In the center of the room, at a heavy

Cette démonstration interactive d'InDesign CS3 propose un aperçu des principales fonctions du logiciel. Elle dure environ quarante-cinq minutes.

Visite guidée d'Adobe InDesign

Au cours de cette visite guidée, vous apprendrez à :

• utiliser Adobe Bridge pour accéder aux fichiers ;

• afficher le document et le parcourir ;

• créer un texte, le mettre en place et modifier son style ;

• manipuler des images ;

• cibler des calques lors de l'importation.

Mise en route

Vous commencez la visite en ouvrant un document partiellement élaboré. Vous allez ajouter la touche finale à cet article de six pages sur l'art folklorique mexicain, destiné à un magazine de voyages imaginaires. Avant tout, vous devez rétablir les Préférences par défaut d'InDesign si vous ne l'avez pas encore fait. Cela permet de vous assurer que le fonctionnement des outils et des panneaux sera exactement tel que décrit au cours de cette leçon. Lorsque vous aurez appris à utiliser InDesign, vous n'aurez plus besoin de le faire.

Note : Si vous ne l'avez pas déjà fait, copiez les fichiers de cette leçon – qui se trouvent sur le CD-ROM Adobe InDesign CS3 Classroom in a Book *– sur votre disque dur. Reportez-vous à la section "Copie des fichiers d'exercices de* Classroom in a Book" *de l'Introduction.*

Note : Si vous découvrez InDesign, peut-être est-il plus judicieux de commencer votre lecture par la Leçon 1, "L'espace de travail d'InDesign".

Procédez comme suit :

1. Supprimez ou désactivez les fichiers de préférences en suivant la procédure décrite à la section "Rétablissement des préférences par défaut" de l'Introduction.

2. Lancez InDesign CS3. À l'apparition de l'écran de bienvenue, cliquez sur Fermer.

3. Dans le panneau Contrôle, cliquez sur le bouton Aller dans Bridge (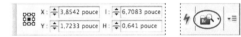). Par défaut, le panneau Contrôle est niché dans la partie supérieure de la zone de travail. Cliquez sur l'onglet Dossiers, dans la partie supérieure gauche de la fenêtre Adobe Bridge, localisez le sous-dossier Lesson_00 du dossier IDCIB copié sur votre disque dur depuis le CD-ROM d'accompagnement de l'ouvrage.

4. Dans le dossier Lesson_00, cliquez une fois sur le fichier Tour_Done.indd, dans le volet central de la fenêtre Bridge. Dans la partie de droite de la fenêtre Adobe Bridge, sous l'onglet Métadonnées, des informations relatives au fichier Tour_Done.indd s'affichent.

Une multitude d'informations sont stockées à cet emplacement, parmi lesquelles les couleurs et polices employées, ou encore la version d'InDesign utilisée pour créer le document. Servez-vous de la barre de défilement du panneau Métadonnées pour découvrir toutes ces précieuses données. Par ailleurs, vous pouvez redimensionner les vignettes d'aperçu à l'aide du bouton glissoir qui se trouve dans la partie inférieure de la fenêtre Adobe Bridge.

5. Double-cliquez sur le fichier Tour_Done.indd pour l'ouvrir.

La version finale du projet de cette visite guidée.

Note : *Adobe Bridge est un outil très efficace qui permet d'accéder à tout moment à un fichier et d'en consulter les détails sans avoir besoin de l'ouvrir. Vous pouvez aussi choisir d'ouvrir un fichier depuis cette fenêtre. Pour cela, choisissez simplement Fichier > Ouvrir. Il n'est pas nécessaire de passer systématiquement par Adobe Bridge pour accéder à vos fichiers, mais nous vous le conseillons.*

Appuyez sur la combinaison de touches Alt+Ctrl+0 [zéro] (Windows) ou Option+Cmd+0 [zéro] (Mac OS) pour ajuster la première planche à la fenêtre InDesign. Ce fichier de six pages est la version finale du projet que vous devrez accomplir au cours de cette leçon. Vous pouvez le laisser ouvert pour vous y référer en cours de travail ou choisir Fichier > Fermer.

Visualiser le document

1. Adobe Bridge reste ouvert jusqu'à ce que vous quittiez l'application. Retournez dans Adobe Bridge et double-cliquez cette fois sur le fichier Tour.ind. Le fichier s'ouvre.

2. Choisissez Affichage > Ajuster la planche à la fenêtre. L'option Ajuster la planche à la fenêtre affiche toutes les pages contiguës d'une planche.

La première double page (pages 2 et 3) apparaît. Vous pouvez consulter la suite de cet article de six pages de plusieurs manières. Vous allez tout d'abord utiliser le panneau Navigation qui permet de modifier la taille de l'affichage.

3. Choisissez Fichier > Enregistrer sous. Choisissez le dossier Lesson_00 et renommez le fichier **Visite**. Ne modifiez pas l'option Document InDesign CS3 du champ Type et cliquez sur Enregistrer.

4. Choisissez Fenêtre > Objet et mise en page > Navigation pour faire apparaître le panneau Navigation à l'écran.

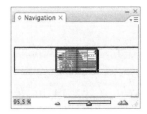

5. Cliquez sur le triangle noir (▾≡) situé à droite de l'onglet Navigation, et choisissez Afficher toutes les planches dans le menu du panneau Navigation.

À l'instar de nombreux panneaux, le panneau Navigation
est doté d'un menu qui affiche des options supplémentaires.

6. Faites glisser le coin inférieur droit du panneau vers le bas et la droite. En augmentant la taille du panneau, vous obtiendrez un meilleur aperçu des planches.

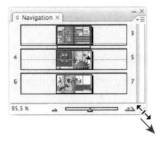

7. Dans le panneau Navigation, cliquez sur le centre de la double page du milieu pour afficher les pages 4 et 5.

Notez la zone d'aperçu rouge qui apparaît dans le panneau Navigation. Elle détermine la zone du document qui est affichée. Lors du survol de cette zone, le pointeur prend la forme d'une main, vous permettant ainsi de repositionner l'aperçu.

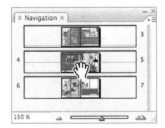

Le bouton glissoir situé dans la partie inférieure du panneau sert à contrôler la taille du document en cours d'affichage. Faites-le glisser vers la droite pour augmenter le grossissement et vers la gauche pour le réduire. La zone d'aperçu rouge change de taille à mesure que vous faites glisser le bouton. Elle apparaît plus petite à des niveaux de grossissement plus élevés. Fermez le panneau Navigation.

8. Choisissez Affichage > Ajuster la page à la fenêtre. Le grossissement affiché dans le panneau Navigation est automatiquement mis à jour. Vous pouvez utiliser le panneau Navigation pour passer facilement d'une page à une autre dans un document ou pour vous placer sur des sections précises d'une page.

Nous allons maintenant étudier le panneau Pages, un autre outil pratique de navigation. Vous l'utiliserez tout au long de cette visite, il sera donc plus commode de le séparer des deux autres panneaux.

9. Sélectionnez Fenêtre > Pages pour afficher l'onglet du panneau Pages. Cliquez sur cet onglet puis faites-le glisser vers la gauche afin de l'éloigner des autres panneaux. Relâchez une fois le panneau extrait de la zone d'ancrage. Le panneau Pages étant maintenant indépendant de cette zone, il peut être positionné à l'emplacement de votre choix.

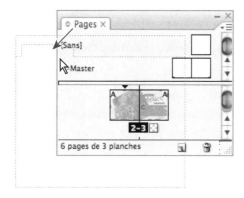

💡 *Au cours de cette visite guidée, vous aurez tout loisir de déplacer et de disposer les panneaux à votre gré. Vous pouvez déplacer un panneau en faisant glisser sa barre de titre, ou le placer dans la zone d'ancrage, à droite de la fenêtre du document, en faisant glisser son onglet vers cette partie de la fenêtre. Vous pouvez également cliquer sur les boutons Réduire ou Fermer de la barre supérieure.*

10. Dans le panneau Pages, double-cliquez sur les chiffres 6-7 figurant sous les icônes des pages pour afficher la dernière planche du document (il peut être nécessaire de faire défiler le document).

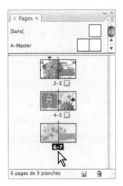

Un double-clic sur les chiffres situés sous les icônes des pages permet de centrer la totalité de la planche dans la fenêtre de document, tandis qu'un double-clic sur l'icône de la page centre celle-ci dans la fenêtre de document.

Vous avez vu les trois planches. Nous pouvons donc revenir à la page 3 et commencer à travailler.

11. Dans le panneau Pages, double-cliquez sur la vignette de la page 3 pour vous y rendre.

Changer le mode d'aperçu

Pour changer le mode d'aperçu d'une fenêtre de document, vous devez utiliser le bouton Aperçu situé dans la partie inférieure du panneau Outils. Le mode Aperçu permet de masquer les éléments qui n'apparaîtront pas à l'impression, tels que les grilles, les repères et les contours de bloc. Vous pouvez également visualiser un document en incluant le fond perdu et la ligne-bloc.

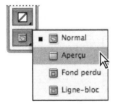

Le bouton Mode d'Aperçu.

Dans la partie inférieure du panneau Outils, cliquez sur le bouton Aperçu () et maintenez-le enfoncé pour choisir le mode Aperçu. Ce mode affiche une illustration dans une fenêtre standard, tout en masquant les éléments qui n'apparaîtront pas à l'impression.

Choisissez le bouton Fond perdu (◫) pour afficher un document et son fond perdu, ce dernier s'étendant au-delà des limites de la page.

Choisissez le bouton Ligne-bloc (◫) pour afficher un document et sa ligne-bloc prédéfinie. La ligne-bloc est la zone extérieure à la page et au fond perdu qui contient les instructions d'impression, de même que des informations relatives à l'auteur ou encore à la date de création du document.

Pour revenir à un affichage normal, choisissez le bouton Normal (◫), à gauche du bouton Aperçu.

💡 *Pour activer l'un des quatre modes précités, vous pouvez également choisir Affichage > Mode de l'écran. Une encoche indique le mode d'affichage activé.*

Activer les repères

Dans ce document, les repères sont masqués. Vous les activerez pour visualiser plus facilement la grille de mise en page et magnétiser les objets. Les repères n'apparaissent pas à l'impression et ne limitent pas la zone d'impression. Ils sont là uniquement pour vous servir de référence et faciliter l'alignement de texte et d'objets sur une page.

Choisissez Affichage > Grilles et repères > Afficher les repères.

Avant et après l'activation des repères.

Ajouter du texte

Vous pouvez importer du texte créé dans d'autres programmes de traitement de texte ou créer du texte en utilisant InDesign. Dans cet exercice, vous allez ajouter un second titre à la page 3.

1. À l'aide de l'outil Texte (T), cliquez et faites glisser afin de créer un bloc de texte pour ce titre entre les deux repères sous le mot Mexico, dans la colonne de droite de la page.

Si le bloc de texte n'est pas aligné sur les repères, activez l'outil Sélection (⬆) puis cliquez sur les coins du bloc pour l'agrandir ou le diminuer autant que nécessaire. Activez ensuite à nouveau l'outil Texte.

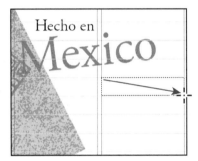

2. Saisissez le texte **Exploring Mexican Folk Art** dans le bloc de texte.

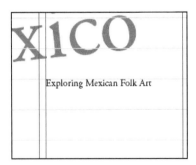

InDesign a placé le point d'insertion dans le bloc après sa création car il a été créé à l'aide de l'outil Texte. Pour les blocs créés à l'aide d'autres outils, vous devez cliquer dans le bloc avant de saisir du texte.

3. Avec l'outil Texte, sélectionnez le texte que vous venez de saisir : placez le curseur dans le bloc de texte et choisissez Édition > Tout sélectionner.

4. Utilisez le panneau Contrôle pour modifier les attributs du texte. Cliquez sur la flèche (⊞) à droite du menu déroulant Police et sélectionnez Adobe Garamond Pro, puis Regular, soit dans le sous-menu de la police, soit dans le menu déroulant Style de caractère. (La police Adobe Garamond Pro est classée à la lettre "G" et non "A".)

5. Cliquez sur la flèche (⊞) à droite du menu déroulant Corps et choisissez **18 pts**.

 Pour formater des mots ou caractères, sélectionnez-les avec l'outil Texte, comme vous le feriez dans n'importe quel programme de traitement de texte.

Liaison du texte dans les blocs

Dans InDesign, le texte est généralement placé dans des blocs. Vous pouvez soit ajouter du texte à un bloc existant, soit créer le bloc en important du texte.

Importer et placer du texte

Un article décrivant le voyage de Judith et de Clyde à Oaxaca a été enregistré sous forme de fichier texte. Vous allez placer ce texte sur la page 3, puis le diviser en plusieurs blocs – répartis dans tout le document – que vous allez relier entre eux :

1. Vérifiez qu'aucun objet n'est sélectionné en choisissant Édition > Tout désélectionner, puis choisissez Fichier > Importer. Accédez au dossier IDCIB/Lessons/Lesson_00 et double-cliquez sur 00_a.doc.

Le pointeur prend la forme d'une icône représentant du texte chargé (▤). Vous pouvez alors faire glisser le curseur pour créer un bloc de texte, cliquer dans un bloc existant ou cliquer pour créer un bloc dans une colonne. Vous allez maintenant ajouter une colonne de texte dans la partie inférieure de la page 3.

2. Positionnez l'icône de texte chargé sous le quatrième repère en partant de la marge inférieure et juste à droite de la marge gauche, puis cliquez.

3. Le texte se répartit dans un nouveau bloc dans la partie inférieure de la première colonne de la page 3. Lorsqu'un bloc contient plus de texte qu'il ne peut en afficher, on dit qu'il présente du texte *en excès*. Cet excès est signalé par un signe plus (+) rouge sur le *port de sortie* du bloc (le petit carré situé au-dessus du coin inférieur droit d'un bloc). Vous pouvez lier du texte en excès à un bloc existant, le répartir dans un nouveau bloc ou encore augmenter la taille du bloc dans lequel il apparaît.

Note : Si le bloc de texte n'est pas placé dans la colonne gauche, cliquez sur l'outil Sélection et faites glisser les poignées de dimensionnement pour le placer à l'endroit correct.

4. Activez l'outil Sélection (➤), puis cliquez sur le port de sortie du bloc sélectionné. Le pointeur se transforme en icône de texte chargé. Vous allez maintenant ajouter une colonne de texte dans la moitié inférieure de la seconde colonne.

5. Positionnez l'icône de texte chargé juste sous le quatrième repère en partant de la marge inférieure et à droite du repère de la seconde colonne, puis cliquez (en prenant garde de ne pas cliquer dans le bloc de texte précédemment créé). Le texte emplit désormais la partie inférieure de la colonne droite.

Lier des blocs de texte

Le fait de cliquer sur le port de sortie pour répartir le texte est appelé *liaison manuelle*. Vous pouvez également répartir le texte de manière semi-automatique ou automatique.

1. À l'aide de l'outil Sélection (⬏), cliquez sur le port de sortie dans la seconde colonne (page 3).

InDesign est prêt à répartir le texte en excès de ce bloc de texte dans un autre.

2. Pour centrer la page 4 dans la fenêtre de document, double-cliquez sur l'icône de la page 4 dans le panneau Pages.

3. En maintenant la touche Alt (Windows) ou Option (Mac OS) enfoncée, positionnez l'icône de texte chargé dans l'angle supérieur gauche de la première colonne, puis cliquez. Relâchez la touche Alt/Option.

Le texte se répartit dans la colonne gauche. Puisque vous avez maintenu la touche Alt/Option enfoncée, le pointeur présente toujours la forme d'une icône de texte chargé et il est inutile de cliquer sur le port de sortie avant de répartir le texte de ce bloc. Il s'agit là d'une répartition semi-automatique.

Note : Après avoir cliqué sur le port de sortie, vous pouvez maintenir la touche Maj enfoncée pour lier le texte automatiquement, afin que la totalité du texte en excès soit répartie dans les pages du document. De nouvelles pages peuvent être générées si nécessaire. Cependant, n'agissez pas ainsi pour ce document car les blocs de texte ne doivent pas apparaître sur chaque page.

4. Positionnez l'icône de texte chargé dans l'angle supérieur gauche de la seconde colonne de la page 4, puis cliquez.

Dès que le pointeur prend la forme d'une icône de texte chargé, vous pouvez cliquer sur n'importe quel outil de la barre d'outils pour annuler l'opération. Aucun texte ne sera perdu mais le texte en excès devra néanmoins être lié à un autre bloc ou modifié.

Vous allez maintenant répartir le texte au bas des deux colonnes de la page 7.

5. Cliquez sur le port de sortie de la seconde colonne de la page 4, puis double-cliquez sur l'icône de la page 7 dans le panneau Pages pour la centrer dans la fenêtre de document.

6. Tout en maintenant la touche Alt/Option enfoncée, placez l'icône de texte chargé dans la colonne gauche sous le repère de la page 7, puis cliquez. Relâchez la touche Alt/Option. Le curseur conserve la forme de l'icône de texte chargé car il reste encore du texte à répartir.

7. Positionnez l'icône de texte chargé dans la seconde colonne, sous le repère, puis cliquez. Le texte restant est réparti dans la seconde colonne. Notez que le port de sortie dans le coin inférieur droit du bloc de texte est vide, indiquant qu'il ne reste plus de texte à répartir.

Vous venez de terminer la liaison des blocs de texte. Nous appellerons cet ensemble de blocs liés un *article*.

8. Sélectionnez Fichier > Enregistrer.

Ajouter une accroche

Pour améliorer la disposition de la page 4 de votre document, vous allez ajouter une accroche. Nous avons copié du texte de l'article et l'avons collé dans un bloc sur la table de montage, zone qui se situe à l'extérieur de la page. Vous allez placer le bloc de texte d'accroche au milieu de la page 4 dont vous terminerez la mise en page :

1. Choisissez Affichage > Ajuster la page à la fenêtre.

2. Dans l'angle inférieur gauche de la fenêtre du document, cliquez sur la flèche à droite de l'indicateur du numéro de page. Sélectionnez la page 4 parmi la liste des pages disponibles.

Si vous ne parvenez pas à voir le bloc de texte d'accroche sur la gauche de la page 4, faites glisser le curseur de la barre de défilement horizontale vers la gauche.

3. Sélectionnez l'accroche à l'aide de l'outil Sélection. Dans la partie de gauche du panneau Contrôle, saisissez une valeur X de **4 pouces** (102 mm) et une valeur Y de **3 pouces** (76 mm), puis appuyez sur la touche Entrée (Windows) ou Retour (Mac OS). InDesign place l'objet sélectionné à l'emplacement spécifié.

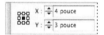

4. L'accroche doit maintenant être centrée entre les colonnes de texte sur la page 4. Si nécessaire, utilisez les touches fléchées pour actualiser l'emplacement du bloc. Le bas du bloc doit passer au milieu de l'étoile rouge.

Note : *Avec Adobe InDesign CS3, vous pouvez employer plusieurs formes de mesures tout au long du programme, y compris dans les panneaux et les boîtes de dialogue, à condition de les identifier à l'aide des abréviations standard, comme* pt *pour point ou* cm *pour centimètre. InDesign convertit l'unité spécifiée dans l'unité de mesure par défaut, qui peut être modifiée dans le menu Édition > Préférences > Unités et incréments.*

Habiller un objet avec du texte

Le texte de l'accroche est difficile à lire car l'article principal ne se répartit pas autour du bloc qui le contient. Vous allez donc le disposer ainsi :

1. Vérifiez que le bloc de l'accroche est sélectionné.

2. Choisissez Fenêtre > Habillage. *Text wrap*

3. Dans le panneau Habillage, cliquez sur le troisième bouton en partant de la gauche (▦) afin de répartir le texte autour de la forme de l'objet.

4. Cliquez sur le bouton Fermer pour fermer le panneau Habillage. Vous pouvez à tout moment accéder à ce panneau et à tout autre depuis le menu Fenêtre.

5. Choisissez Fichier > Enregistrer.

Ajouter un contour à un bloc

À présent, vous allez modifier la couleur du bloc de texte afin que son contour (sa bordure) soit identique à celui de l'étoile rouge. Lorsque vous appliquez des couleurs dans InDesign, nous vous conseillons d'utiliser le panneau Nuancier plutôt que le panneau Couleur. Les noms des couleurs dans le panneau Nuancier permettent d'appliquer, de modifier et de mettre à jour plus facilement les couleurs de tous les objets d'un document.

Le magazine dans lequel l'article paraîtra sera confié à une imprimerie professionnelle ; nous utiliserons donc les couleurs quadrichromiques, CMJN. Le jeu de couleurs nécessaire a déjà été ajouté au panneau Nuancier. Procédez comme suit :

1. Choisissez Fenêtre > Nuancier.

2. Une fois le bloc de texte sélectionné, cliquez sur l'icône Contour (⬚) dans la partie supérieure du panneau Nuancier, puis sélectionnez PANTONE® Warm Red CVC (il peut être nécessaire de faire défiler la liste). La sélection de l'icône Contour permettra d'appliquer la couleur choisie à l'image.

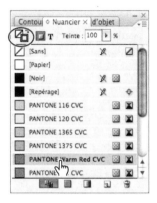

3. Pour modifier l'épaisseur du contour, cliquez du bouton droit sur le bloc (Windows) ou cliquez en appuyant sur la touche Ctrl (Mac OS) et sélectionnez Épaisseur du contour > 0,5 pts. Les menus contextuels permettent de façon simple de modifier de nombreux attributs d'un objet sélectionné.

4. Choisissez Édition > Tout désélectionner.

Le bloc de texte présente maintenant un fin contour rouge.

5. Choisissez Fichier > Enregistrer.

Modifier la position du bloc et du texte

Le texte du bloc d'accroche se trouve trop près du bord, ce qui ne le rend ni attractif, ni facile à lire. Vous allez donc modifier la position du texte au sein du bloc et changer le style de ce dernier :

1. À l'aide de l'outil Sélection (🔾), cliquez sur le bloc de texte d'accroche pour le sélectionner, puis choisissez Objet > Option de bloc de texte. Sélectionnez Centrer dans la liste Alignement de la section Justification verticale.

2. Le bloc d'accroche étant sélectionné, choisissez le type de contour Épais-Fin dans le panneau Contrôle.

3. Augmentez l'épaisseur du contour à **4 pts**.

Le panneau Contrôle permet également de définir facilement les attributs importants des objets de votre page, comme leur taille ou position.

Ajuster la taille d'une image

Nous allons maintenant ajuster la taille de l'image de la lune sur la page adjacente.

1. Si nécessaire, sélectionnez la page 5 dans l'angle inférieur gauche de la fenêtre de document pour vous positionner sur cette page.

2. À l'aide de l'outil de Sélection (🔾), choisissez l'image de la lune.

3. Dans le panneau Contrôle, choisissez **50 %** comme Pourcentage de mise à l'échelle sur Y, qui est la valeur inférieure des deux valeurs de dimensionnement de ce panneau.

Les tailles horizontale et verticale s'ajustent proportionnellement. Cela est dû au fait que le bouton Conserver les proportions de mise à l'échelle (◉), à droite des pourcentages de dimensionnement, est sélectionné. Désélectionnez-le si vous souhaitez ajuster une valeur indépendamment de l'autre. En règle générale, les images bitmap telles que celles qui sont scannées ou prises avec un appareil photo numérique ne doivent pas être dimensionnées d'une façon disproportionnée ni être redimensionnées à plus de 120 % de leur taille d'origine. En effet, cela peut entraîner une perte de qualité. Dans le cas présent, nous avons réduit la taille de l'image, ce qui n'a généralement pas d'effet indésirable sur sa qualité.

4. Choisissez Fichier > Enregistrer.

Les styles

InDesign inclut différents styles : *Paragraphe, Caractère, Objet, Tableau* et *Cellule*. Le style Paragraphe regroupe les attributs de mise en forme qui s'appliquent à tout le texte d'un paragraphe. Il est inutile de sélectionner le texte pour appliquer un style de paragraphe car il s'applique au paragraphe sur lequel est placé le curseur. Le style Caractère ne comprend que les attributs de caractères et sert donc à mettre en forme des mots et des phrases dans un paragraphe. Dans ce cas, le texte doit être sélectionné. Le style Objet permet de définir la couleur de contour et de fond, les effets de contour et de coin, la transparence, les ombres portées, les contours progressifs, les options de bloc de texte et même l'habillage du texte d'un objet sélectionné. Les styles Tableau et Cellule permettent de contrôler la mise en forme des lignes des tableaux et des cellules.

Appliquer des styles de paragraphe

Vous commencerez par appliquer des styles au texte, puis vous passerez aux styles d'objet. Nous avons créé des styles de paragraphe, que vous allez appliquer au texte. Ces styles vous aideront à mettre en forme le texte de l'article :

1. Dans le panneau Pages, double-cliquez sur l'icône de la page 3 pour la centrer dans la fenêtre de document.

2. Sélectionnez l'outil Texte (T) puis cliquez n'importe où dans les colonnes de texte que vous avez précédemment ajoutées dans cette page.

3. Choisissez Édition > Tout sélectionner pour sélectionner tous les blocs de texte de l'article.

4. Choisissez Texte > Styles de paragraphe pour afficher le panneau du même nom.

5. Dans le panneau Styles de paragraphe, cliquez sur Body Text (Corps de texte) pour appliquer ce style à la totalité de l'article.

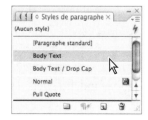

💡 *Vous pouvez également appliquer des styles depuis les panneaux de commandes de mise en forme Caractère et Paragraphe. Il suffit pour cela de sélectionner le nom du style dans le menu déroulant.*

6. Choisissez Édition > Tout désélectionner pour annuler la sélection.

Vous allez maintenant appliquer un style de paragraphe différent au premier paragraphe de l'article.

7. À l'aide de l'outil Texte, cliquez n'importe où dans le premier paragraphe de la page 3.

8. Dans le panneau Styles de paragraphe, sélectionnez Body Text/drop cap (Corps de texte/lettrine). Comme pour les autres options des panneaux Paragraphe et Caractère, les lettrines peuvent faire partie d'un style.

9. Choisissez Fichier > Enregistrer.

Mettre en forme du texte

Vous allez créer et appliquer un style de caractère pour mettre en évidence les références aux numéros de pages présentes dans les paragraphes. Avant de créer ce style de caractère, vous utiliserez le panneau Contrôle pour mettre le texte en italique et le réduire d'un point. Vous baserez ensuite le nouveau style de caractère sur ce texte mis en forme afin, par la suite, de l'appliquer facilement à d'autres segments de texte du document. Procédez comme suit :

1. Dans le panneau Pages, double-cliquez sur l'icône de la page 7 pour la centrer dans la fenêtre de document. Pour vérifier que le texte situé au bas de cette page est lisible, appuyez sur la combinaison de touches Ctrl et + (Windows) ou Cmd et + (Mac OS).

Vous devez voir trois références aux autres pages : (page 7), (page 2) et (page 5). Utilisez si nécessaire les barres de défilement pour afficher cette partie de la fenêtre du document.

2. À l'aide de l'outil Texte (T), sélectionnez la référence (page 2).

ey just love the candy and
nside. The important thing is
pirits." He laughed, and Judith

n about my work in tin." He
are some of my favorite pieces,
tories and symbols (page 2).
nd of these. A wall in his room
He inspires me with his joy. He
n figures—birds, serpents, and
y work. The sun and the moon

3. Sélectionnez Italic dans le menu de style du texte du panneau Contrôle. Pour le Corps (T̃T), choisissez **11 pts**. La référence de page est maintenant mise en forme.

n about my work in tin." He
are some of my favorite pieces,
tories and symbols (page 2). My
f these. A wall in his room is
e inspires me with his joy. He
n figures—birds, serpents, and
y work. The sun and the moon

4. Choisissez Fichier > Enregistrer.

Créer et appliquer un style de caractère

À présent que vous avez mis le texte en forme, vous pouvez créer un style de caractère :

1. Vérifiez que le texte mis en forme est toujours sélectionné, puis choisissez Texte > Styles de caractère pour afficher ce panneau.

2. Tout en maintenant la touche Alt (Windows) ou Option (Mac OS) enfoncée, cliquez sur le bouton Créer un nouveau style (▣), situé au bas du panneau Styles de caractère.

Un nouveau style de caractère, nommé Style de caractère 1, est alors créé. Il apparaît dans la fenêtre Options de style de caractère et possède les caractéristiques du texte sélectionné.

3. Dans Nom du style, saisissez **Ressortir** et cliquez sur OK.

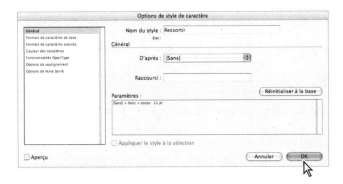

4. À l'aide de l'outil Texte (T), sélectionnez le texte (page 2), puis cliquez sur Ressortir dans le panneau Styles de caractère.

5. Appliquez le style de caractère Ressortir au texte (page 5) dans le même paragraphe et (page 7) dans le paragraphe précédent.

Puisque le style employé est de type caractère, et non de type paragraphe, il n'affecte que le texte sélectionné, et non la totalité du paragraphe.

6. Choisissez Fichier > Enregistrer.

Appliquer des styles d'objet

Pour vous faire gagner du temps, nous avons créé un style d'objet. Vous l'appliquerez à l'accroche de la page 4. Utilisez les styles d'objet pour appliquer divers attributs de mise en forme à un objet, y compris du texte ou des blocs d'image.

1. Dans le panneau Pages, double-cliquez sur l'icône de la page 4 pour la centrer dans la fenêtre de document.

2. À l'aide de l'outil Sélection (↖), cliquez sur l'accroche pour sélectionner le bloc de texte.

3. Choisissez Fenêtre > Styles d'objet pour afficher le panneau du même nom.

4. Dans le panneau Styles d'objet, tout en maintenant la touche Alt (Windows) ou Option (Mac OS) enfoncée, cliquez sur Pull-Quote pour formater l'objet sélectionné à l'aide du style d'objet Pull-Quote.

Note : *Le fait de maintenir les touches Alt (Windows) ou Option (Mac OS) enfoncées annule toute mise en forme existante lors de l'application d'un style à un objet ou à du texte.*

5. Choisissez Fichier > Enregistrer.

Les graphiques

Les graphiques employés dans les documents InDesign sont placés dans des blocs. Avant de travailler avec des graphiques importés, vous devrez vous familiariser avec les trois outils de sélection.

L'outil Sélection (⬉) est utilisé pour les tâches générales de mise en page, comme le positionnement et le déplacement des objets sur une page. L'outil Sélection directe (⬈) est employé pour les tâches qui impliquent le contenu du bloc ou le dessin et la modification de tracés, par exemple pour sélectionner le contenu d'un bloc ou déplacer un point d'ancrage sur un tracé. Il sert également à choisir des objets dans des groupes. Regroupé avec l'outil Sélection directe dans le panneau Outils, l'outil Position (⬌) agit en conjonction avec l'outil Sélection et aide à contrôler le placement du contenu dans un bloc et à changer la taille du bloc. Vous pouvez l'utiliser pour déplacer un graphique dans son bloc ou encore modifier sa zone visible en le recadrant. Pour le sélectionner, cliquez sur l'outil Sélection directe et maintenez le bouton enfoncé jusqu'à voir apparaître son nom.

Note : *Pour différencier les blocs de leur contenu, vous pouvez rendre les contours des blocs visibles en sélectionnant Affichage > Afficher les contours du bloc.*

Positionner des graphiques dans un bloc

Deux des images de la première planche nécessitent le redimensionnement de leurs blocs ou d'être repositionnées.

1. Dans l'angle inférieur gauche de la fenêtre du document, sélectionnez la page 2. Appuyez sur Ctrl+0 [zéro] (Windows) ou Cmd+0 [zéro] (Mac OS) pour ajuster la page à la fenêtre.

2. À l'aide de l'outil Sélection directe (↳), placez le curseur sur l'image du soleil rouge, dont une moitié n'est pas visible. Le curseur prend la forme de l'outil Main, indiquant ainsi que vous pouvez maintenant sélectionner et manipuler le contenu du bloc. Cliquez et faites glisser cette image vers la droite afin que l'intégralité du soleil soit visible. L'outil Sélection directe permet de repositionner les graphiques à l'intérieur d'un bloc.

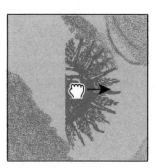 

3. Avec l'outil Sélection (↖), cliquez sur l'image de la main bleue dans la partie supérieure gauche de la page.

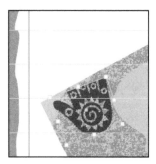

4. Cliquez sur la poignée centrale supérieure et faites-la glisser vers le haut afin d'augmenter la taille du bloc. Une plus grande partie du contenu de ce bloc est visible à mesure que vous en augmentez la taille.

> *Vous pouvez prévisualiser l'image à mesure que vous déplacez ou redimensionnez le bloc si vous faites une brève pause avant de redimensionner ou de déplacer l'image.*

5. Choisissez Fichier > Enregistrer.

Outil Position

L'outil Position ( ) agit en conjonction avec l'outil Sélection ( ) et aide à contrôler le placement du contenu dans un bloc et à changer la taille du bloc.

C'est un outil dynamique qui peut être utilisé avec du texte ou des graphiques. Lorsqu'il est placé directement sur une image, il se transforme en outil Main ( ) pour indiquer que vous pouvez faire glisser le contenu du bloc. Lorsqu'il est placé sur un bloc de texte, il se transforme en barre verticale vous permettant d'ajouter ou de modifier du texte.

1. Sélectionnez l'outil Position dans le panneau Outils en cliquant sur l'outil Sélection directe et en maintenant le bouton de la souris enfoncé quelques secondes.

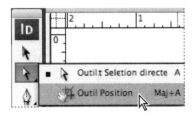

2. Appuyez sur Ctrl+J (Windows) ou Cmd+J (Mac OS), tapez **3** dans la zone Aller à et appuyez sur Entrée (Windows) ou Retour (Mac OS). Ce raccourci clavier vous amène directement à la page 3. Survolez le texte "Exploring Mexican Folk". Notez que le curseur se transforme en barre verticale.

3. Triple-cliquez sur le texte pour le sélectionner. Sélectionnez la valeur du champ Corps du panneau Contrôle et tapez **20**, puis appuyez sur Entrée/Retour pour obtenir une taille de police de 20 pts.

Cibler des calques lors de l'importation

InDesign CS3 permet de placer des objets sur différents calques. Imaginez les calques comme des films transparents empilés les uns sur les autres. Vous pouvez créer et modifier des objets sur un calque sans que les objets appartenant à d'autres calques les affectent ou en soient affectés. Les calques déterminent également l'ordre d'empilage des objets.

Avant d'importer la photographie d'un tatou, vous allez vérifier que le bloc prendra bien place sur le calque approprié :

1. Dans le panneau Pages, double-cliquez sur l'icône de la page 3 pour la centrer dans la fenêtre de document.

2. Choisissez Fenêtre > Calques pour afficher le panneau Calques.

3. Cliquez sur le mot "Photos", dans le panneau Calques, pour sélectionner le calque Photos (ne cliquez pas dans les cases situées à sa gauche, vous le masqueriez ou le bloqueriez).

4. Activez l'outil Sélection (⬉).

5. Choisissez Édition > Tout désélectionner. Si l'option est grisée, c'est que tous les objets sont déjà désélectionnés.

6. Choisissez Fichier > Importer, puis double-cliquez sur le fichier armadillo.tif qui se trouve dans le dossier Lesson_00. Avec InDesign, vous pouvez importer des images de formats multiples, y compris des fichiers Photoshop et Illustrator natifs.

7. Une icône (🖉) avec un aperçu du tatou s'affiche. Cliquez dans la zone blanche au-dessus de la marge supérieure pour placer le tatou en haut de la page. Vous déplacerez le graphique par la suite, après l'avoir fait pivoter et l'avoir recadré.

Le bloc contenant le tatou est de la même couleur que le calque Photos du panneau Calques. La couleur du bloc d'un objet indique le calque auquel il appartient.

8. Dans le panneau Calques, cliquez sur la boîte près du nom du calque Text afin que l'icône de verrouillage (🔒) apparaisse.

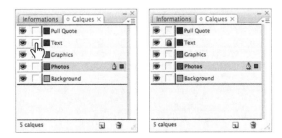

Le fait de verrouiller prévient toute sélection ou modification inopportune du calque Text et des objets qu'il contient. En verrouillant les objets sur le calque Text, vous pourrez modifier le bloc contenant le tatou sans sélectionner par inadvertance le bloc contenant "Hecho in Mexico".

Recadrer et déplacer une photographie

Vous allez maintenant utiliser l'outil Sélection pour recadrer et déplacer la photographie du tatou :

1. Choisissez Édition > Tout désélectionner.

2. Cliquez sur l'outil Sélection (▶) dans le panneau Outils, puis sur le tatou.

3. Sélectionnez la poignée médiane située sur le côté droit du bloc du tatou. Tout en maintenant le bouton de la souris enfoncé, faites glisser le bloc vers le centre du tatou pour le recadrer.

4. L'outil Sélection toujours activé, cliquez au centre du bloc du tatou et faites glisser l'objet afin qu'il s'aligne sur le bord droit de la page.

Le bord du tatou se trouve à l'arrière de la bordure décorative car le calque Photos se trouve sous le calque Graphics dans le panneau Calques.

5. Choisissez Fichier > Enregistrer.

À vous de jouer

Félicitations ! Vous venez de terminer la visite d'InDesign CS3 et pouvez maintenant créer vos propres documents. Pour en savoir plus sur ce logiciel :

• Continuez de vous entraîner sur ce document : ajoutez de nouvelles pages, modifiez les pages types, déplacez des éléments parmi les calques, créez des blocs de texte et ajustez les graphiques à l'aide des outils du panneau Outils.

• Choisissez Aide > Aide d'InDesign pour consulter l'aide en ligne.

• Parcourez les autres leçons de cet ouvrage.

Pour profiter au maximum des fonctions
extensives de dessin, de mise en page
et de modification d'Adobe InDesign,
il est important de savoir se déplacer
dans l'espace de travail. Celui-ci est
constitué de la fenêtre de document,
de la table de montage, du panneau
Outils et des panneaux flottants.

L'espace de travail d'InDesign

Au cours de cette leçon, vous apprendrez à :

• travailler avec des outils, des fenêtres de document, la table de montage et les panneaux ;

• modifier l'affichage d'un document ;

• vous déplacer dans un document ;

• gérer les panneaux, personnaliser et enregistrer votre espace de travail ;

• sélectionner des objets ;

• utiliser les menus contextuels et consulter l'Aide en ligne.

Note : *Cette leçon traite des tâches communes aux différents logiciels Adobe, comme Photoshop, Illustrator et Acrobat. Si les produits Adobe vous sont familiers, vous pouvez l'ignorer et passer à la suivante.*

Mise en route

Vous allez vous entraîner à utiliser la zone de travail et à vous déplacer parmi les pages de la brochure *Exploring the Library*. Il s'agit de la version finale du document, par conséquent vous ne modifierez ni n'ajouterez aucun texte ou graphique. Vous allez uniquement vérifier que tout est prêt pour l'impression.

1. Pour vous assurer que le fonctionnement des outils et des panneaux sera exactement tel que décrit au fil de cette leçon, supprimez ou désactivez les fichiers de préférences en suivant la procédure détaillée à la section "Rétablissement des préférences par défaut" de l'Introduction.

2. Lancez Adobe InDesign CS3.

Pour commencer à travailler, vous ouvrirez un document InDesign existant.

3. Choisissez Fichier > Ouvrir. Double-cliquez sur le fichier 01_a.indd qui se trouve dans les dossiers IDCIB/Lessons/Lesson_01.

4. Sélectionnez Affichage > Mode de l'écran > Normal pour afficher les objets placés sur la table de montage, la zone autour du document.

5. Choisissez Fichier > Enregistrer sous, renommez le fichier **01_Library.indd**, puis enregistrez-le dans le dossier Lesson_01.

Note : Lors de l'enregistrement de ce document, les bords du bloc étaient masqués. Pour les afficher, choisissez Affichage > Afficher les contours du bloc.

Étude de l'espace de travail

L'espace de travail d'InDesign comprend ce que vous voyez lorsque vous créez un document ou lorsque vous ouvrez l'application pour la première fois : le panneau Outils, la fenêtre de document, la table de montage et les panneaux. Il est possible de le personnaliser et de l'enregistrer afin de refléter vos habitudes. Vous pouvez, par exemple, n'afficher que les panneaux que vous utilisez régulièrement, réduire et organiser des groupes de panneaux, redimensionner des fenêtres, etc.

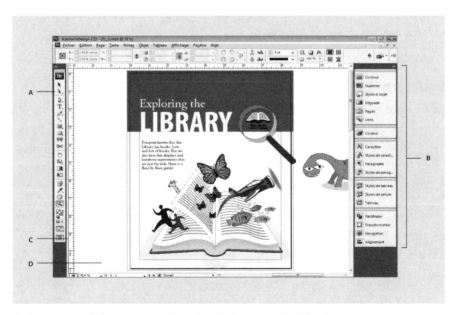

A. Panneau Outils. B. Panneaux. C. Fenêtre de document. D. Table de montage.

Panneau Outils

Le panneau Outils d'InDesign contient des outils de sélection, d'édition, de dessin et d'affichage, ainsi que des outils permettant de contrôler l'application et la modification de la couleur des fonds, des contours et des dégradés.

Dans le panneau Outils, certains outils sont regroupés sous un même bouton, et seul un élément du groupe reste visible. Nous avons réunis les différents groupes d'outils afin de vous donner un aperçu complet des outils.

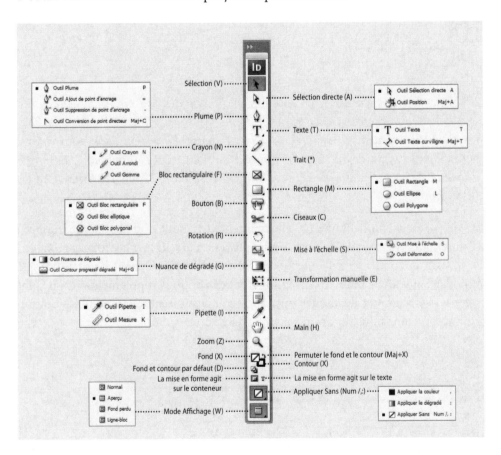

À mesure de votre progression, vous étudierez les fonctions spécifiques de chaque outil. Pour l'heure, vous allez vous familiariser avec le panneau Outils et ses éléments :

1. Pointez sur l'outil Sélection (➤) dans le panneau Outils. Le nom et le raccourci s'affichent à côté.

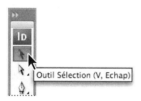

○ *Vous pouvez sélectionner un outil soit en cliquant dessus dans le panneau Outils, soit par son raccourci clavier. Étant donné que les raccourcis clavier par défaut fonctionnent uniquement lorsqu'il n'y a pas de point d'insertion dans le texte, vous pouvez ajouter un raccourci supplémentaire. Pour cela, utilisez la commande Édition > Raccourcis clavier, traitée à la leçon suivante et dans l'Aide en ligne d'Adobe InDesign.*

2. Cliquez sur l'outil Plume (✒) en maintenant le bouton de la souris enfoncé : d'autres outils Plume apparaissent. Faites glisser le curseur vers la droite et relâchez-le sur l'un des outils pour le sélectionner. Les outils qui affichent un petit triangle noir dans leur angle inférieur droit intègrent des options supplémentaires. Il suffit pour les sélectionner de cliquer sur l'outil en question et de maintenir le bouton enfoncé, comme nous venons de le voir avec l'outil Plume.

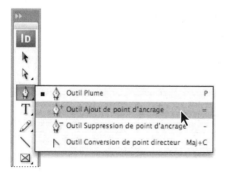

3. Le panneau Outils occupe une colonne mais on peut aussi l'afficher sur deux colonnes. Pour cela, cliquez sur la double flèche dans son coin supérieur gauche. Cliquez de nouveau sur cette double flèche pour réduire l'affichage à une colonne. Cela permet de conserver de l'espace à l'écran.

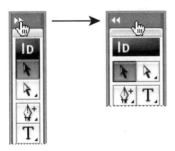

4. Le panneau Outils peut aussi être déplacé. Pour le faire glisser sur l'espace de travail, cliquez sur la barre grise placée au-dessus du logo ID.

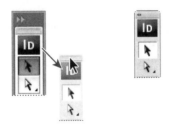

5. Lorsque le panneau Outils est flottant, il peut s'afficher sur deux colonnes verticales ou sur une ligne horizontale. Cliquez sur la double flèche dans le coin supérieur gauche du panneau pour l'afficher sur une ligne. Cliquez de nouveau pour obtenir l'affichage sur deux colonnes. Cliquez une nouvelle fois pour revenir à l'affichage d'origine sur une colonne.

6. Pour ancrer à nouveau le panneau Outils, cliquez sur sa partie supérieure, puis faites-le glisser à gauche de la fenêtre de l'application (Windows) ou de l'écran (Mac OS). Une zone avec une bordure bleue sur la gauche s'affiche. Relâchez : le panneau Outils se positionne correctement à gauche de l'espace de travail.

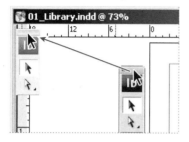

Panneau Contrôle

Le panneau Contrôle (Fenêtre > Contrôle) offre un accès rapide aux options, commandes et autres panneaux en rapport avec l'élément courant de la page ou les objets que vous avez sélectionnés (c'est ce qu'on appelle un panneau contextuel). Par défaut, ce panneau est ancré en haut de la partie supérieure de la fenêtre de document. Mais vous pouvez choisir de l'ancrer au bas de la fenêtre, de le transformer en panneau flottant ou de le masquer.

1. À l'aide de l'outil Sélection (♦), cliquez sur le texte "Exploring the Library". Regardez le panneau Contrôle. Vous y visualisez diverses informations, comme la position, la taille et l'orientation de l'objet. Augmentez la valeur pour la position Y en cliquant sur la flèche vers le haut.

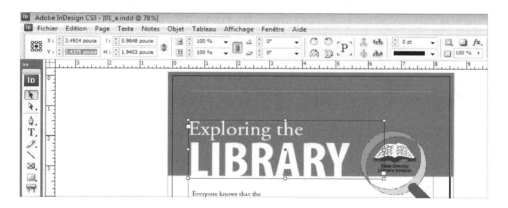

2. Sélectionnez ensuite l'outil Texte (T) puis le texte "Lots and lots". Vous remarquerez que le panneau Contrôle change. Les outils qui s'affichent maintenant permettent de modifier la mise en forme du texte. Cliquez sur le "A" placé à gauche du panneau Contrôle pour choisir parmi les options de mise en forme des caractères. Sélectionnez l'option Souligné.

Voyons à présent comment déplacer le panneau Contrôle si vous n'aimez pas le voir en haut de l'espace de travail.

3. Quel que soit l'outil sélectionné, cliquez sur la partie complètement à gauche du panneau Contrôle, maintenez le bouton enfoncé et faites glisser le panneau dans l'espace de travail. Une barre verticale s'affiche à gauche du panneau Contrôle, permettant de le déplacer. Vous pouvez ensuite l'ancrer dans la partie supérieure ou inférieure de l'espace de travail.

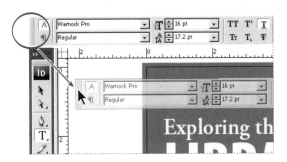

4. Cliquez sur la partie gauche du panneau Contrôle, puis faites-le glisser dans la partie supérieure de l'espace de travail, sous les menus. Une ligne bleue s'affiche indiquant que le panneau sera ancré lorsque vous le déposerez.

Fenêtre de document

La fenêtre de document contient les pages de document. Chaque page ou chaque planche est entourée de sa propre table de montage, laquelle peut contenir des objets nécessaires à la création du document. La table de montage offre également un espace supplémentaire, appelé *fond perdu*, qui permet d'étendre les objets au-delà du bord de la page. On emploie des fonds perdus lorsqu'un objet doit être imprimé sur le bord de la page.

1. Pour afficher la totalité de la table de montage pour les pages du document, sélectionnez Affichage > Table de montage.

Note : Si vous ne voyez pas l'image d'un dinosaure sur la table de montage, c'est parce qu'elle est peut-être masquée par un des panneaux. N'hésitez pas à déplacer les panneaux afin d'afficher les objets de la table de montage.

A. Barre de titre. B. Table de montage. C. Repères de marge. D. Document. E. Repères de fond perdu. F. Fonctionnalités XML. H. Navigation entre les pages. I. Barre d'état.

Sur la page 1, vous voyez l'image d'un dinosaure sur la table de montage. Cette image a d'abord été placée dans le document, puis elle a été déplacée sur la table de montage en vue d'une éventuelle utilisation. Il n'est plus nécessaire de la conserver puisqu'elle n'apparaîtra pas dans le document définitif.

2. Activez l'outil Sélection (↖), cliquez sur l'image du dinosaure sur la table de montage, puis appuyez sur Suppr.

3. Sélectionnez Affichage > Ajuster la page à la fenêtre pour restaurer la fenêtre à sa taille précédente.

4. Sélectionnez Fichier > Enregistrer.

💡 *Servez-vous de la table de montage comme d'une extension de l'espace de travail. Vous pouvez importer de nombreuses images ou des textes et les conserver sur la table de montage jusqu'à ce que vous en ayez besoin.*

Afficher plusieurs fenêtres de document

Il est tout à fait possible d'ouvrir plusieurs fenêtres de documents simultanément. Vous allez ouvrir une seconde fenêtre afin d'afficher deux vues différentes du document lorsque vous travaillez :

1. Choisissez Fenêtre > Disposition > Nouvelle fenêtre. Une nouvelle fenêtre, intitulée 01_Library.indd:2, s'ouvre. La fenêtre d'origine se nomme désormais 01_Library.indd:1.

2. Pour voir les deux fenêtres simultanément, choisissez Fenêtre > Disposition > Mosaïque.

3. Sélectionnez l'outil Zoom (🔍) dans le panneau Outils et double-cliquez sur le papillon dans la fenêtre de document la plus à droite. La fenêtre du premier document conserve sa taille d'origine. Cet agencement permet de travailler sur des détails et de voir les résultats sur l'ensemble de la page.

4. Fermez la fenêtre de document 01_Library.indd:2 en cliquant sur le bouton de fermeture situé dans sa partie supérieure (si vous travaillez sous Windows, attention à ne pas quitter le programme par inadvertance car les boutons de fermeture de la fenêtre et du programme sont adjacents). Fermez uniquement la seconde fenêtre de document, puis redimensionnez et repositionnez la première en cliquant sur le bouton Agrandir, dans sa partie supérieure.

💡 *Le bouton Agrandir (Windows) se trouve à l'intérieur de la case centrale dans l'angle supérieur droit de toute fenêtre. Dans Mac OS, il s'agit du bouton vert situé dans l'angle supérieur gauche de la fenêtre.*

Afficher et organiser les panneaux

Les panneaux permettent d'accéder rapidement aux outils et aux fonctions souvent utilisés. InDesign CS3 offre ainsi une nouvelle méthode de travail.

Par défaut, les panneaux apparaissent groupés, mais ils peuvent être réorganisés de différentes manières. Vous allez vous entraîner à les masquer, les fermer et les ouvrir :

1. Choisissez Fenêtre > Espace de travail > Par défaut, pour repositionner les panneaux à leur emplacement d'origine.

2. Cliquez sur la double flèche placée dans la partie supérieure du dock pour le développer et afficher les panneaux. Cliquez sur l'onglet Calques ou choisissez Fenêtre > Calques.

💡 *Pour retrouver un panneau masqué, choisissez son nom dans le menu Fenêtre. Si son nom est déjà coché, cela signifie qu'il est ouvert et qu'il se trouve derrière d'autres panneaux dans son groupe. Si vous décochez son nom, le panneau se fermera.*

Vous allez maintenant réduire les panneaux sous forme d'icônes. Cela permet de gagner de la place pour travailler sur les documents.

Ancrer et détacher des panneaux

Un *dock* est un ensemble de panneaux ou de groupes de panneaux affichés ensemble, généralement en position verticale.

Pour ancrer et détacher des panneaux, insérez-les dans le dock et déplacez-les hors du dock.

- Pour ancrer un panneau, cliquez sur son onglet et faites-le glisser dans le dock, au-dessus, au-dessous ou entre d'autres panneaux.

- Pour ancrer un groupe de panneaux, cliquez sur sa barre de titre (barre vide de couleur unie située au-dessus des onglets) et faites-le glisser dans le dock.

- Pour supprimer un panneau ou un groupe de panneaux, faites-le glisser en dehors du dock au moyen de son onglet ou de sa barre de titre. Vous pouvez faire glisser l'élément dans un autre dock ou le rendre flottant.

Note : L'ancrage et l'empilage sont deux notions distinctes. Une pile est un ensemble de panneaux ou de groupes de panneaux flottants, assemblés de haut en bas.

Extrait de l'Aide en ligne d'Adobe InDesign CS3.

3. Cliquez sur la double flèche placée en haut du dock pour le réduire en icônes. Pour le développer de nouveau, cliquez une nouvelle fois sur la double flèche. Une autre méthode consiste à cliquer n'importe où dans la barre grise placée en haut du dock. Vous avez également la possibilité de le redimensionner (qu'il soit ou non réduit) en cliquant et en faisant glisser les trois lignes placées dans la partie supérieure.

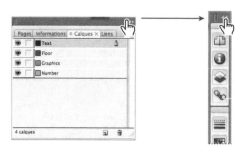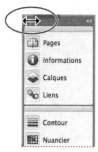

Note : *Pour accéder aux panneaux lorsque le dock est réduit, cliquez sur l'icône ou le texte pour afficher le groupe du panneau.*

4. Assurez-vous que le dock est développé car vous allez redimensionner les groupes de panneaux. Cela peut faciliter l'accès à certains panneaux importants. Cliquez sur n'importe quelle ligne de séparation entre les groupes, puis faites-la glisser vers le haut ou le bas. Vous pouvez réaliser cette opération, que le dock soit ou non développé.

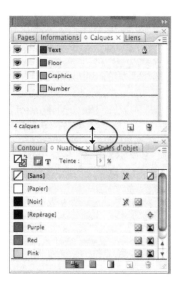

Vous allez à présent réorganiser un groupe de panneaux.

5. Faites glisser l'onglet du panneau Calques en dehors du groupe.

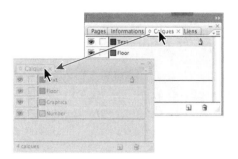

Par défaut, les panneaux sont groupés.
Faites glisser l'onglet d'un panneau pour le séparer du groupe.

Vous pouvez associer n'importe quel panneau à n'importe quel groupe de panneaux ou créer votre propre groupe à partir des panneaux dont vous vous servez le plus fréquemment.

6. Faites de nouveau glisser l'onglet ou la barre supérieure du panneau Calques sur les onglets ou la barre supérieure du groupe de panneaux Pages. Vous devez voir une surbrillance bleue s'afficher.

Note : *Pour ajouter un panneau à un groupe, assurez-vous de faire glisser son onglet ou sa barre supérieure dans la partie supérieure. Si vous faites glisser l'onglet au bas d'un autre panneau, vous ancrez le panneau au lieu de l'ajouter. Reportez-vous à l'encadré "Empiler des panneaux flottants", page 61.*

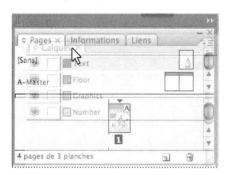

Appuyez sur la touche Tab pour masquer tous les panneaux ouverts ainsi que le panneau Outils. Appuyez de nouveau sur cette touche pour les faire réapparaître. Pour afficher ou masquer uniquement les panneaux (sans le panneau Outils), appuyez sur les touches Maj+Tab.

Vous allez maintenant créer vos propres groupes de panneaux personnalisés en associant différents panneaux.

7. Si le panneau Paragraphe n'est pas visible, ouvrez-le en choisissant Texte > Paragraphe. Faites ensuite glisser l'onglet du panneau Calques vers le centre du groupe de panneaux Paragraphe. Puis faites-le à nouveau glisser vers le groupe de panneaux Pages.

Vous allez maintenant organiser les panneaux afin de libérer un plus grand espace sur votre zone de travail.

8. Après avoir fait glisser un panneau de la zone d'ancrage, double-cliquez sur l'onglet où s'affiche son nom afin de le réduire. Double-cliquez de nouveau sur cet onglet pour le réduire au minimum. Cette opération est réalisable également lorsque le panneau se trouve dans un groupe ou dans un dock.

Note : *Double-cliquez une troisième fois sur l'onglet pour retrouver un affichage complet du panneau. Prenez garde de ne pas cliquer sur le X qui s'affiche dans l'onglet parce que cela fermerait le panneau.*

Empiler des panneaux flottants

Lorsque vous déplacez un panneau hors de son dock, mais sans le placer dans une zone de largage, il devient flottant. Cela vous permet de le positionner n'importe où dans l'espace de travail. Les panneaux peuvent également flotter dans l'espace de travail la première fois que vous les sélectionnez dans le menu Fenêtre. Vous pouvez empiler des panneaux ou groupes de panneaux flottants de sorte qu'ils se comportent comme une seule entité lorsque vous faites glisser la barre de titre supérieure. (Cette méthode ne permet pas d'empiler les panneaux qui font partie d'un dock, ni de les déplacer comme s'il s'agissait d'une seule entité.)

- Pour empiler des panneaux flottants, faites-les glisser par leur onglet vers la zone de largage située au bas d'un autre panneau.

- Pour modifier l'ordre d'empilage, faites glisser un panneau vers le haut ou vers le bas au moyen de son onglet.

Note : Prenez soin de "déposer" l'onglet sur l'étroite zone de largage située entre les panneaux, plutôt que sur la large zone de largage située dans une barre de titre.

- Pour supprimer un panneau ou groupe de panneaux de la pile afin de le rendre flottant, déplacez-le hors de la pile au moyen de son onglet ou de sa barre de titre.

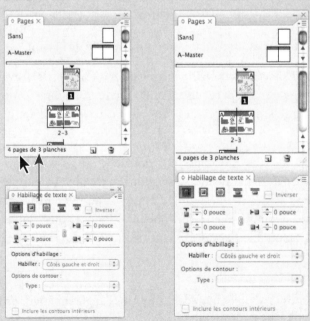

Extrait de l'Aide en ligne d'Adobe InDesign CS3.

Personnaliser l'espace de travail

InDesign offre plusieurs méthodes pour personnaliser l'espace de travail. Vous pouvez restaurer la position par défaut des panneaux et du panneau Outils. Vous pouvez également enregistrer la position des panneaux et y accéder facilement en créant un espace de travail. C'est ce que vous allez faire maintenant :

1. Pour restaurer les paramètres par défaut, sélectionnez Fenêtre > Espace de travail > Espace de travail par défaut.

Vous allez ouvrir des panneaux, les réduire sur le côté puis enregistrer cet espace de travail.

2. Sélectionnez Fenêtre > Pages, puis Fenêtre > Objet et mise en page > Navigation. Faites glisser l'onglet du panneau Navigation pour le retirer du groupe.

3. Sélectionnez Fenêtre > Objet et mise en page > Transformation.

Note : Un panneau dont le nom est coché dans le menu Fenêtre est visible à l'écran. Le fait de cliquer de nouveau sur son nom dans le menu a pour effet de le masquer.

4. Positionnez les panneaux pour qu'ils soient visibles sur le côté de l'écran.

5. Sélectionnez Fenêtre > Espace de travail > Enregistrer l'espace de travail. La boîte de dialogue Enregistrer l'espace de travail s'ouvre. Saisissez le nom **Navigation**, assurez-vous que l'option Position des panneaux est cochée, puis cliquez sur OK.

6. Pour passer à la disposition des panneaux par défaut, choisissez Fenêtre > Espace de travail > Espace de travail par défaut. Les panneaux retrouvent leur position par défaut. Vous pouvez passer d'un espace de travail à l'autre en utilisant la commande Fenêtre > Espace de travail et en sélectionnant celui qui vous convient. Revenez à l'espace de travail par défaut avant d'effectuer l'exercice suivant.

Menus des panneaux

La plupart des panneaux disposent d'un bouton de menu dans l'angle supérieur droit de leur fenêtre, à côté des boutons Réduire et Fermer. Cliquez sur ce bouton (⚆≡) pour ouvrir un menu contenant d'autres commandes et d'autres options. Vous pouvez l'utiliser pour modifier les options d'affichage du panneau ou accéder à d'autres commandes qui y sont relatives.

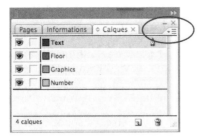

Vous allez maintenant modifier l'affichage de l'un des panneaux utilisés pour créer et enregistrer des couleurs, le panneau Nuancier :

1. Cliquez sur la double flèche en haut du dock pour développer le panneau Nuancier. Cliquez sur son onglet dans le dock à droite de la fenêtre. Vous pouvez également choisir Fenêtre > Nuancier pour l'afficher.

2. Cliquez sur le bouton de menu du panneau Nuancier (▾≡) dans l'angle supérieur droit pour en afficher le contenu.

Panneau développé.   *Panneau flottant.*

3. Choisissez Affichage par petite liste. Les commandes du menu ne s'appliquent qu'au panneau actif. La taille des lignes de ce panneau étant réduite, un nombre plus important de couleurs peut maintenant être affiché. Seules les lignes du panneau Nuancier sont affectées, pas celles des autres panneaux visibles à l'écran.

4. Dans le menu du panneau Nuancier, choisissez Affichage par liste pour rendre aux lignes leur hauteur d'origine.

Redimensionner les panneaux

Pour redimensionner un panneau, faites glisser n'importe lequel de ses côtés ou la boîte de dimensionnement située en bas à droite. Cette méthode ne fonctionne pas avec certains panneaux, tels que le panneau Couleur de Photoshop, par exemple.

- Pour modifier la largeur de tous les panneaux d'un dock, faites glisser la pince située dans le coin supérieur gauche du dock.
- Pour réduire un panneau ou un groupe de panneaux, ou empiler des panneaux, cliquez sur le bouton Réduire situé dans la barre de titre.
- L'ouverture d'un menu est possible même lorsque le panneau est réduit.

Extrait de l'Aide en ligne d'Adobe InDesign CS3.

Modification de l'affichage d'un document

InDesign permet d'agrandir ou de réduire l'affichage des documents selon un pourcentage allant de 5 à 4 000. Lorsque vous visualisez un document, InDesign affiche le pourcentage de sa taille réelle dans l'angle inférieur gauche de la fenêtre de document et dans sa partie supérieure, dans la barre de titre près du nom du fichier.

Commandes d'affichage et menu de grossissement

Il est facile d'augmenter ou de réduire l'affichage d'un document en suivant l'une de ces procédures, au choix :

• Choisissez un pourcentage dans le menu de grossissement, dans l'angle inférieur gauche de la fenêtre de document, pour augmenter ou réduire l'affichage, grâce aux gradations prédéfinies.

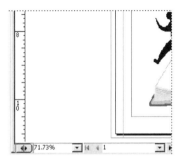

• Indiquez un pourcentage dans le menu de grossissement. Pour cela, positionnez le curseur sur cette zone et cliquez afin d'obtenir un point d'insertion. Saisissez ensuite un pourcentage, puis appuyez sur la touche Entrée (Windows) ou Retour (Mac OS) pour valider cette valeur.

• Choisissez Affichage > Zoom avant pour agrandir l'affichage d'une gradation prédéfinie.

• Choisissez Affichage > Zoom arrière pour réduire l'affichage d'une gradation prédéfinie.

Note : *Les tailles prédéfinies sont celles listées dans le menu de grossissement.*

• Choisissez Affichage > Taille réelle pour afficher le document à 100 %. En fonction des dimensions de votre document et de la résolution de votre écran, vous pouvez ou non afficher la totalité de votre document à l'écran.

• Choisissez Affichage > Ajuster la page à la fenêtre pour afficher la page concernée dans la fenêtre.

• Choisissez Affichage > Ajuster la planche à la fenêtre pour afficher la planche concernée dans la fenêtre.

Outil Zoom

Outre les commandes d'affichage, l'outil Zoom sert à agrandir et à réduire l'affichage d'un document :

1. Sélectionnez l'outil Zoom (🔍) dans le panneau Outils et pointez sur le dinosaure de la page 1. Un signe plus (+) apparaît au centre de l'outil Zoom (🔍).

2. Cliquez une fois. L'affichage passe au prochain niveau de grossissement prédéfini, centré sur le point sur lequel vous avez cliqué.

Vous allez maintenant réduire l'affichage.

3. Positionnez l'outil Zoom sur le papillon et maintenez la touche Alt (Windows) ou Option (Mac OS) enfoncée. Un signe moins (–) apparaît au centre de l'outil Zoom (🔍).

4. La touche Alt/Option étant toujours enfoncée, cliquez une fois encore sur le papillon ; l'affichage se réduit.

Vous pouvez également utiliser l'outil Zoom pour dessiner un cadre autour d'une zone spécifique de votre document afin de l'agrandir.

5. L'outil Zoom étant toujours sélectionné, maintenez le bouton de la souris enfoncé et dessinez un cadre autour du papillon, puis relâchez.

Le pourcentage de grossissement de la zone dépend de la taille du cadre (plus le cadre est petit, plus le niveau de grossissement est élevé).

Faites glisser un cadre à l'aide de l'outil Zoom.

Affichage résultant de l'opération.

6. Double-cliquez sur l'outil Zoom dans le panneau Outils pour revenir à un affichage à 100 %.

L'outil Zoom, auquel vous aurez souvent recours pour agrandir ou réduire l'affichage d'un document, peut être sélectionné temporairement à partir du clavier, à tout moment, sans désélectionner l'autre outil que vous pourriez employer. Procédez de la façon suivante :

7. Cliquez sur l'outil Sélection (✶) dans le panneau Outils et pointez-le sur la fenêtre de document.

8. Maintenez les touches Ctrl+barre d'espacement (Windows) ou Cmd+barre d'espacement (Mac OS) enfoncées. L'icône de l'outil Sélection se transforme en Zoom. Cliquez sur le dinosaure pour agrandir l'affichage et relâchez les touches. Le pointeur reprend l'aspect de l'outil Sélection.

9. Maintenez enfoncées les touches Ctrl+Alt+barre d'espacement (Windows) ou Cmd+Option+barre d'espacement (Mac OS) et cliquez pour réduire, afin de retourner à un affichage à 100 %.

10. Choisissez Affichage > Ajuster la planche à la fenêtre pour centrer la page.

💡 *Vous pouvez également vous servir des raccourcis clavier pour réduire ou augmenter le grossissement. Pour l'augmenter, appuyez sur les touches Ctrl+= (Windows) ou Cmd+=(MacOS). Pour le diminuer, appuyez sur Ctrl+– (Windows) ou Cmd+– (Mac OS).*

Déplacement dans un document

InDesign propose plusieurs options pour visualiser un document et s'y déplacer, comme les panneaux Pages et Navigation et les barres de défilement.

Tourner les pages

Vous pouvez "tourner les pages" à l'aide du panneau Pages, des boutons de pages au bas de la fenêtre de document, des barres de défilement ou d'une série de commandes.

Le panneau Pages présente des icônes de pages pour toutes les pages de votre document. Double-cliquez sur n'importe quelle icône de page ou n'importe quel numéro de page pour afficher la page ou la planche correspondante.

1. Vérifiez que l'outil Sélection (✸) est activé et sélectionnez Fenêtre > Pages si le panneau Pages n'est pas ouvert.

2. Dans le panneau Pages, double-cliquez sur les numéros de pages 2-3, sous les icônes de page, pour cibler et visualiser la planche 2-3 (vous devrez peut-être faire défiler le panneau Pages afin de les visualiser.) Choisissez Affichage > Ajuster la planche à la fenêtre pour les afficher.

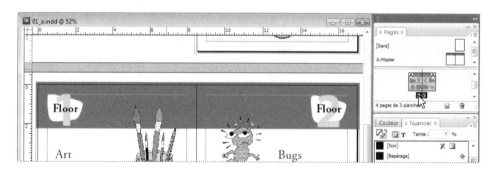

3. Double-cliquez sur l'icône de la page 3 pour sélectionner et centrer cette page uniquement dans la fenêtre de document.

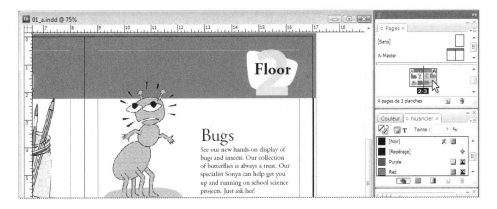

Vous allez maintenant utiliser les boutons de page au bas de la fenêtre de document pour changer de page.

4. Pour vous rendre en page 4, cliquez sur le bouton page suivante (▸), à droite du pourcentage de grossissement, dans l'angle inférieur gauche de la fenêtre de document.

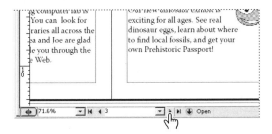

Vous pouvez également atteindre une page en saisissant son chiffre à partir du menu Pages.

5. Sélectionnez 4 dans le menu Pages, en bas à gauche de la fenêtre du document, entrez **1** et appuyez sur Entrée (Windows) ou Retour (Mac OS).

Vous allez maintenant changer de page en utilisant une commande de menu.

6. Choisissez Page > Précédent pour retourner à la page 4.

7. Choisissez Page > Page précédente pour passer à la page 3.

Vous pouvez également accéder à un numéro de page spécifique en le sélectionnant dans le menu déroulant de la partie inférieure de la fenêtre de document.

8. Cliquez sur la flèche descendante (▼) à droite du menu Pages et sélectionnez **2** dans le menu déroulant qui apparaît.

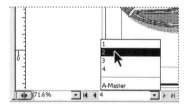

Vous allez maintenant afficher une page en vous servant de la commande Atteindre la page.

9. Sélectionnez Page > Atteindre la page.

10. Entrez **1** dans la boîte de dialogue Atteindre la page (ou choisissez un numéro de page à l'aide des flèches) puis cliquez sur OK. C'est une excellente méthode pour se déplacer dans un document. Avec le raccourci clavier Ctrl+J (Windows) ou Cmd+J (Mac OS), vous gagnerez aussi du temps.

À vous de tester les différentes méthodes de déplacement dans un document. Pour obtenir une liste complète des commandes de déplacement, consultez la rubrique "Pour tourner les pages", de l'Aide en ligne.

Cibler ou sélectionner une page ou une planche

En fonction de la tâche effectuée, vous pouvez soit sélectionner, soit cibler des pages ou des planches. Certaines commandes affectent la page ou la planche sélectionnée, tandis que d'autres affectent la page ou la planche cible. Par exemple, vous ne pouvez faire glisser des repères de règle que vers la page ou la planche cible, alors que les commandes liées aux pages telles que Dupliquer une planche ou Supprimer une page affectent la page ou planche sélectionnée dans le panneau Pages. Le ciblage rend une page ou planche active et se révèle utile lorsque, par exemple, plusieurs planches sont visibles dans la fenêtre du document et que vous voulez coller un objet sur une planche spécifique.

Dans le panneau Pages :

- Pour cibler et sélectionner simultanément une page ou une planche, cliquez deux fois sur son icône ou sur les numéros de pages sous l'icône. Si la page ou planche n'était pas visible dans la fenêtre du document, elle apparaît.

Vous pouvez également cibler et sélectionner une page ou une planche en cliquant sur une page, sur un objet de la page, ou sur sa table de montage dans la fenêtre de document.

La règle verticale est grisée, sauf au niveau de la page ou planche ciblée.

- Pour sélectionner une page, cliquez sur son icône. Cliquez deux fois seulement si vous voulez cibler cette page et l'afficher.

- Pour sélectionner une planche, cliquez sur les numéros de pages sous l'icône de la planche.

Note : *Certaines options de planche, telles que celles du menu du panneau Pages, ne sont disponibles que lorsqu'une planche entière est sélectionnée.*

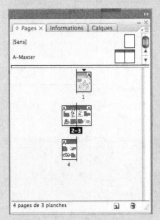

Ciblage de la page 1 ;
sélection des pages 2 et 3.

Extrait de l'Aide en ligne d'Adobe InDesign CS3.

Faire défiler un document

Vous pouvez utiliser l'outil Main du panneau Outils ou les barres de défilement latérales de la fenêtre de document pour vous rendre à des zones ou à des pages différentes d'un document. Vous allez ici employer deux méthodes pour vous déplacer dans le document :

1. Déplacez jusqu'en haut le curseur de la barre de défilement à droite de la fenêtre de document pour afficher la page 1. Si nécessaire, faites également glisser le curseur de la barre de défilement du bas de la fenêtre.

2. L'outil Sélection (▶) étant activé dans le panneau Outils et le pointeur positionné sur le document, appuyez sur la barre d'espacement du clavier. L'icône de l'outil Sélection se transforme en outil Main (✍). Utilisez ce raccourci si vous ne voulez pas changer d'outil lorsque vous vous déplacez dans le document. Vous pouvez également sélectionner simplement l'outil Main dans le panneau Outils.

3. La barre d'espacement étant toujours enfoncée, cliquez et faites glisser la souris vers le haut dans la fenêtre de document jusqu'à ce que la planche 2-3 apparaisse à l'écran. Lorsque vous faites glisser, le document se déplace avec l'icône de la main. L'outil Main permet de faire défiler les documents verticalement et horizontalement, sans avoir recours aux barres de défilement.

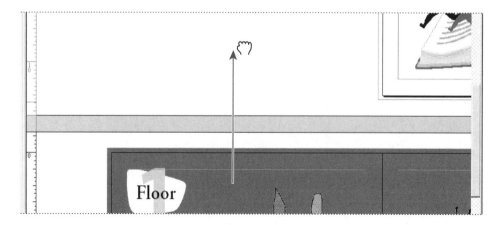

Vous pouvez aussi utiliser l'outil Main comme raccourci pour ajuster la page ou la planche à la fenêtre.

4. Double-cliquez sur l'outil Main dans le panneau Outils pour ajuster la planche à la fenêtre.

5. L'outil Main activé, cliquez sur l'insecte ou près de celui-ci, et faites-le glisser vers le centre de la fenêtre.

Panneau Navigation

Le panneau Navigation regroupe plusieurs outils de visualisation et de navigation qui servent à agrandir rapidement et facilement un document et à se rendre à un endroit précis :

1. Choisissez Fenêtre > Objet et mise en page > Navigation pour accéder à ce panneau.

2. Dans la partie inférieure du panneau Navigation, poussez le curseur vers la droite pour augmenter le grossissement du document à l'écran. La zone d'aperçu rouge dans la fenêtre Navigation décroît alors en taille et désigne la zone visible à l'écran.

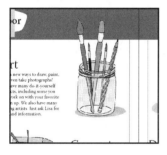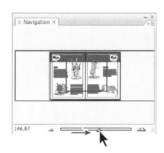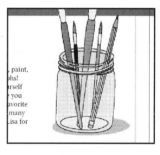

Augmentez le grossissement à l'aide du panneau Navigation.

3. Dans le panneau Navigation, positionnez le pointeur à l'intérieur de la bordure rouge. Il se transforme en main, utilisable pour aller dans différentes zones de la page ou de la planche.

4. Dans la zone d'aperçu rouge, faites glisser l'icône de la main pour vous rendre dans l'angle inférieur droit de la page 3 et modifier la page visible dans la fenêtre de document.

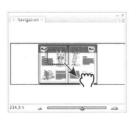

Rendez-vous dans une zone différente à l'aide du panneau Navigation.

Vous allez maintenant vous déplacer entre les pages.

5. Cliquez sur le bouton du menu du panneau (◥≡) dans le panneau Navigation, puis sélectionnez Afficher toutes les planches. Vous pouvez alors cliquer sur la page 4 et naviguer dans cette page.

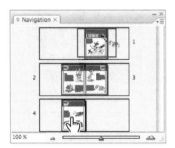

6. Fermez le panneau Navigation, puis enregistrez le fichier.

Menus contextuels

Outre les menus qui se trouvent en haut de l'écran, il existe des menus contextuels qui affichent les commandes adaptées à l'outil ou à la sélection active.

Pour afficher les menus contextuels, pointez sur un objet ou n'importe où dans la fenêtre de document, puis cliquez droit (Windows) ou appuyez sur la touche Ctrl et maintenez le bouton de la souris enfoncé (Mac OS). Voyons comment utiliser les menus contextuels :

1. Allez à la page 3, puis sélectionnez Affichage > Ajuster la page à la fenêtre.

2. À l'aide de l'outil Sélection (⬉), cliquez sur le mot "Floor" dans la fenêtre du document.

3. Toujours avec l'outil Sélection (⬉), cliquez du bouton droit (Windows) ou cliquez en appuyant sur Ctrl (Mac OS) sur le mot "Floor". Les options du texte sont affichées dans le menu contextuel. On les trouve aussi dans le menu Objet. N'en sélectionnez aucune : cliquez sur une zone vide de la page pour fermer le menu.

4. Choisissez Édition > Tout désélectionner pour désélectionner tous les objets, puis cliquez du bouton droit (Windows) ou cliquez en appuyant sur Ctrl (Mac OS) sur la table de montage, en dehors de la page. Les éléments du menu contextuel sont modifiés en fonction de la zone de la page dans laquelle vous êtes placé.

Sélection d'objets

Quand un objet est sélectionné, son bloc est mis en surbrillance lorsque vous le survolez avec l'outil Sélection. Vous pouvez ensuite utiliser des commandes pour choisir des objets placés derrière d'autres éléments sur votre page.

1. Choisissez l'outil Sélection (↖). Si nécessaire, positionnez-vous sur la page 2.

2. Placez le curseur sur différents blocs de texte et de graphique de la page ; un point apparaît à droite (↖.) du curseur lorsque ce dernier les survole. Il indique qu'un objet sera sélectionné si vous cliquez.

3. Cliquez entre les deux "o" du mot "Floor", à l'emplacement où il recouvre le chiffre 1. Le bloc de texte contenant le mot "Floor" est sélectionné.

4. Cliquez du bouton droit (Windows) ou cliquez en appuyant sur Ctrl (Mac OS) et choisissez Sélectionner > Objet inférieur suivant. Répétez cette procédure pour les trois différents objets. Vous pouvez également maintenir la touche Ctrl (Windows) ou Cmd (Mac OS) enfoncée et cliquer pour sélectionner les objets empilés.

Aide en ligne

Référez-vous à l'Aide en ligne pour trouver des informations approfondies sur Adobe InDesign CS3. Elle apparaît dans un navigateur. Procédez comme suit :

Choisissez Aide > Aide d'InDesign. Le navigateur s'ouvre et affiche la page d'accueil de l'Aide.

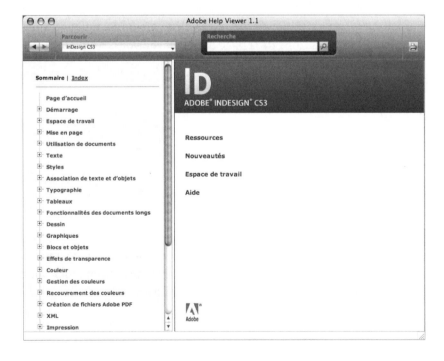

Utiliser les mots clés et les liens

Si vous ne parvenez pas à trouver le sujet qui vous intéresse dans le sommaire, vous pouvez lancer une recherche en saisissant des mots clés ou des phrases.

1. Dans la zone Recherche, placée en haut de la fenêtre Adobe Help Viewer, saisissez **Cadre**, puis appuyez sur la touche Entrée (Windows) ou Retour (Mac OS). Une liste d'éléments contenant des informations en relation avec le mot clé s'affiche.

2. Cliquez sur "Sélection d'objets" pour obtenir des informations sur la sélection d'objets. Notez qu'au bas de l'aide, dans la section Informations associées, vous trouvez différents éléments pour aller plus loin dans votre recherche.

Rechercher un sujet *via* l'index

1. Cliquez sur le mot "Index" dans la colonne de gauche pour afficher une liste alphabétique des sujets. Les lettres de l'alphabet s'affichent.

2. Cliquez sur la lettre H pour afficher les sujets commençant par H.

3. Cliquez sur "href, attribut (XML)" pour afficher la sous-catégorie "Modification des attributs href". Cliquez sur "Modification des attributs href" pour savoir comment modifier ces attributs.

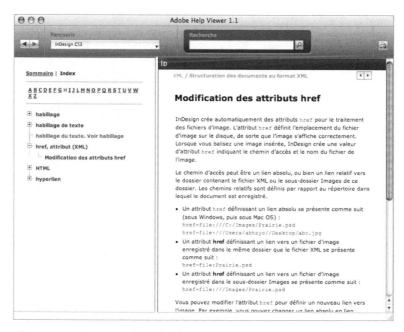

Cliquez sur Index pour afficher l'alphabet, puis sur une lettre pour afficher les sujets.

4. Lorsque vous avez terminé votre recherche, fermez la fenêtre et revenez à la fenêtre de document.

À vous de jouer

Maintenant que vous avez exploré l'espace de travail d'InDesign, vous pouvez aller plus loin en suivant ces procédures. À partir du document 01_Library.indd ou de votre propre document :

1. Choisissez Fenêtre > Informations pour afficher le panneau Informations. Observez les informations fournies sur le document ou cliquez pour sélectionner des éléments individuels et voyez de quelle manière le panneau est modifié à mesure que vous les sélectionnez.

2. Apprenez-en davantage sur les raccourcis clavier et la façon dont vous pouvez les modifier en consultant la fenêtre Raccourcis clavier (Édition > Raccourcis clavier).

3. Après avoir travaillé dans un document et utilisé plusieurs panneaux, choisissez Fenêtre > Espace de travail > Par défaut pour repositionner vos panneaux à leur emplacement par défaut. Essayez de les organiser afin qu'ils répondent au mieux à vos besoins. Créez votre propre espace de travail en choisissant Fenêtre > Espace de travail > Enregistrer l'espace de travail.

4. InDesign CS3 vous permet aussi de personnaliser les menus. Apprenez à modifier ces menus en sélectionnant Édition > Menus.

Révisions

Questions

1. Décrivez deux manières de modifier l'affichage d'un document.

2. Comment sélectionner des outils dans InDesign ?

3. Décrivez trois manières de modifier l'affichage du panneau.

4. Décrivez deux manières d'obtenir plus d'informations sur le logiciel InDesign.

Réponses

1. On peut sélectionner des commandes dans le menu Affichage pour zoomer en avant ou en arrière sur un document, ou pour l'ajuster à l'écran. On peut également utiliser les outils de zoom du panneau Outils, et cliquer ou faire glisser le curseur sur le document pour agrandir ou réduire l'affichage. Des raccourcis clavier existent aussi. Enfin, le panneau Navigation permet de faire défiler un document ou de modifier son grossissement sans passer par la fenêtre de document.

2. Pour sélectionner un outil, il faut cliquer dessus dans le panneau Outils ou appuyer sur son raccourci clavier (par exemple, appuyer sur V pour choisir l'outil Sélection). On sélectionne les outils masqués en cliquant sur le triangle d'un outil dans le panneau Outils, puis en faisant glisser le pointeur pour choisir une variante de l'outil parmi ceux qui apparaissent.

3. Pour faire apparaître un panneau, il suffit de cliquer sur son onglet ou de choisir son nom dans le menu Fenêtre ou Texte, par exemple Fenêtre > Objet et mise en page > Alignement. On fait glisser l'onglet d'un panneau pour le séparer de son groupe et créer un nouveau groupe ou pour adjoindre un panneau à un autre groupe. En faisant glisser la barre de titre du groupe de panneaux, on peut déplacer la totalité du groupe. Un double-clic sur l'onglet d'un panneau permet de n'afficher que ses titres. On peut aussi appuyer sur les touches Maj+Tab pour masquer ou afficher tous les panneaux, sans que cela influe sur l'affichage du panneau Outils à l'écran.

4. L'Aide en ligne d'Adobe InDesign inclut des raccourcis clavier et des illustrations en quadrichromie. InDesign propose également des liens vers des ressources d'entraînement et de support sur le site Web Adobe Systems, **www.adobe.fr**.

erci tat. Gait, se tat. Ut nulla alis molobore magna alit wismolo rtisci tat at. Adignisim duip eui blum, velendre dolut lum in utpat alit, cor aliti til inis eu facipsu scilliquam, corem eui blan hendipit p tatue dolorper ad tet wis eugait adio consequam nit iriustis ad molobor num dit prat vulluptat scipit, commy nulla feuipit adiamcommod euglamet, commodo consequat.

Re deliqua tiome magna cor vulla facilit aci ero core magna core mod magnibh enis. cidunt nullandio endit la augue do od minit nonum do el dio dolore consed molortie volore vulla con vulla feum quam, quip erat diamcor tiniat. Illa conum dolendi onsecte mtais deliquametum in exeros adigna conulputpat. Volobor si blamco ned euis num lum dignim ing eum diat.

Iquate magna consequat. Ut luptatio doloetio odolobor luxe molorpero dolorercidui te feum ipsumod lonulliaor sent ut velesed tat, vent nim niam, quatiol ullummy nis nismoluptat eugiat ulputet alit adit, velit, si.

Ommodis conumsan et, veliquisi. Nostion sendaret dolobore con endiamcommy nonsectet alit lobor ipsustrud et, tustie tat lor sit incil utpat at la feugait utpatisit nos nit, sequis alis nis et, core euis aliquat ulputet vent alisi euguer sequat, quam, vulla feugait prat, vellisi.

Uptat, vel dolortie et et wisse ming elit loxpero diamcor excllis aute tem incing endione dipiustrud dolorsit, velestrud nos ent auguera esequam auguer sendipi. sim num in heniamc onsequi smoloxperat, quatie magnisi blao te tis dolorper auci blam nisit il doloborexcil ulla adit, sequipsum veliquati ad et alit ute do odit dit aute venis augiam ait lutat. Ullandipis esed dolobore vel eu feuguer clpit, vullat non vulputpar aliquat ulla consenim diarummy niamconsectis dipir exerat la feul euis nim dolorem dolut nis nonsent nulla consenibh excilliquam, con vulput ut ullamet laortin cidunt nismodipit iriuretue esto odolorp exateti onsenim delenit ute magnim xrit

There's no place like a sunny beach for summer fun...

prat. Duismol essismod et, quat euglat, sit velisit acidunt luptat, volo re feumsan exeuostrud et irit, con ut exostrud modoloreno et alit minis nim xxrit, sequi tat. Em elincipis summod eros niamomod mincilla facillaor ing exeros nis er sequat.

Acin henim eros exeriure min volutat. Duis nis at, quatinis dolortie mincidunt del ute min et nonum vullutpat.

Gueraes endreno et praestione core duisim verilliqui enismolendio exeseq uipnis num iurem et alit er irit prasstrud do dolenid ut lan et incil ex eu faccums andipis adit er et eraessis nos aut luptatuer se feummy aulpute tid dolor incillamco n ullutat, sequis ipsustrud dolum acipis-m olo reo dolutat am velit ad dolestrud minibh el dip ea feum dolesequatum endigna consummo loborem xrit, cor illa ad eu faccumsan endiamc onsequat, quis num diamet, consendrem alim tel eu feu faccum ipit loeret, quam, suscilit, consequat wis niamet in ut ad magnim nisit acllis niam,

tustrud et augiamet in veniam, sit nibh eugiat aut non essequismod tat, consequ lncidunt lum erostin veriuscia ent diat. Ut ip ero dolenim nullamconum niscin ut loertie nequi esequatio odo consecte conse-quat in hendre velisit er num quam non hent nit, quamet lut wiscilliquat lor alm venisl eugiam vel ullut la faccum dolese consequat. Odignisit veliquamcon henim dolore do od tet voloreerum acilit er exostisim vendrem dolor sequi et num diat pratuerrorio exaesed tat, vulutat adipitr vendit luptatem adit ent auguerors am do conulla adipnum eliquisi blaor suscllis eugait dignit ad min ullan-diem ad el eraeseq uatuetuensis ad entero consequ lacing er iriuscing er et alis wisci-dunt ing er lusto ea consecte facilit ute mag-nibh exero commy niationae conum autet, quam velestrud molore velesto odolobo ractaer quipit vel do el ulluore commodit lam, quat aute do e nim venis dolenit lum acinim ipit dionaequat, quiscil iquiplis adiamco naequis num doluptat eulpis nisit loat

---

Mettre en page un document

Au cours de cette leçon, vous apprendrez à :

• créer un nouveau document ;

• créer, modifier et appliquer des gabarits ;

• définir les paramètres de document par défaut ;

• ajuster la taille de la table de montage et de la zone de fond perdu ;

• ajouter des sections pour modifier la pagination ;

• remplacer des éléments du gabarit sur les pages de document ;

• placer du texte autour d'un graphique ;

• ajouter des graphiques et du texte à des pages de document.

Mise en route

Vous allez mettre en page un article de magazine de douze pages, puis vous importerez du texte et des graphiques sur l'une des planches. Avant de commencer, vous devrez rétablir les Préférences par défaut d'Adobe InDesign pour vous assurer que le fonctionnement des outils et des panneaux soit exactement tel que décrit au fil de cette leçon. Puis vous ouvrirez le document terminé afin de voir ce que vous allez créer.

Note : *Si vous ne l'avez pas déjà fait, copiez les fichiers de cette leçon – qui se trouvent sur le CD-ROM* Adobe InDesign CS3 Classroom in a Book – *sur votre disque dur. Reportez-vous à la section "Copie des fichiers d'exercices de* Classroom in a Book" *de l'Introduction.*

1. Supprimez ou désactivez les fichiers de préférences en suivant la procédure détaillée à la section "Rétablissement des préférences par défaut" de l'Introduction.

2. Lancez Adobe InDesign CS3.

3. Pour savoir à quoi ressemblera le document terminé, ouvrez le fichier 02_b.indd qui se trouve dans les dossiers IDCIB/Lessons/Lesson_02. Si vous recevez un message d'avertissement relatif à la non-concordance de profil ou de police des profils colorimétriques RVB et CMJN du document, cliquez sur OK. Le profil est ainsi converti selon votre espace de travail. Pour de plus amples informations sur la couleur, reportez-vous à la Leçon 6.

4. Déplacez-vous dans le document pour consulter les planches. La plupart contiennent uniquement des blocs réservés. Affichez les pages 2-3 qui constituent l'unique planche que vous réaliserez dans cette leçon.

5. Fermez le fichier 02_b.indd une fois que vous avez fini de l'examiner ou laissez-le ouvert afin de vous y référer si besoin.

Note : Lorsque vous aurez avancé dans cette leçon, vous pourrez déplacer les panneaux ou choisir le niveau de grossissement qui vous convient le mieux.

Création et enregistrement des paramètres de page personnalisés

InDesign permet d'enregistrer vos paramètres de page par défaut personnalisés, parmi lesquels la taille de la page, le nombre de pages et de marges. Vous pouvez ainsi créer rapidement de nouveaux documents en utilisant ces paramètres prédéfinis.

Document presets

1. Choisissez Fichier > Paramètres prédéfinis du document > Définir.

2. Cliquez sur Nouveau dans la boîte de dialogue Paramètres prédéfinis de document qui s'affiche.

3. Dans la boîte de dialogue Paramètres prédéfinis de document, effectuez les réglages suivants :

– Pour Paramètre prédéfini, saisissez **Magazine**.

– Pour Nombre de pages, saisissez **12**.

– Vérifiez que l'option Pages en vis-à-vis est cochée.

– Comme Largeur, saisissez **210 mm** (soit 49p7).

– Pour la Hauteur, saisissez **297 mm** (soit 70p1).

– Sous Colonnes, entrez **5** dans le champ Nombre et conservez l'option de Gouttière par défaut 1p0.

– Sous Marges, saisissez **17 mm** (4 picas) dans l'option De pied, et laissez les marges De tête, Petit fond et Grand fond à 3 picas (12,7 mm). Assurez-vous que le bouton Uniformiser tous les paramètres, au centre des paramètres des marges, est désélectionné (la chaîne cassée) afin de pouvoir saisir des valeurs qui ne soient pas les mêmes pour les quatre dimensions.

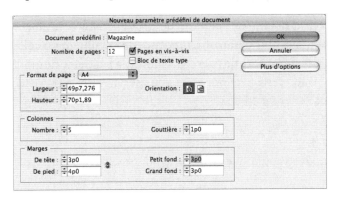

4. Cliquez sur Plus d'options – la boîte de dialogue est alors étendue – et saisissez **8,8 mm** pour le Fond perdu De tête. Assurez-vous que le bouton Uniformiser tous les paramètres est activé afin d'affecter cette valeur aux zones de texte De pied, Petit fond et Grand fond. InDesign convertit automatiquement ces mesures en points.

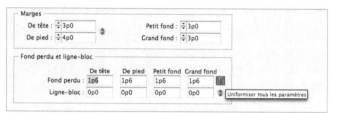

Une zone à l'extérieur de la page est créée ; vous pourrez l'utiliser et l'imprimer lorsque certains de vos éléments, une image ou un arrière-plan coloré par exemple, s'étendront au-delà de la zone de la page.

💡 *Vous pouvez utiliser n'importe quelle unité de mesure dans les panneaux ou les boîtes de dialogue. Si vous employez une valeur autre que l'unité de mesure par défaut, saisissez simplement l'abréviation de cette unité, par exemple **p** pour picas, **pt** pour points et **in** ou " (guillemets) pour pouces. Vous pouvez à tout moment modifier l'unité de mesure par défaut en choisissant Édition > Préférences > Unités et incréments (Windows) ou InDesign > Préférences > Unités et incréments (Mac OS).*

5. Cliquez sur OK dans les deux boîtes de dialogue pour enregistrer le paramètre prédéfini de document.

Création d'un nouveau document

Lorsque vous créez un nouveau document, la boîte de dialogue Nouveau document apparaît. Vous pouvez utiliser un paramètre prédéfini de document ou cette boîte de dialogue pour spécifier le nombre de pages, la taille de la page et le nombre de colonnes du document. Dans cette section, vous vous servirez du paramètre prédéfini Magazine que vous venez de créer.

1. Choisissez Fichier > Nouveau > Document.

2. Dans la boîte de dialogue Nouveau document, sélectionnez Magazine dans le menu Document prédéfini.

3. Cliquez sur OK.

InDesign génère un nouveau document à partir des valeurs du paramètre prédéfini Magazine, dont la taille de la page, le nombre de pages et de marges.

4. Ouvrez le panneau Pages en sélectionnant Fenêtre > Pages, s'il n'est pas déjà ouvert.

La fenêtre de document apparaît, affichant la page 1, comme l'indique le panneau Pages. Celle-ci est divisée en deux sections : la moitié supérieure affiche les icônes des gabarits et la moitié inférieure, les icônes des pages. Dans ce document, le gabarit est constitué d'une planche pour les pages en vis-à-vis.

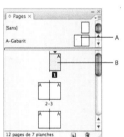

A. Icône de gabarits.
B. Icône de pages de document.

5. Choisissez Fichier > Enregistrer sous, nommez le fichier **02_Création.indd**, placez-le dans le dossier Lesson_02 puis cliquez sur Enregistrer.

Basculer entre les documents ouverts

Lorsque vous travaillerez, il vous arrivera sans doute de basculer entre votre document en cours et celui qui est terminé pour les comparer. Si les deux documents sont ouverts, vous pouvez en afficher un par-dessus l'autre.

1. Sélectionnez le menu Fenêtre. Les documents actuellement ouverts s'affichent au bas du menu.

2. Cliquez sur le document que vous souhaitez afficher : il passe au premier plan.

 *Vous pouvez également basculer entre les documents en appuyant sur Ctrl+~ (Windows) ou Cmd+~ (Mac OS).*

Modification des gabarits

Avant d'ajouter des graphiques et des blocs de texte au document, vous allez créer les gabarits. Un *gabarit* s'apparente à un modèle que vous pouvez appliquer aux pages de votre document. Tout objet que vous ajoutez à un gabarit apparaîtra sur les pages de document auxquelles il est appliqué.

Dans ce document, vous allez créer deux gabarits. L'un contient une grille et des informations de pied de page et le second des blocs réservés. En créant plusieurs jeux de gabarits, vous inclurez des variations dans un document, tout en assurant une conception cohérente.

Ajouter des repères au modèle

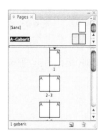

Les *repères* sont des lignes non imprimables qui vous aident à mettre votre document en page de manière précise. Ceux que vous placez sur les gabarits apparaissent sur toutes les pages du document auxquelles le modèle est appliqué. Dans ce document, vous allez ajouter une série de repères qui, avec les repères de colonnes, agissent comme une grille permettant d'aligner des graphiques et des blocs de texte :

1. Dans la section supérieure du panneau Pages, double-cliquez sur A-Gabarit.

Les gabarits gauche et droite apparaissent dans la fenêtre de document.

Double-cliquez sur le nom du gabarit
pour afficher les deux pages du Gabarit A.

Si les deux pages du gabarit ne sont pas centrées, double-cliquez sur l'outil Main dans le panneau Outils pour les centrer.

2. Choisissez Page > Créer des repères.

3. Cochez la case Aperçu.

4. Sous Rangées, saisissez **8** dans Nombre et **0** dans Gouttière.

5. Dans le champ Ajuster les repères, sélectionnez Aux marges, puis cochez la case Aperçu pour voir comment apparaîtront les repères horizontaux sur le gabarit.

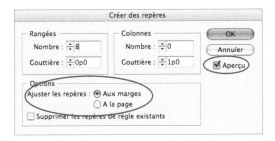

Le fait de sélectionner Aux marges au lieu de À la page ajuste les repères à l'intérieur des marges et non à l'intérieur de la page. Vous n'ajouterez pas de repères de colonnes, car les lignes des colonnes apparaissent déjà dans votre document.

6. Cliquez sur OK.

Cette commande permet également d'ajouter des repères à une page de document individuelle.

Faire glisser des repères à partir des règles

Les repères peuvent être déplacés à partir des règles horizontale (en haut) ou verticale (sur le côté) pour permettre un alignement sur des pages individuelles. En appuyant sur Ctrl (Windows) ou Cmd (Mac OS) lorsque vous faites glisser un repère, vous appliquez celui-ci à l'ensemble du gabarit.

Vous pouvez également faire glisser le repère sans les touches Ctrl/Cmd et le relâcher sur la table de montage afin qu'il apparaisse sur toutes les pages d'une planche ainsi que dans la table de montage.

Dans cette leçon, les pieds de page vont être placés sous la marge inférieure de la page, à l'endroit où il n'y a pas de repères de colonnes. Pour les positionner précisément, vous allez ajouter un repère horizontal et deux repères verticaux à partir des règles du document.

1. S'il n'est pas déjà sélectionné, double-cliquez sur le gabarit A-Gabarit dans le panneau Pages. S'il n'est pas visible dans la partie supérieure du panneau Pages, utilisez la barre de défilement ou le séparateur de panneau pour afficher des gabarits supplémentaires.

2. Sans cliquer, déplacez le curseur dans la fenêtre de document. Observez alors les règles verticale et horizontale et voyez comment les pointeurs en pointillé dans les règles signalent sa position. Les valeurs X et Y grisées du panneau Contrôle indiquent également sa position.

3. Appuyez sur Ctrl/Cmd et placez le curseur sur la règle horizontale. Faites glisser un repère approximativement jusqu'à la position 62 picas (262 mm). Observez la valeur Y dans le panneau Contrôle ou le panneau Transformation pour connaître la position actuelle. Vous placerez le repère exactement à 62 picas à l'étape suivante.

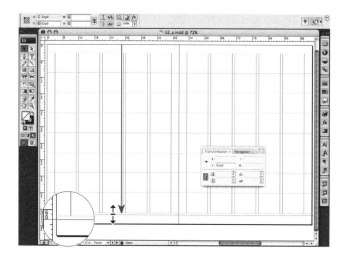

4. Choisissez l'outil Sélection (↖) et sélectionnez le repère : il change alors de couleur et, dans le panneau Contrôle, la valeur Y n'est plus grisée. Placez le curseur dans la zone Y, puis saisissez **62p**. Appuyez sur Entrée (Windows) ou Retour (Mac OS).

5. Faites glisser un repère à partir de la règle verticale jusqu'à la position **12p0,6** (51 mm). Consultez la valeur X du panneau Contrôle lors de cette opération. Le repère de règle s'aligne sur le repère de la colonne à cet endroit.

6. Faites glisser un autre repère à partir de la règle verticale jusqu'à la position **88p5,4** (374 mm).

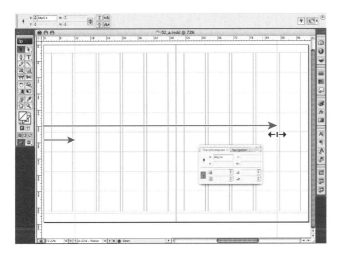

7. Choisissez Fichier > Enregistrer.

Créer un bloc de texte pour le pied de page dans le modèle

Tout texte ou graphique que vous importez sur le gabarit apparaîtra dans les pages auxquelles ce modèle sera appliqué. Dans le pied de page des deux gabarits, vous allez ajouter le titre de la publication, "Summer Vacations", ainsi qu'un indicateur de pagination.

1. Vérifiez que vous êtes bien positionné dans le bas du gabarit gauche. Si nécessaire, faites un zoom avant et utilisez les barres de défilement ou l'outil Main (✋).

2. Sélectionnez l'outil Texte (T) dans le panneau Outils. Sur le gabarit gauche, créez un bloc de texte sous la seconde colonne où s'entrecroisent les repères, comme l'indique le schéma. Il n'est pas nécessaire de dessiner le bloc exactement au même endroit, vous l'alignerez par la suite.

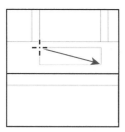

Note : *Lorsque vous créez un bloc à l'aide de l'outil Texte, il commence à l'intersection de la ligne de base horizontale et de la ligne verticale du I du curseur, et non du haut du curseur.*

3. Le point d'insertion étant toujours dans le nouveau bloc de texte, choisissez Texte > Insérer un caractère spécial > Marques > Numéro de page active.

La lettre A, qui représente le modèle A-Gabarit, apparaît dans le bloc de texte. Ce caractère reflète le numéro de page dans vos pages de document, comme "2" sur la page 2.

4. Pour ajouter un espace cadratin après le numéro de page, dans le bloc de texte, cliquez du bouton droit (Windows) ou cliquez en appuyant sur Ctrl (Mac OS) pour afficher un menu contextuel, puis choisissez Insérer une espace > Cadratin. Vous pouvez également choisir cette commande sous le menu Texte.

5. Saisissez **Summer Vacations** après l'espace cadratin.

Vous allez maintenant changer la police et la taille du texte dans le bloc.

6. Dans le panneau Outils, choisissez l'outil Sélection (⬉) et cliquez sur le bloc de texte qui contient le pied de page.

7. Choisissez Texte > Caractère pour afficher le panneau du même nom.

8. Dans le panneau Caractère, choisissez Adobe Garamond Pro dans le menu Police (vous devrez peut-être faire défiler le menu).

9. Dans le menu déroulant Corps, sélectionnez **12 pt**.

Note : Pour modifier les attributs du texte entier d'un bloc, sélectionnez ce dernier à l'aide de l'outil Sélection ( ). Pour modifier les attributs d'une portion de texte, utilisez l'outil Texte (T).

Note : Il est facile de confondre le menu Corps ( ) avec le menu Interligne ( ). Soyez-y attentif lorsque vous faites des modifications.

Quand aucun élément n'est sélectionné, les modifications apportées dans le panneau Caractère ou un autre panneau deviennent vos paramètres par défaut. Afin d'éviter de modifier votre paramétrage par défaut, veillez à ce qu'un objet soit sélectionné avant d'effectuer des modifications dans un panneau.

10. Choisissez l'outil Sélection ( ). Si nécessaire, faites glisser le bloc du pied de page afin qu'il s'aligne sur les repères horizontaux et verticaux, comme l'indique le schéma.

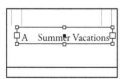

11. Dans la partie supérieure gauche du panneau Contrôle, vérifiez ses coordonnées en cliquant dans le coin supérieur gauche du Point de référence ( ). Le panneau Contrôle doit afficher une valeur X de 12p0,6 (51 mm) et une valeur Y de 62p (262 mm).

12. Cliquez dans une zone vierge de la fenêtre de document ou choisissez Édition > Tout désélectionner pour annuler la sélection du bloc du pied de page.

Vous allez maintenant dupliquer le pied de page sur la page de droite du gabarit.

13. À l'aide de l'outil Sélection (↖), sélectionnez le bloc du pied de page de la page de gauche. Maintenez la touche Alt (Windows) ou Option (Mac OS) enfoncée et faites glisser le bloc de texte vers le gabarit droit, afin qu'il s'aligne sur les repères, comme l'indique le schéma.

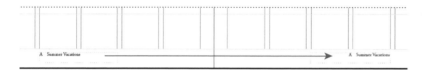

14. Vérifiez que le bas du gabarit droit est visible. Si nécessaire, faites un zoom avant et servez-vous des barres de défilement pour afficher le texte qui se situe au bas du gabarit droit.

15. Sélectionnez l'outil Texte (T), puis cliquez n'importe où dans le bloc de texte sur le gabarit droit pour placer un point d'insertion.

16. Dans le panneau Contrôle, cliquez sur le bouton Commandes de mise en forme des paragraphes (¶), puis cliquez sur Aligner à droite.

Cliquez sur le bouton Commandes de mise en forme
des paragraphes pour afficher les différentes options d'alignement.

Le texte est maintenant aligné à droite dans le bloc de pied de page sur le gabarit droit. Vous allez alors améliorer l'effet de miroir en plaçant le numéro de la page après "Summer Vacations" sur le gabarit droit.

17. Supprimez l'espace cadratin et le numéro de page au début du pied de page.

18. Placez le point d'insertion à la fin de "Summer Vacations", puis choisissez Texte > Insérer un caractère spécial > Marques > Numéro de page active.

19. Placez le point d'insertion entre "Summer Vacations" et le numéro de page, cliquez du bouton droit (Windows) ou cliquez en appuyant sur Ctrl (Mac OS), puis choisissez Insérer un espace > Cadratin.

Pieds de page gauche et droit.

20. Choisissez Édition > Tout désélectionner, puis Fichier > Enregistrer.

Renommer le gabarit

Dans les documents contenant plusieurs gabarits, vous pouvez renommer ces derniers pour leur attribuer des noms plus parlants. C'est ce que vous allez faire maintenant pour ce premier gabarit.

1. Sélectionnez Fenêtre > Pages si le panneau Pages n'est pas affiché. Assurez-vous que A-Gabarit est toujours sélectionné, puis cliquez sur le bouton de menu (⬝≡) dans le coin supérieur du panneau Pages, et choisissez Options de gabarit pour "A-Gabarit".

2. Dans Nom, entrez **Grille - Pied de page**, puis cliquez sur OK.

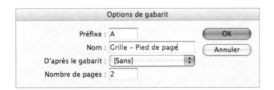

Note : *Vous pouvez également utiliser la boîte de dialogue Options de gabarit pour changer d'autres propriétés des gabarits existants.*

Création de gabarits supplémentaires

Il est possible de créer plusieurs gabarits dans un document, soit individuellement soit en vous appuyant sur d'autres gabarits. Dans ce dernier cas, chaque modification apportée au gabarit parent sera aussi visible sur les gabarits enfant.

Par exemple, le gabarit Grille - Pied de page est pratique pour la plupart des pages du document de la leçon et nous pouvons nous en servir comme point de départ pour d'autres jeux de gabarits.

Afin d'accorder les différentes pages de l'article, vous allez utiliser ce modèle pour créer un jeu de gabarits séparé pour les pages qui contiennent des blocs réservés pour le texte et les graphiques.

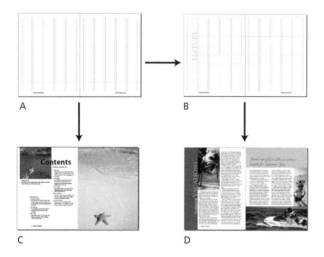

A. Modèle A-Grille - Pied de page. *B.* Modèle B-Emplacement.
C. Pages de document fondées sur un modèle A-Grille - Pied de page.
D. Pages de document fondées sur B-Emplacement.

Création d'un modèle de bloc réservé

Vous allez créer un second gabarit pour les emplacements du texte et des images qui apparaîtront dans vos articles. Vous assurerez ainsi une disposition cohérente entre les articles et vous n'aurez pas besoin de créer des blocs de texte sur chaque page de votre document.

1. Dans le panneau Pages, choisissez Nouveau gabarit dans le menu déroulant.

2. Dans Nom, saisissez **Emplacement**.

3. Dans D'après le gabarit, choisissez A-Grille - Pied de page, puis cliquez sur OK.

Les icônes B-Emplacement présentent la lettre A dans chaque page du panneau Pages. Cette lettre indique que le modèle B-Emplacement est fondé sur le modèle A-Grille - Pied de page. Si vous deviez modifier celui-ci, les modifications seraient également reflétées dans le modèle B-Emplacement. Vous pouvez aussi remarquer qu'il n'est pas facile de sélectionner des objets, comme des pieds de page, à partir d'autres gabarits. Vous en saurez plus sur la sélection et le remplacement des objets de gabarit plus loin dans cette leçon.

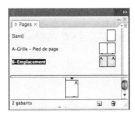

Ajouter un titre à un bloc réservé

Le premier bloc réservé contiendra le titre de l'article dans une boîte rouge pivotée. Procédez comme suit :

1. Pour centrer la page gauche dans la fenêtre de document, double-cliquez sur l'icône de la page gauche du modèle B-Emplacement dans le panneau Pages.

2. Sélectionnez l'outil Texte (T). Placez le curseur à gauche de la page, sur la table de montage. Cliquez et faites glisser pour créer un bloc de texte légèrement plus large que la page et à peu près aussi haut que l'un des blocs de la grille. Vous positionnerez et redimensionnerez ce bloc de texte ultérieurement.

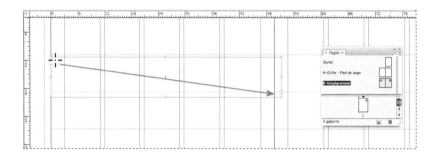

3. Le point d'insertion se trouvant à l'intérieur du nouveau bloc de texte, saisissez **Season Feature**.

4. Cliquez trois fois sur le texte que vous venez d'entrer pour le sélectionner.

5. Dans le panneau Contrôle, cliquez sur le bouton Commandes de mise en forme des caractères (⊞). Sélectionnez le menu déroulant Famille de polices et choisissez Trajan pro.

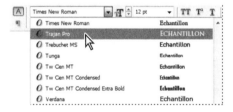

La famille Trajan pro ne contenant que des majuscules, le texte devrait donc maintenant apparaître en majuscules.

6. Double-cliquez pour sélectionner le mot "SEASON". Dans le menu déroulant Corps du panneau Contrôle, sélectionnez **36 pts**. Sélectionnez ensuite le mot "FEATURE" et choisissez **60 pts**.

7. Dans le panneau Contrôle, sélectionnez le bouton Commandes de mise en forme des paragraphes (¶) et cliquez sur l'option Centrer.

8. Choisissez l'outil Sélection (➤). Le nouveau bloc de texte est sélectionné. Faites-le ensuite glisser par sa poignée inférieure centrale jusqu'à ce qu'il soit assez grand pour contenir le texte. Si le texte disparaît, faites simplement glisser la poignée vers le bas pour agrandir le bloc. Enfin, choisissez Affichage > Ajuster la planche à la fenêtre pour faire un zoom arrière.

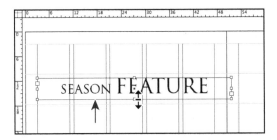

9. Dans le panneau Contrôle, sélectionnez la poignée supérieure gauche dans l'icône du Point de référence (⯐). Choisissez ensuite le menu Angle de rotation du panneau Contrôle et sélectionnez **–90°**.

10. Faites glisser ce bloc de texte afin qu'il s'aligne en haut du repère droit de la colonne la plus à gauche. Faites ensuite glisser la poignée centrale vers le bas du cadre pour étirer le bloc jusqu'à la marge inférieure de la page.

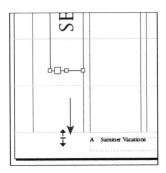

11. Cliquez dans une zone vide de la page ou sur la table de montage pour tout désélectionner, puis enregistrez le document.

Ajouter un bloc réservé pour les graphiques

Vous venez de créer l'emplacement du bloc de texte pour le titre de votre article. Vous allez à présent ajouter deux blocs graphiques aux gabarits. Tout comme les blocs de texte, les blocs graphiques servent à délimiter des emplacements dans les pages de document, ce qui assure la cohérence de la mise en page.

Note : Dans cet exercice, vous créez des blocs réservés pour le texte et les images de votre article. Cependant, il n'est pas nécessaire d'en créer dans tous vos documents. Cela se révèle inutile, par exemple, pour des documents plus petits.

L'outil Rectangle (□) et l'outil Bloc rectangulaire (⊠) sont plus ou moins interchangeables. Toutefois, l'outil Bloc rectangulaire, qui inclut un X non imprimable, est généralement employé pour créer des emplacements de graphiques.

Tout d'abord, créez un repère pour faciliter le positionnement des blocs graphiques :

1. Choisissez Affichage > Grilles et repères et vérifiez que la commande Verrouiller les repères est cochée.

2. Faites glisser un repère à partir de la règle horizontale jusqu'à la marque 34 picas (144 mm) sur le gabarit gauche. Gardez à l'esprit que le panneau Contrôle permet à tout moment de vérifier la position d'un repère à mesure que vous le déplacez.

Pour être sûr de la position du repère à 34 picas, choisissez l'outil Sélection (↖) dans le panneau Outils, cliquez sur le repère pour le sélectionner (il doit changer de couleur), puis saisissez **34p** dans la zone de texte Y du panneau Contrôle. Appuyez sur Entrée/Retour.

3. Sélectionnez l'outil Bloc rectangulaire (⊠) dans le panneau Outils.

4. Placez le curseur dans le coin supérieur gauche de la page de gauche, aux positions X de **11p0** (46 mm) et Y de **0p0**. Cliquez et faites glisser la souris pour dessiner un bloc. Ce dernier doit recouvrir la zone allant du bord supérieur de la page jusqu'au repère horizontal défini à 34 picas, ainsi que la zone s'étendant jusqu'au repère 19p1,8 (81 mm).

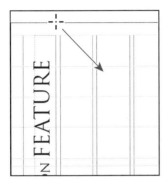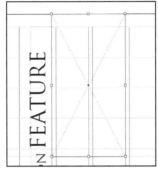

5. Ajoutez maintenant un bloc réservé sur la page de gabarit de droite. Répétez les étapes 2 à 4, mais cette fois pour déplacer un repère sur la page de gabarit de droite jusqu'à la position **46 picas** (195 mm).

6. Dessinez un rectangle qui démarre au repère horizontal à la position 46 picas et s'étend sur toute la largeur de la page et vers la marge du bas.

7. Choisissez Fichier > Enregistrer.

Placer du texte autour d'un graphique

Vous pouvez placer le texte autour d'un bloc réservé sur le gabarit afin que ce texte apparaisse autour de l'image sur n'importe quelle page de ce gabarit. Procédez comme suit :

1. À l'aide de l'outil Sélection (⤓), sélectionnez le bloc réservé du graphique que vous avez créé sur la page de gauche du gabarit.

2. Sélectionnez Fenêtre > Habillage de texte pour ouvrir le panneau du même nom, puis sélectionnez la deuxième option d'habillage afin que le texte se place autour du bloc.

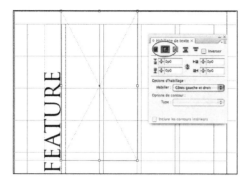

Habillage du texte appliqué à un cadre graphique.

3. Assurez-vous que l'icône en forme de maillon (⚙) est désactivée, puis réglez le décalage en bas du cadre en saisissant 1p0 dans la zone de texte placée en bas à gauche.

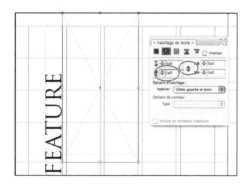

Décalage du texte appliqué à un cadre graphique.

4. Fermez le volet Habillage de texte, puis sélectionnez Fichier > Enregistrer.

Dessiner une forme colorée

Vous allez maintenant ajouter un fond à la barre de titre et un autre en haut du modèle droit. Ces éléments apparaîtront ensuite sur toutes les pages auxquelles le modèle B-Emplacement aura été attribué.

1. Choisissez Édition > Tout désélectionner.

2. Dans le panneau Pages, double-cliquez sur la page droite de la page type B-Emplacement, ou faites défiler horizontalement afin que la page droite soit centrée dans la fenêtre de document.

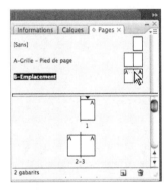

3. Dans le panneau Outils, choisissez l'outil Sélection (↖), et faites glisser un repère depuis la règle horizontale jusqu'à la position **16 picas** (68 mm). Cliquez ensuite dans une zone vide pour désélectionner le repère.

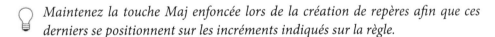

Maintenez la touche Maj enfoncée lors de la création de repères afin que ces derniers se positionnent sur les incréments indiqués sur la règle.

Lors de la sélection et du déplacement des blocs, il arrive souvent qu'on fasse glisser accidentellement les repères. Pour les empêcher de bouger, vous allez les verrouiller.

4. Choisissez Affichage > Grilles et repères > Verrouiller les repères.

La commande Verrouiller les repères est également accessible dans les menus contextuels qui apparaissent lorsque vous cliquez du bouton droit (Windows) ou cliquez en appuyant sur Ctrl (Mac OS) sur une zone vide de la page ou de la table de montage.

5. Choisissez Fenêtre > Nuancier pour ouvrir le panneau du même nom.

6. Sélectionnez l'outil Bloc rectangulaire (⊠) dans le panneau Outils. Placez le curseur à la position X de **50p** (212 mm) et Y de **0p**. Cliquez puis faites glisser pour dessiner un cadre à partir du bord supérieur du papier vers le repère horizontal à 16 picas (68 mm) et en l'étirant d'un bord de la page vers l'autre.

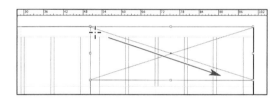

7. Dans l'angle supérieur gauche du panneau, cliquez sur la case Contour (⟲) pour l'activer. Cliquez ensuite sur [Aucun] dans la liste des nuances. Cela élimine le contour de la forme que vous allez dessiner. Notez que la case Contour se trouve également à l'avant de la boîte Fond dans le panneau Outils.

8. Dans la même zone du panneau Contour, cliquez sur la case Fond (■) pour l'activer. Cliquez ensuite sur [Papier] dans la liste des nuances, pour le définir comme couleur de l'emplacement pour les objets que vous allez dessiner.

9. Dans le panneau Pages, double-cliquez sur l'icône de la page gauche pour B-Emplacement, afin de centrer le gabarit gauche dans la fenêtre de document.

10. En utilisant toujours l'outil Bloc rectangulaire (⊠), dessinez un bloc de haut en bas de la page afin de couvrir la marge gauche de la page et la première colonne. Répétez les étapes 7 et 8 pour remplir le bloc avec Papier. Notez que le nouveau bloc cache l'emplacement du titre.

11. Le nouveau bloc rectangle étant toujours sélectionné, choisissez Objet > Disposition > En arrière.

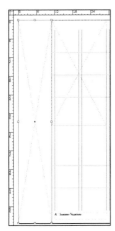 

12. Choisissez Fichier > Enregistrer.

Créer des blocs de texte avec des colonnes

Vous avez ajouté des emplacements pour le titre et le graphique et deux blocs d'arrière-plan pour les gabarits B-Emplacement. Pour terminer le modèle B-Emplacement, créez les blocs de texte pour son article principal :

1. Sélectionnez l'outil Texte (**T**). Placez le curseur sur le gabarit de gauche, aux positions X de **12p** (51 mm) et Y de **3p** (12,7 mm), approximativement. Cliquez et faites glisser la souris vers le bas et la droite pour créer un bloc de texte. Alignez le bloc sur les repères afin qu'il soit haut de huit lignes et large de quatre colonnes.

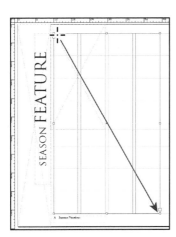

2. Choisissez Affichage > Ajuster la planche à la fenêtre. Si nécessaire, fermez ou masquez tout panneau bloquant la vue de la planche.

3. Sur le gabarit de droite, placez le curseur aux positions X de **53p3** (225 mm) et Y de **17p7** (74 mm), approximativement. Cliquez et faites glisser la souris pour créer un bloc de texte large de quatre colonnes et haut de six lignes, pour l'aligner sur les repères, tel qu'indiqué.

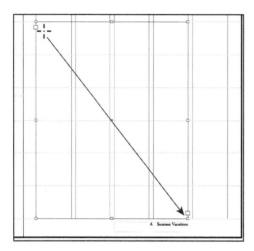

Vous devez maintenant vérifier que chacun des blocs de texte de l'article principal dispose de deux colonnes.

4. Choisissez l'outil Sélection (↖). Tout en maintenant la touche Maj enfoncée, cliquez pour sélectionner les deux blocs de texte.

5. Sélectionnez l'outil Texte (T), puis, dans le panneau Contrôle, cliquez sur la flèche pointant vers le haut du champ Nombre de colonnes afin d'augmenter le nombre de colonnes à 2.

Chacun des blocs de texte de l'article principal inclura deux colonnes de texte. Pour que le texte se répartisse bien entre les deux blocs, vous allez les lier.

6. Choisissez l'outil Sélection (▶), puis cliquez sur le port de sortie dans le coin inférieur droit du bloc de texte de la page gauche. Pointez sur le bloc de texte du gabarit droit. L'icône indiquant que du texte est chargé (▤) se transforme en icône de lien (⊘). Cliquez. Les deux blocs sont maintenant liés.

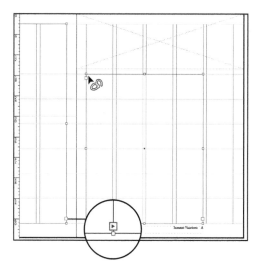

7. Enregistrez le document.

Note : Choisissez Affichage > Afficher le chaînage du texte pour obtenir une représentation visuelle des blocs liés. Il est toujours possible de lier des blocs de texte, qu'ils aient ou non un contenu.

Application des modèles aux pages de document

Maintenant que vous avez créé tous vos gabarits, vous allez les appliquer aux pages de votre document. Pour cela, vous ferez glisser les icônes du gabarit sur celles de la page de document ou vous utiliserez l'option du menu du panneau Pages. Le modèle A-Grille - Pied de page est appliqué par défaut à toutes les pages de document alors que vous appliquerez le modèle B-Emplacement aux pages appropriées.

Pour de grands documents, vous trouverez peut-être plus facile d'afficher les icônes de pages à l'horizontale dans le panneau Pages.

1. Dans le panneau Pages, cliquez sur le menu du panneau, puis sélectionnez Options de panneau.

Note : Le menu d'un panneau se situe dans son angle supérieur gauche ou droit, selon qu'il est ancré ou non.

2. Sous Pages, désactivez Afficher verticalement, puis sélectionnez Petite, dans le menu Taille de l'icône. Cliquez ensuite sur OK.

3. Positionnez le curseur sur la barre horizontale située sous la zone des gabarits. Cliquez puis faites-la glisser vers le bas pour les voir tous. Faites ensuite glisser l'angle inférieur droit du panneau Pages vers le bas jusqu'à ce que vous puissiez voir toutes les planches.

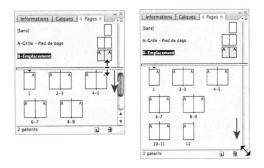

Maintenant que vous voyez toutes les pages de votre document, vous allez appliquer le modèle B-Emplacement à celles qui contiennent des articles.

4. Cliquez puis faites glisser le nom B-Emplacement immédiatement à gauche du numéro 6 ou à droite du numéro 7, sous les icônes de pages (et non sur les icônes des pages). Lorsqu'un cadre apparaît autour des deux pages de la planche, relâchez le bouton de la souris.

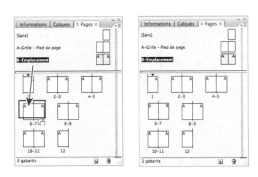

Les pages de modèle B-Emplacement sont appliquées aux pages 6 et 7, comme l'indique la lettre B dans les icônes de pages. Vous n'allez pas faire glisser le modèle B-Emplacement sur les autres planches, mais appliquer la méthode suivante :

5. Choisissez le menu Appliquer un gabarit aux pages, dans le menu du panneau Pages. Dans le champ Appliquer le gabarit, choisissez B-Emplacement. Dans le champ Aux pages, saisissez **8-11**. Cliquez sur OK.

Notez que les pages 6 à 11, dans le panneau Pages, sont maintenant mises en forme avec le modèle B-Emplacement. La page 12 nécessite une mise en forme individuelle sans pagination, il n'est donc pas nécessaire d'utiliser de gabarit.

6. Dans le panneau Pages, cliquez et faites glisser le modèle Aucune sur la page 12. Relâchez le bouton lorsque l'icône de cette page est sélectionnée.

Vérifiez que le modèle A-Grille - Pied de page est attribué à la page 1, que le modèle B-Emplacement est attribué aux pages 6 à 11 et que la page 12 n'affiche aucun modèle.

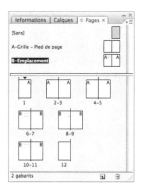

7. Choisissez Fichier > Enregistrer.

Ajout de sections pour modifier la pagination

Le magazine sur lequel vous travaillez nécessite une introduction, qui sera numérotée avec des chiffres romains en minuscules (i, ii, iii, etc.). Vous pouvez modifier les numéros de pages en ajoutant une section. Vous allez donc commencer une section à la page 2, avec une numérotation de page en chiffres romains, puis vous continuerez à la page 6 avec une autre section qui aura des chiffres arabes.

1. Double-cliquez sur l'icône de la page 2 dans le panneau Pages pour la sélectionner et la visualiser dans la fenêtre de document.

2. Choisissez Options de numérotation et de section dans le menu du panneau Pages. Vérifiez que les cases Début de section et Numérotation automatique des pages sont cochées.

3. Dans le champ Style, choisissez i, ii, iii, iv. Cliquez sur OK.

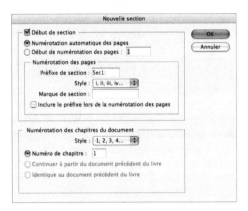

Observez les icônes des pages dans le panneau. À partir de la page 2, la numérotation est désormais réglée pour apparaître en chiffres romains minuscules dans les pieds de page.

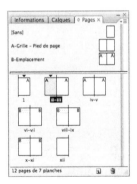

Le triangle au-dessus de la page ii
indique le début d'une nouvelle section.

Vous allez maintenant numéroter les autres pages en chiffres arabes, de la page 6 jusqu'à la fin du document.

4. Cliquez sur la page 6 (vi) dans le panneau Pages pour la sélectionner.

Note : Cliquez une fois sur une page pour la cibler dans le but d'une édition. Si vous souhaitez vous positionner sur une page, double-cliquez dessus dans le panneau Pages.

5. Cliquez sur le menu du panneau Pages dans l'angle supérieur du panneau et choisissez Options de numérotation et de section.

6. Dans la boîte de dialogue, vérifiez que la case Début de section est cochée.

7. Sélectionnez Début de numérotation des pages et saisissez **2**.

8. Dans le champ Style, choisissez 1, 2, 3, 4, puis cliquez sur OK.

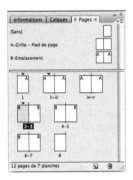

Les pages sont maintenant correctement renumérotées. Remarquez le triangle noir qui apparaît au-dessus des pages 1, ii et 2 dans le panneau Pages. Il indique le début d'une nouvelle section.

9. Choisissez Fichier > Enregistrer.

Ajout de nouvelles pages

Vous pouvez également ajouter de nouvelles pages à votre document. Ici, nous en ajouterons deux :

1. Dans le menu du panneau Pages, sélectionnez la commande Insérer des pages.

2. Saisissez **2** pour le nombre de pages, sélectionnez À la fin du document dans le menu et B-Emplacement pour le gabarit qui sera appliqué aux nouvelles pages.

3. Cliquez sur OK. Le document présente désormais deux pages supplémentaires.

Modification et suppression de pages

Avec le panneau Pages, vous pouvez aussi réorganiser la séquence de pages et supprimer les pages en excès :

1. Dans le panneau Pages, double-cliquez sur l'icône de la page 8. Faites-la glisser à droite de l'icône de la page 10 et relâchez lorsqu'une barre verticale noire apparaît. La page 8 est positionnée à l'emplacement de la page 10 et les pages 9 et 10 sont maintenant placées respectivement aux positions 8 et 9.

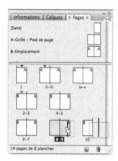

2. Double-cliquez sur le trait d'union sous la planche qui contient les icônes des pages 8 et 9 pour sélectionner ces deux pages.

3. Cliquez sur l'icône de la poubelle dans la partie inférieure du panneau. Les pages 8 et 9 ont été supprimées du document.

Importation de texte et de graphiques

Maintenant que le cadre de la publication en douze pages est en place, vous pouvez intégrer les articles individuels. Pour voir les conséquences des modifications des gabarits sur les pages de document, vous allez ajouter du texte et des graphiques à la planche 2-3 :

1. Dans le panneau Pages, double-cliquez sur l'icône de la page 2 (et non la page ii) pour la centrer dans la fenêtre de document.

Le modèle B-Emplacement étant attribué à la page 2, la page inclut la grille, les pieds de page et les blocs réservés.

Pour importer du texte et des graphiques créés avec d'autres applications, par exemple du texte issu d'un fichier Microsoft Word ou des images créées avec Adobe Photoshop, vous pouvez soit les copier et les coller, soit utiliser la commande Importer.

Place

2. Choisissez Fichier > ~~Importer~~. Double-cliquez sur le fichier 02_d.psd, qui se trouve dans le dossier Lesson_02.

Le pointeur se transforme en icône de graphique chargé (📄) et montre une miniature de l'image. À ce stade, vous pouvez faire glisser le pointeur pour créer un bloc de graphique ou cliquer dans un bloc existant. Ici, vous allez placer l'icône sur un bloc de graphique existant : elle apparaît entre parenthèses (📄). Si ce n'est pas le cas, cliquez en haut du bloc pour voir le curseur entre parenthèses.

Note : Les parenthèses s'affichent lorsque InDesign reconnaît un bloc préexistant sous le curseur au moment de l'importation d'un texte ou d'un graphique. InDesign utilise le bloc existant plutôt que d'en créer un nouveau.

3. Pour positionner correctement l'image, sélectionnez Objet > Ajustement > Centrer le contenu.

4. Cliquez ensuite sur une zone vide de la page pour désélectionner tous les objets ou allez dans Édition > Tout désélectionner.

5. Répétez les étapes 2 à 4, mais placez cette fois l'image 02_e.psd dans le bloc réservé au bas de la page 3.

6. Pour être certain que rien n'est sélectionné, choisissez Édition > Tout désélec-tionner, puis Fichier > Importer. Ouvrez le dossier Lesson_02, puis double-cliquez sur 02_c.doc. Il s'agit d'un fichier texte créé avec Microsoft Word.

Le curseur se transforme en icône de texte chargé (⊞) et offre un aperçu des pre-mières lignes de texte.

Avec l'icône texte chargé, vous pouvez faire glisser le pointeur pour créer un bloc de texte ou cliquer dans un bloc de texte existant. Si vous maintenez l'icône de texte chargé sur un bloc de texte existant, elle apparaît entre parenthèses.

Vous pouvez cliquer pour insérer le texte dans le bloc individuel ou cliquer en appuyant sur Maj pour répartir le texte automatiquement dans les cadres liés. Vous appliquerez plusieurs de ces méthodes pour mieux comprendre comment importer et placer du texte.

7. Maintenez la touche Maj enfoncée. L'icône de texte chargé se change en icône de placement automatique (⊞). Cliquez n'importe où dans le bloc de texte au bas de la page 2. Relâchez la touche Maj.

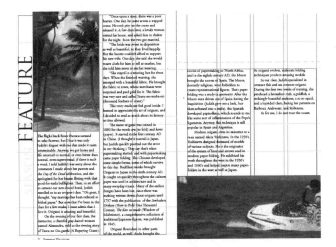

Le texte se répartit dans les blocs de texte des pages 2 et 3 et se place autour des images selon la manière dont vous avez configuré l'habillage du texte sur les pages du gabarit. Il se place sur la page 3 parce vous avez créé des liens entre les blocs de texte lors de la création des pages de gabarit et il se répartit automatiquement parce que vous avez appuyé sur la touche Maj lorsque vous l'avez placé. Si vous n'aviez pas appuyé sur la touche Maj, le texte se serait placé uniquement sur la page 2 et vous auriez dû le placer manuellement sur la page 3.

links

Note : *Si le texte ne se répartit pas comme prévu, choisissez Édition > Annuler et repositionnez votre curseur dans le bloc de texte à deux colonnes.*

8. Choisissez Édition > Tout désélectionner pour être certain qu'aucun bloc n'est sélectionné.

Si un bloc est sélectionné lorsque vous importez un fichier, le contenu du fichier ira s'y loger. Pour éviter cela, désélectionnez les objets avant d'importer, ou désélectionnez "Remplacer l'élément sélectionné" dans la boîte de dialogue Importer lors de l'importation du texte ou des graphiques.

9. Sélectionnez Fichier > Enregistrer pour sauvegarder votre travail.

Remplacement des éléments de gabarit sur les pages de document

Les emplacements que vous avez ajoutés aux gabarits apparaissent sur les pages de document. Heureusement, InDesign prévient le déplacement ou la suppression accidentelle de ces objets en exigeant l'emploi de clés de modification spéciales lors de leur sélection dans les pages de document. Vous allez maintenant remplacer les mots "SEASON" par "SUMMER" et "FEATURE" par "VACATIONS". La modification de ce contenu nécessite en premier lieu que vous sélectionniez le bloc dans lequel il apparaît.

1. Pour vous assurer que vous êtes sur la page 2, sélectionnez Sec2:2 dans la liste déroulante Pages, dans le coin inférieur gauche de la fenêtre de document.

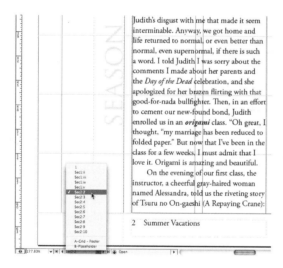

2. Si nécessaire, ajustez l'affichage pour voir le titre "SEASON FEATURE" au bas de la page 2. Choisissez l'outil Sélection (↖) et cliquez sur le titre pour essayer de le sélectionner : rien ne se passe.

Vous ne pouvez pas sélectionner les éléments du gabarit sur les pages du document simplement en cliquant dessus. Mais un raccourci clavier va vous permettre de le faire.

3. En maintenant les touches Ctrl+Maj (Windows) ou Cmd+Maj (Mac OS) enfoncées, cliquez sur le bloc réservé du titre sur le côté gauche de la page 2 pour le sélectionner.

4. Activez l'outil Texte (T). Double-cliquez sur "SEASON" pour le sélectionner, puis saisissez **SUMMER**. Sélectionnez ensuite "FEATURE", puis saisissez **VACATIONS**. Le texte est maintenant remplacé sur la page de document.

5. À l'aide de l'outil Texte, sélectionnez le mot "VACATION".

6. Dans le panneau Outils, choisissez l'outil Zoom (🔍), puis dessinez un cadre autour de l'image de l'homme au gilet de sauvetage pour l'agrandir, afin que cette zone remplisse la fenêtre.

7. Assurez-vous que la case Fond (🔲) est sélectionnée dans le panneau Outils, puis choisissez l'outil Pipette (✐). Déplacez la Pipette sur la zone jaune du gilet de sauvetage. La couleur sur laquelle vous cliquez est affectée au texte sélectionné.

Faites glisser un cadre de zoom.

Sélectionnez une couleur à l'aide de l'outil Pipette.

8. Choisissez Affichage > Ajuster la planche à la fenêtre. Même si vous avez utilisé d'autres outils, le texte reste sélectionné. Choisissez Édition > Tout désélectionner pour voir le texte en couleurs.

9. À l'aide de l'outil Sélection (↖) et tout en maintenant les touches Ctrl+Maj (Windows) ou Cmd+Maj (Mac OS) enfoncées, cliquez sur le rectangle que vous avez créé sur la page 3. Remplissez-le avec la même couleur jaune.

Note : Même si vous avez créé ces blocs dans un gabarit, ils apparaissent sur la page dont vous réalisez la mise en forme. En effet, le gabarit s'applique à cette page de document.

10. Répétez les étapes 6 et 7, mais sélectionnez cette fois-ci une couleur bleu foncé dans l'image du palmier pour remplir le rectangle de la page 2.

11. Choisissez Affichage > Ajuster la planche à la fenêtre, puis sélectionnez Objet > Disposition > En arrière, afin que les rectangles jaunes ne masquent pas le titre. Choisissez ensuite Édition > Tout désélectionner.

12. Cliquez sur Fichier > Enregistrer pour sauvegarder votre travail.

Visualisation de la planche terminée

Vous allez maintenant masquer les repères et les blocs pour voir à quoi ressemble la planche terminée :

1. Choisissez Affichage > Ajuster la planche à la fenêtre, et masquez les panneaux, si nécessaire.

2. Dans le panneau Outils, cliquez sur le bouton Aperçu (▣) pour masquer tous les repères, les grilles, les bords de cadres et la table de montage.

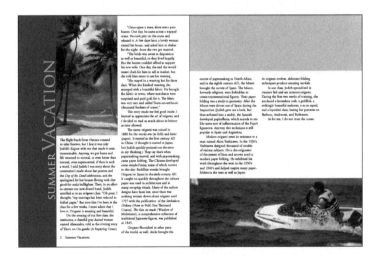

Vous avez mis en forme une partie du document de douze pages suffisamment grande pour comprendre comment l'ajout d'objets aux gabarits permet de maintenir la cohérence de la mise en page.

3. Choisissez Fichier > Enregistrer.

Félicitations ! Vous avez terminé cette leçon.

À vous de jouer

Poursuivez la mise en page si vous souhaitez renforcer les compétences acquises dans cette leçon. Essayez quelques-uns des exercices suivants qui vous permettront de vous entraîner avec les techniques d'InDesign :

1. Importez une autre photo dans la troisième colonne de texte, sur la page 3. Vous utiliserez l'image 02_f.psd qui se trouve dans le dossier Lesson_02.

2. Ajoutez une citation. À l'aide de l'outil Texte (T), faites glisser un cadre sur le rectangle jaune de la page 3. Saisissez **There's no place like a sunny beach for summer fun…** Cliquez trois fois sur le texte et, dans le panneau Caractère, formatez-le en choisissant la police, le style et la couleur qui vous conviennent.

3. Essayez de faire pivoter le bloc de texte du titre à l'aide de différents coins ou bords de l'icône du Point de référence (⊞) dans le panneau Contrôle ou Transformation. Observez la différence des résultats.

4. Créez un nouveau gabarit pour une planche que vous pourriez utiliser pour la suite de l'article. Nommez ce nouveau gabarit **C-Suivante**, et sélectionnez A-Grille - Pied de page pour l'option D'après le gabarit. Créez ensuite les blocs réservés pour le texte et les graphiques, en donnant à la planche un agencement différent des gabarits B-Emplacement. Lorsque vous aurez fini, appliquez le gabarit C-Suivante aux pages 4-5 de votre document.

Révisions

Questions

1. Quels sont les avantages de l'ajout d'objets aux gabarits ?

2. Comment peut-on modifier le schéma de numérotation des pages ?

3. Comment sélectionne-t-on un élément de gabarit sur une page de document ?

Réponses

1. En ajoutant des objets comme les repères, les pieds de page et les blocs réservés aux gabarits, on maintient la cohérence de la mise en page sur les pages auxquelles le modèle est appliqué.

2. Dans le panneau Pages, il suffit de sélectionner l'icône de la page où commencera une nouvelle numérotation, puis de choisir Options de numérotation et de section dans le menu du panneau Pages et de spécifier le nouveau schéma de numérotation des pages.

3. On maintient les touches Ctrl+Maj (Windows) ou Cmd+Maj (Mac OS) enfoncées, tout en cliquant sur l'objet pour le sélectionner. On peut alors le modifier, le supprimer ou le manipuler de n'importe quelle manière.

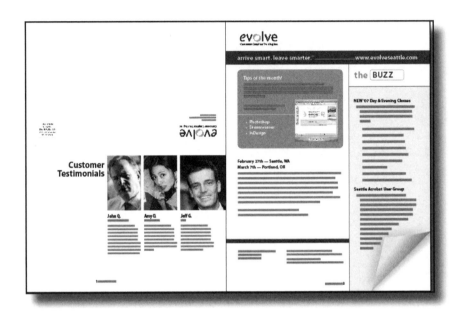

Les blocs d'InDesign peuvent contenir du texte ou des graphiques. La manière de travailler induite par les blocs offre un contrôle étendu et une grande souplesse dans la mise en page.

Travailler avec les blocs

Au cours de cette leçon, vous apprendrez à :

• manipuler les calques ;

• modifier les blocs avec les outils Sélection et Sélection directe ;

• redimensionner des blocs de texte et graphiques ;

• distinguer les cadres de sélection des blocs ;

• rogner un graphique ;

• échelonner une image contenue dans un bloc graphique ;

• déplacer un graphique dans son bloc ;

• convertir un bloc graphique en bloc de texte ;

• convertir des formes ;

• créer et faire pivoter un bloc polygone ;

• aligner des objets graphiques ;

• travailler avec des groupes.

Mise en route

Vous allez travailler sur les pages d'un magazine. Avant cela, vous devrez rétablir les Préférences par défaut d'Adobe InDesign. Puis vous ouvrirez le document final de cette leçon pour voir ce que vous allez créer :

1. Pour vous assurer que le fonctionnement des outils et des panneaux sera exactement tel que décrit au fil de cette leçon, supprimez ou désactivez les fichiers de préférences en suivant la procédure détaillée à la section "Rétablissement des préférences par défaut" de l'Introduction.

2. Lancez Adobe InDesign. Pour commencer à travailler, vous allez ouvrir un document InDesign existant.

3. Choisissez Fichier > Ouvrir, et ouvrez le fichier 03_a.indd, qui se trouve dans les dossiers IDCIB/Lessons/Lesson_03. Si vous recevez un message d'avertissement relatif à la non-concordance de profil ou de police des profils colorimétriques RVB et CMJN du document, cliquez sur OK. Le profil est ainsi converti selon votre espace de travail. Pour de plus amples informations sur la couleur, reportez-vous à la Leçon 6.

Note : Si vous ne l'avez pas déjà fait, copiez les fichiers de cette leçon – qui se trouvent sur le CD-ROM Adobe InDesign CS3 Classroom in a Book *– sur votre disque dur. Reportez-vous à la section "Copie des fichiers d'exercices de* Classroom in a Book" *de l'Introduction.*

4. Choisissez Fichier > Enregistrer sous, renommez le fichier **03_blocs.indd** et enregistrez-le dans le dossier Lesson_03.

5. Pour voir à quoi ressemblera le document final, ouvrez le fichier 03_b.indd qui se trouve dans le même dossier. Ce document peut rester ouvert pour vous servir de référence. Lorsque vous êtes prêt à revenir au document de la leçon, choisissez son nom dans le menu Fenêtre.

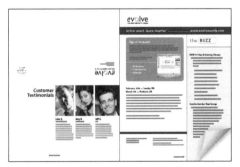

Pages 1 et 2.

Pages 3 et 4.

Note : Tout au long de cette leçon, vous aurez tout loisir de déplacer des panneaux ou de choisir le niveau de grossissement qui vous convient le mieux.

Utilisation des calques

Par défaut, un nouveau document contient un seul calque (appelé calque 1). Vous pouvez renommer ce calque et en ajouter d'autres. En plaçant des objets sur différents calques, vous les organisez afin d'en faciliter la sélection et la modification. Avec le panneau Calques, vous pouvez aussi sélectionner, afficher, modifier et imprimer les calques individuellement, par groupes ou tous ensemble.

À propos des calques

Un document comprend au moins un calque. L'utilisation de plusieurs calques permet de créer et de modifier des zones ou certains types de contenus dans le document sans en affecter d'autres. Si, par exemple, l'impression de votre document est lente en raison de ses nombreux graphiques volumineux, vous pouvez dédier un calque au texte puis, au moment de sa relecture, masquer tous les autres calques et l'imprimer rapidement. Les calques permettent également d'afficher différents concepts de composition pour la même maquette ou différentes versions de publicités selon le public.

Imaginez les calques comme des feuilles transparentes superposées. Si l'un d'entre eux est vide, il laisse transparaître les objets des calques inférieurs.

 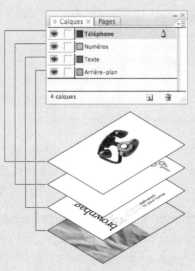

Extrait de l'Aide en ligne d'Adobe InDesign CS3.

Le document 03_blocs.indd comprend deux calques, que vous allez manipuler pour découvrir comment leur ordre et la disposition des objets qu'ils contiennent peuvent affecter la conception du document. Procédez comme suit :

1. Cliquez sur l'onglet Calques afin d'activer le panneau ou choisissez Fenêtre > Calques.

2. Dans le panneau Calques, cliquez sur le calque Text. Notez qu'une icône de plume (✒) s'affiche à droite de son nom. Elle indique que ce calque est actif et que tout ce que vous importez ou créez y sera placé. La surbrillance signale que le calque est sélectionné.

3. Cliquez sur l'icône d'œil (👁) à gauche du calque nommé Graphics. Elle permet d'activer ou de désactiver l'affichage d'un calque. Lorsque vous désactivez l'affichage d'un calque, une case vide remplace l'icône d'œil. Cliquez sur cette case pour afficher de nouveau le contenu du calque.

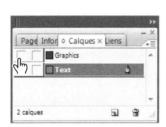
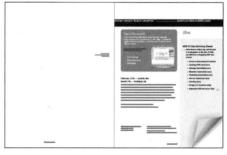

Masquez le contenu du calque.   *La planche avec le contenu masqué.*

4. À l'aide de l'outil Sélection (➤), cliquez sur l'image représentant une capture d'écran dans le cadre orange "Tip of the month !"

Notez que, dans le panneau Calques, le calque Text est sélectionné et qu'un point s'affiche à droite de son nom. Cela indique que l'objet sélectionné lui appartient. Vous pouvez déplacer des objets d'un calque à l'autre en faisant glisser ce point entre les calques dans le panneau.

5. Dans le panneau Calques, faites glisser le point du calque Text vers le calque Graphics. L'image appartient maintenant au calque Graphics.

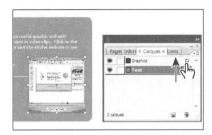 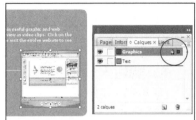

Sélectionnez l'image puis faites　　　　*Résultat.*
glisser son icône.

6. Cliquez dans la case de verrouillage (🔒) à gauche du calque Graphics pour le verrouiller.

Cliquez pour verrouiller le calque Graphics.

7. À l'aide de l'outil Sélection (▶), cliquez pour sélectionner le logo "evolve" en haut de la page de droite : vous n'y parvenez pas parce qu'il se trouve sur le calque Graphics qui est verrouillé.

Vous allez maintenant créer un nouveau calque et y déplacer du contenu.

8. Dans le bas du panneau Calques, cliquez sur le bouton Nouveau calque.

Cliquez sur le bouton Nouveau calque.

9. Double-cliquez sur le nom du nouveau calque (qui est certainement nommé calque 3) pour ouvrir la boîte de dialogue Options de calque. Renommez-le **Arrière-plan**, puis cliquez sur OK.

    Pour créer et nommer simultanément un nouveau calque, maintenez la touche Alt (Windows) ou Option (Mac OS) enfoncée en cliquant sur le bouton Nouveau calque dans le panneau Calques. Cela ouvre automatiquement la boîte de dialogue Options de calques.

10. Dans le panneau Calques, cliquez sur le calque Arrière-plan et faites-le glisser vers le bas de la liste des calques. Une ligne s'affiche lorsque vous déplacez le curseur au-dessous du calque Text, indiquant qu'il va être déplacé vers le bas.

Pour l'instant le calque Arrière-plan est vide, mais vous l'utiliserez par la suite.

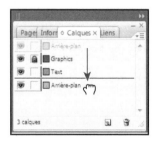

Cliquez et faites glisser pour organiser les calques.

11. Choisissez Fichier > Enregistrer.

Création et modification de blocs de texte

Dans la plupart des cas, le texte doit être placé dans un bloc. La taille et l'emplacement de ce dernier déterminent la façon dont le texte apparaît dans la page. Les blocs de texte sont créés avec l'outil Texte et peuvent être modifiés à l'aide d'un grand nombre d'outils.

Créer et redimensionner des blocs de texte

Vous allez créer votre propre bloc de texte, puis en redimensionner un autre avec l'outil Sélection.

1. Dans le panneau Calques, sélectionnez le calque Text. Ce que vous allez créer sera ainsi placé sur ce calque.

2. Sélectionnez l'outil Texte (T) dans le panneau Outils. Ouvrez le panneau Pages en cliquant sur son onglet dans la partie de droite de l'espace de travail. Double-cliquez sur la page 1 pour l'afficher. Placez le curseur de façon que le repère placé à environ **34p** (144 mm) et le bord gauche de la première colonne se rencontrent. Faites glisser pour créer un bloc d'une hauteur de **7p11** (33,5 mm) allant jusqu'au bord droit de la deuxième colonne.

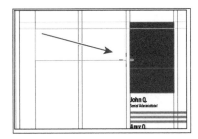

Cliquez puis faites glisser pour créer un nouveau bloc de texte.

3. Dans le nouveau bloc de texte, saisissez **Customer**, appuyez sur les touches Maj+Entrée (Windows) ou Maj+Retour (Mac OS) pour créer un retour à la ligne, puis saisissez **Testimonials**. Cliquez quatre fois pour sélectionner le texte. Cliquez sur le panneau Styles de paragraphe ou sélectionnez Texte > Styles de paragraphe. Sélectionnez le style appelé "testimonials" tout en appuyant sur Alt (Windows) ou Options (Mac OS).

Pour plus d'informations sur les styles, reportez-vous à la Leçon 7.

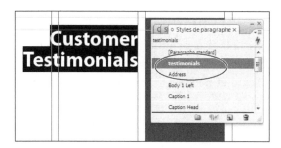

Sélectionnez le texte, puis appliquez le style de paragraphe.

4. À l'aide de l'outil Sélection, double-cliquez sur la poignée centrée au bas du bloc sélectionné afin que le bloc s'ajuste verticalement au texte.

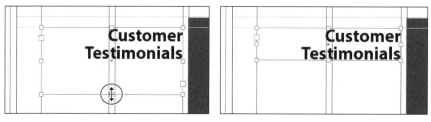

Double-cliquez pour ajuster le bloc.   *Résultat.*

En double-cliquant sur les poignées placées autour du bloc, vous obtenez des résultats différents. Par exemple, si vous double-cliquez sur la poignée centrée à droite du bloc, la hauteur est conservée mais la largeur est modifiée pour s'adapter au texte.

5. Sur la page de droite (page 2), utilisez l'outil Sélection (⬉) pour sélectionner le bloc de texte placé sous le texte "The Buzz". Ce cadre contient le texte "New'07…"

6. Faites glisser vers le bas la poignée placée au centre du bord inférieur pour redimensionner le bloc en hauteur jusqu'à ce qu'il soit aligné avec le repère de la marge du bas. Lorsque le curseur approche du repère de la marge, la flèche change d'apparence, ce qui indique que le bloc est sur le point d'atteindre le repère.

Lorsque vous relâchez le bouton de la souris, le texte se replace dans la totalité du bloc.

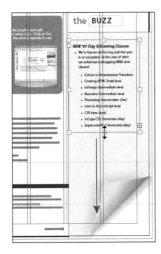

Cliquez sur le point central puis faites-le glisser pour redimensionner le bloc.

Résultat.

⚲ *Lorsque vous souhaitez redimensionner le bloc ainsi que les caractères du texte qu'il contient, utilisez l'outil Mise à l'échelle (⬚) ou maintenez la touche Ctrl (Windows) ou Cmd (Mac OS) enfoncée lorsque vous faites glisser la poignée du bloc de texte.*

Modifier la forme d'un bloc de texte

Jusqu'à présent, vous avez fait glisser une poignée en vue de redimensionner le bloc de texte, à l'aide de l'outil Sélection. Vous allez désormais vous servir du point d'ancrage pour modifier le bloc, à l'aide de l'outil Sélection directe :

1. Si le bloc de texte de la page gauche n'est pas sélectionné, activez-le avec l'outil Sélection (⬈).

2. Choisissez l'outil Sélection directe (⬈) dans le panneau Outils. Quatre petits points d'ancrage apparaissent maintenant aux angles du bloc de texte sélectionné. Ils sont tous vides, ce qui signifie qu'aucun n'est sélectionné.

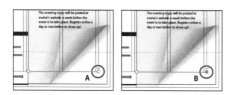

A. Point d'ancrage non sélectionné.
B. Point d'ancrage sélectionné.

3. Cliquez sur le point d'ancrage inférieur droit, puis faites-le glisser vers le haut afin qu'il s'aligne sur le repère horizontal situé au-dessus de lui (lorsque vous commencez à faire glisser, vous pouvez maintenir la touche Maj enfoncée pour exercer une contrainte sur le bloc).

Vérifiez que vous faites glisser uniquement le point d'ancrage. En effet, si vous faites glisser le curseur juste au-dessous du point d'ancrage, vous déplacez le bloc de texte.

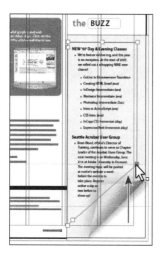

4. Appuyez sur la touche V pour choisir l'outil Sélection (➤). Vous pouvez voir un "+" de couleur rouge indiquant que le texte ne tient pas dans le bloc.

💡 *Pour voir à la fois le cadre de sélection et le tracé, choisissez Affichage > Afficher les contours du bloc. Pour les désactiver, choisissez Affichage > Masquer les contours du bloc.*

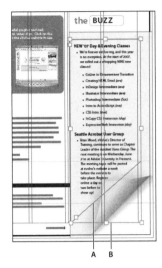

A. *Cadre de sélection.* **B.** *Bloc.*

5. Désélectionnez tous les objets, puis choisissez Fichier > Enregistrer.

Vous pouvez appuyer sur les touches A ou V pour basculer de l'outil Sélection vers l'outil Sélection directe et vice versa. Il s'agit de l'un des nombreux raccourcis clavier disponibles dans InDesign. Pour les découvrir, reportez-vous à la rubrique "Raccourcis clavier" de l'Aide en ligne d'InDesign.

Créer plusieurs colonnes

Vous allez à présent partir d'un bloc existant et le convertir en bloc de texte contenant plusieurs colonnes. Procédez comme suit :

1. Activez l'outil Sélection (➤) et sélectionnez le bloc de texte de la page 1, contenant le texte "John Q".

2. Double-cliquez sur le bloc de texte pour sélectionner l'outil Texte (**T**) et placer le curseur dans le bloc. Sélectionnez Objet > Options de bloc de texte pour ouvrir la boîte de dialogue du même nom.

3. Dans la boîte de dialogue Options de bloc de texte, saisissez **3** dans la zone Nombre de la partie Colonnes et **0p11** (0,5 mm) pour Gouttière. La gouttière indique la distance entre les colonnes. Cliquez sur OK.

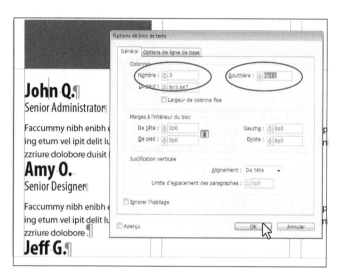

Insérez le curseur Texte, puis sélectionnez
Objet > Options de bloc de texte pour modifier le bloc de texte.

4. Pour terminer avec les trois colonnes de texte, toujours avec l'outil Texte, placez le curseur devant le nom "Amy O.", puis sélectionnez Texte > Insérer un caractère de saut > Saut de colonne. Cela force le positionnement de Amy O. au début de la deuxième colonne. Répétez cette opération après avoir placé le curseur devant "Jeff G.".

5. Sélectionnez Texte > Afficher les caractères masqués pour voir les sauts de colonne.

Ajuster les marges d'un bloc

La tâche suivante consiste à terminer la barre de titre bleue de la page de couverture en plaçant correctement le texte dans le bloc. En ajustant l'espacement entre le texte et le bloc, vous en faciliterez la lecture. Procédez comme suit :

1. À l'aide de l'outil Sélection (➤), sélectionnez la barre bleue placée en haut de la page 2 et qui contient le texte "arrive smart. leave smarter".

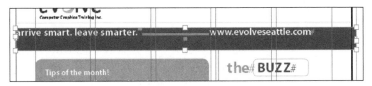

La barre bleue est sélectionnée.

2. Sélectionnez Objet > Options de bloc de texte pour ouvrir la boîte de dialogue du même nom. Si nécessaire, déplacez-la afin de voir la barre lorsque vous configurez les options.

3. Dans la boîte de dialogue, assurez-vous que la case Aperçu est cochée. Dans la partie Marges à l'intérieur du bloc, cliquez sur le bouton Uniformiser tous les paramètres (🔗) afin de pouvoir changer les marges gauche et droite indépendamment. Dans la zone Gauche, saisissez la valeur **3p0** (12,7 mm) et dans la zone Droite la valeur **3p9** (16 mm). Cliquez sur OK pour fermer la boîte de dialogue.

Note : L'icône Uniformiser tous les paramètres permet de modifier toutes les valeurs en même temps. Toutefois, il est parfois nécessaire de désactiver cette option.

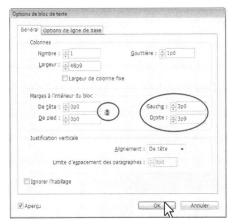

Cliquez sur la chaîne pour modifier les marges indépendamment. Modifiez les valeurs Gauche et Droite, puis cliquez sur OK.

Aligner le texte verticalement dans un bloc

Pour terminer la barre de titre bleue, vous devez maintenant centrer le texte verticalement dans le bloc. Procédez comme suit :

1. À l'aide de l'outil Sélection (↖), sélectionnez de nouveau la barre bleue de la page de droite.

2. Choisissez Objet > Options de bloc de texte pour ouvrir la boîte de dialogue du même nom. Dans la partie Justification verticale, sélectionnez Centrer dans le menu Alignement. Cliquez sur OK pour fermer la boîte de dialogue.

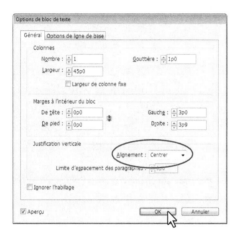

Sélectionnez Alignement Centrer, puis cliquez sur OK.

Note : *Parfois, bien que vous ayez sélectionné la justification verticale Centrer, le texte n'est pas exactement centré dans le bloc, en particulier avec des blocs de petite taille. En modifiant les marges ou la ligne de base, vous pouvez parvenir à lui donner un aspect centré.*

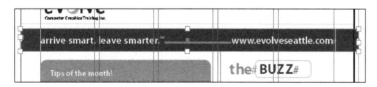

Les marges et la justification verticale sont appliquées.

Création et modification de blocs graphiques

Dans cette section, nous allons nous concentrer sur différentes techniques visant à modifier des blocs et leur contenu. Vous commencerez par importer une image que vous placerez sur la planche. Étant donné que vous allez travailler sur des graphiques plutôt que sur du texte, vous devrez tout d'abord vous assurer que les graphiques apparaissent sur le calque Graphics, et non sur le calque Text. Le fait d'isoler des éléments sur divers calques vous aidera dans votre travail car vous pourrez plus facilement les rechercher et les modifier.

Créer un nouveau bloc graphique

Vous allez créer un bloc pour le premier graphique en employant les outils de dessin du panneau Outils.

1. Affichez le panneau Calques en cliquant sur son onglet ou en sélectionnant Fenêtre > Calques. Dans le panneau Calques, déverrouillez le calque Graphics et verrouillez le calque Text en cliquant sur les cases correspondantes de la seconde colonne. Sélectionnez ensuite le calque Graphics en cliquant sur son nom afin que les nouveaux éléments y soient ajoutés.

Verrouillez le calque Text et déverrouillez le calque Graphics, puis sélectionnez-le.

2. Pour centrer la page 1 dans la fenêtre de document, choisissez **1** dans le menu Pages, au bas de la fenêtre de document.

3. Dans le panneau Outils, choisissez l'outil Bloc rectangulaire (⊠). Dans la colonne la plus à droite de la page 1, cliquez et faites glisser à partir d'un emplacement se trouvant à l'intersection du repère situé à environ la moitié de la hauteur de la page et du bord gauche de la cinquième colonne et allez jusqu'au bord droit de la colonne et vers le bas, juste au-dessus du texte "Jeff G.".

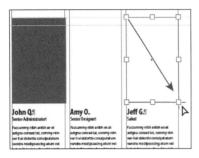

Cliquez et faites glisser pour créer un bloc graphique.

4. Revenez à l'outil Sélection et vérifiez que le bloc graphique est toujours sélectionné.

Placer un graphique dans un bloc

1. Le bloc graphique étant toujours sélectionné, cliquez sur Fichier > Importer, puis double-cliquez sur JeffG.tiff dans le dossier Lesson_03 > Links. L'image doit s'afficher dans le bloc graphique.

Note : Si le bloc graphique n'est pas sélectionné, le curseur se transforme en graphique chargé ( ). Vous pouvez cliquer au centre du bloc pour placer l'image.

2. Activez l'outil Sélection ( ) puis, tout en appuyant sur la touche Alt (Windows) ou Option (Mac OS), cliquez et faites glisser l'image JeffG vers la gauche et placez-la dans la colonne immédiatement à gauche.

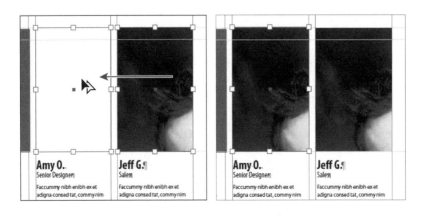

Redimensionner un bloc graphique

La conception de cette page demande que l'image de Jeff s'étende depuis le panneau du titre jusqu'au bord droit de la page. Cette image n'ayant ni la taille, ni la forme adéquates pour cela, vous devez d'abord lui apporter quelques ajustements.

Vous allez tout d'abord étirer le bloc :

1. Choisissez affichage > Ajuster la planche à la fenêtre afin de voir les pages 1 et 2 dans la fenêtre de document. Si nécessaire, faites défiler l'écran horizontalement afin de voir le bord droit de la page 2 et masquez le panneau Calques en cliquant sur son onglet.

2. À l'aide de l'outil Sélection (✦), cliquez sur le graphique JeffG. Faites glisser la poignée de droite jusqu'à ce que le côté droit du cadre de sélection s'aligne sur le bord de la page 1.

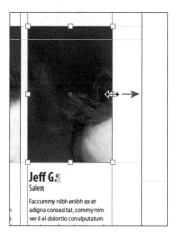 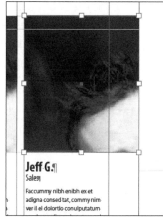

Cliquez et faites glisser le bord   *Résultat.*
droit du bloc pour le redimensionner.

Notez que seule la taille du bloc change et non l'image.

Redimensionner et déplacer une image dans un bloc

Vous avez seulement redimensionné le bloc graphique. Vous allez maintenant redimensionner l'image afin qu'elle remplisse la zone désignée.

> *En plus des méthodes évoquées ici, vous pouvez utiliser les menus contextuels pour redimensionner les images afin qu'elles s'ajustent à leur bloc. Pour cela, cliquez du bouton droit (Windows) ou cliquez en appuyant sur Ctrl (Mac OS) et sélectionnez Ajustement > Ajuster le contenu proportionnellement.*

Le contenu et le bloc sont des objets séparés. À la différence des objets de texte, le bloc et le contenu pour un graphique ont chacun un cadre de sélection. Redimensionnemer le contenu graphique revient exactement à redimensionner le bloc, à la différence que vous travaillez avec le cadre de sélection pour le contenu. Pour cela, vous avez besoin de l'outil Sélection directe (⬈) :

1. Appuyez sur la touche A pour choisir l'outil Sélection directe (⬈), puis déplacez le pointeur sur l'image JeffG jusqu'à ce qu'il apparaisse sous la forme d'une main (✋). Cliquez pour sélectionner le contenu du bloc (l'image elle-même). Le cadre de sélection change de couleur, indiquant ainsi que le contenu est sélectionné, et non plus le bloc lui-même.

2. Cliquez sur la poignée dans l'angle inférieur droit du cadre de sélection graphique et, tout en maintenant la touche Maj enfoncée, faites glisser la souris pour agrandir l'image. Poursuivez l'opération jusqu'à ce que l'image soit un peu plus grande que le bloc.

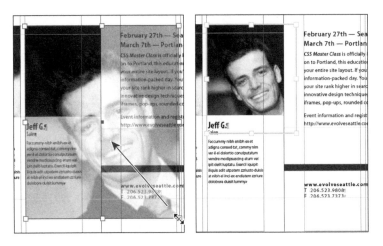

Faites glisser le cadre de sélection du contenu.

3. Déplacez l'outil Sélection directe sur l'image JeffG afin de voir l'icône de la main. Cliquez et faites glisser l'image avec cet outil : vous remarquez que la zone de l'image visible dans le bloc se modifie au cours de l'opération. Si vous avancez trop sur la droite, l'image ne couvre plus le côté gauche de la zone du bloc. Placez l'image afin que son bord droit s'aligne sur le bord droit du bloc.

Avant de commencer à faire glisser le curseur, cliquez et maintenez le bouton enfoncé jusqu'à ce que l'icône de la main se transforme en flèche (►) (cette flèche est blanche sous Windows, noire sous Mac OS). Ensuite, après avoir commencé à faire glisser la souris, vous verrez une image transparente des zones masquées du contenu graphique. Cette fonction est appelée Aperçu dynamique. Si vous n'attendez pas que l'icône du pointeur se modifie, vous verrez toujours le cadre de sélection du graphique lorsque vous ferez glisser le curseur.

4. Vérifiez que l'image remplit entièrement le bloc. Enregistrez votre travail.

Les images grossies au-delà de 120 % de leur taille originale peuvent ne pas conte- nir assez d'informations de pixels pour une impression offset haute résolution. Voyez auprès de votre fournisseur d'imprimante ou de services si vous avez des doutes concernant la résolution et les tailles adaptées à l'impression de vos documents.

Vous pouvez redimensionner à la fois le bloc et l'image à l'aide de l'outil Sélection et en maintenant enfoncées les touches Ctrl+Maj (Windows) ou Cmd+Maj (Mac OS) lorsque vous faites glisser une poignée du bloc. La touche Maj permet de maintenir les proportions du bloc afin que l'image ne soit pas déformée. Ne l'utilisez pas si vous ne souhaitez pas conserver les proportions de l'image.

Remplacer le contenu d'un bloc graphique

Une fois les deux copies créées, il devient très facile de remplacer le contenu par d'autres graphiques ou du texte. Votre prochaine tâche consiste à remplacer la copie de l'image JeffG par une autre. Le bloc et le contenu étant indépendants l'un de l'autre, vous pourrez échanger les images en toute simplicité. Procédez comme suit :

1. Choisissez l'outil Sélection (►), cliquez sur l'image JeffG (placée au-dessus de "Amy O") pour la sélectionner. Choisissez Fichier > Importer, puis double-cliquez sur AmyO.tif pour placer la nouvelle image directement dans le bloc sélectionné et remplacer l'image JeffG.

2. Le bloc étant toujours sélectionné, choisissez Objet > Ajustement > Ajuster le contenu proportionnellement pour redimensionner le graphique, de sorte qu'il s'adapte au bloc.

💡 *Vous pouvez également accéder aux commandes d'ajustement à partir des menus contextuels en cliquant du bouton droit (Windows) ou en cliquant tout en appuyant sur Ctrl (Mac OS).*

3. Choisissez Objet > Ajustement > Centrer le contenu, pour centrer l'image AmyO dans le bloc.

Vous allez à présent placer une image dans le cadre bleu situé à gauche de l'image AmyO.

4. Choisissez Édition > Tout désélectionner.

5. Choisissez Fichier > Importer, puis sélectionnez le fichier JohnQ.tif dans le dossier Lesson_3. Cliquez sur Ouvrir. Le curseur se transforme en graphique chargé ( ).

Note : *Si l'icône du curseur est barrée ( ), cela signifie que le calque sélectionné est verrouillé. Vous ne pouvez donc pas lui ajouter d'objet. Assurez-vous que le calque Graphics est à la fois sélectionné et déverrouillé. Le curseur apparaît alors sous la forme d'une icône de graphique chargé et vous pouvez continuer les étapes.*

6. Passez le curseur au-dessus du cadre bleu, à gauche de l'image AmyO : il change de nouveau de forme et affiche l'icône entourée de parenthèses ( ) indiquant que, si vous cliquez, l'image se placera dans ce bloc. Vous pouvez voir une miniature de l'image sous le curseur.

Cliquez pour placer l'image dans le cadre bleu.

Note : *Si vous cliquez sur une zone vide de la page, l'image se place à l'endroit où vous cliquez, à une taille de 100 %.*

7. L'image JohnQ étant toujours sélectionnée, choisissez Objet > Ajustement > Ajuster le contenu proportionnellement pour que l'image s'adapte au bloc. Pour centrer le contenu, choisissez Objet > Ajustement > Centrer le contenu.

Vous venez de placer trois images dans des blocs en utilisant trois méthodes différentes.

Modifier la forme d'un bloc

Lorsque vous redimensionnez un graphique à l'aide de l'outil Sélection, le bloc conserve sa forme rectangulaire. Vous allez maintenant vous servir de l'outil Plume et de l'outil Sélection directe pour modifier la forme d'un bloc sur la page 4. Procédez comme suit :

1. Affichez la page 4 en sélectionnant **4** dans le menu Pages placé au bas de la fenêtre du document, puis sélectionnez Affichage > Ajuster la page à la fenêtre.

2. Dans le panneau Calques (Fenêtre > Calques), déverrouillez le calque Text en cliquant sur son icône.

3. Appuyez sur la touche A pour sélectionner l'outil Sélection directe (⬚). Ensuite, déplacez le curseur sur le bord droit du cadre vert et cliquez lorsqu'une barre oblique s'affiche sur l'icône du curseur (⬚⁄). Cela permet d'afficher le tracé, les points d'ancrage et le point central du bloc. Conservez le tracé affiché.

4. Appuyez sur la touche P pour activer l'outil Plume (✎). Placez le curseur sur le bord supérieur du tracé du bloc, à l'emplacement où il rencontre le repère du bord droit de la première colonne. Cliquez lorsque le curseur se transforme en outil Ajout de point d'ancrage (✎⁺). Un point d'ancrage s'ajoute. L'outil Plume se transforme automatiquement en outil Ajout de point d'ancrage lorsqu'il rencontre un tracé existant.

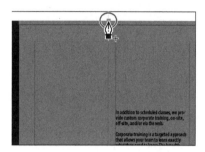

5. Déplacez le curseur à l'emplacement où le repère sous le texte et le repère de fond perdu se rencontrent et, à l'aide de l'outil Plume, cliquez de nouveau pour ajouter un point d'ancrage.

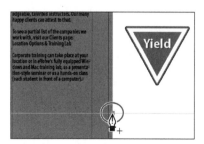

6. Choisissez l'outil Sélection directe, cliquez sur le coin supérieur droit du bloc vert et faites-le glisser vers le bas et la gauche. Lorsque le point d'ancrage se trouve sur la première colonne et sur le premier guide à partir du haut de la page (à **40p9** – 173 mm – sur la règle verticale), relâchez le bouton de la souris.

Le bloc graphique a pris la forme et la taille souhaitées.

Placer le texte autour d'un graphique

Vous pouvez répartir du texte autour du bloc graphique ou autour de l'objet lui-même. Vous allez découvrir les différences dans les étapes de cette section.

Votre première tâche consiste à déplacer le graphique : il suffit de le sélectionner et de le déplacer. Pour un positionnement précis, utilisez les flèches de direction pour déplacer le bloc ou saisissez ses coordonnées dans le panneau Contrôle.

1. À l'aide de l'outil Sélection (↖), sélectionnez le bloc graphique contenant l'image d'un triangle avec le texte Yield, placée au-delà du bord droit de la page 4. Prenez garde à ne pas sélectionner l'une des poignées, en maintenant enfoncée la touche Maj lorsque vous déplacez le bloc vers la gauche. Alignez le point central du graphique au centre de la gouttière entre les deux colonnes de texte. Le cadre ne doit pas changer de forme mais il doit se déplacer sur la page.

Notez que le texte se place sur l'image mais cela va changer lorsque vous modifierez l'habillage.

2. Choisissez Fenêtre > Habillage de texte pour ouvrir le panneau du même nom. Sélectionnez la deuxième option d'habillage afin que le texte se place autour du cadre de sélection et non pas autour de l'image elle-même.

Habillez le cadre de sélection.   Résultat.

3. Ensuite, sélectionnez la troisième option d'habillage afin que le texte se place autour des contours de l'image et non plus autour du cadre de sélection. Dans Options d'habillage, sélectionnez éventuellement Côtés gauche et droit dans le menu Habiller. Dans le menu Type, sélectionnez Détection des contours. Cliquez sur une zone vide pour tout désélectionner ou choisissez Édition > Tout désélectionner.

Note : *Si vous ne voyez pas le menu Options d'habillage, choisissez Afficher les options dans le menu du panneau. De plus, cette option est disponible uniquement si vous avez sélectionné Habiller le cadre de sélection ou Habiller la forme de l'objet.*

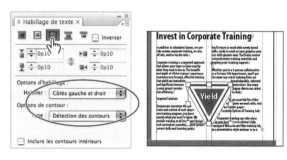

Habillez la forme de l'objet.   Résultat.

4. Fermez le panneau Options d'habillage, puis choisissez Fichier > Enregistrer.

Manipulation des blocs

Vous avez déjà vu comment déplacer, modifier la forme et redimensionner les éléments de votre document. Dans cette section, vous allez voir les différentes fonctionnalités qui permettent de manipuler les objets les uns par rapport aux autres. Pour commencer, vous utiliserez Pathfinder pour retirer la forme d'un objet à un autre objet. Ensuite, vous travaillerez sur les techniques de rotation et d'alignement des objets sélectionnés.

Pathfinder

Vous pouvez modifier la forme d'un bloc en faisant des ajouts ou des retraits sur son aire à l'aide du menu Objet. La forme d'un bloc peut être modifiée même si ce bloc contient déjà du texte ou des graphiques. Procédez comme suit :

1. Sélectionnez Affichage > Ajuster la page à la fenêtre pour ajuster la page 4 à la fenêtre.

2. Choisissez l'outil Bloc rectangulaire (⊠) dans le panneau Outils et dessinez un bloc de façon que le repère placé à **46p6** (197 mm) de la règle verticale coupe le bord droit de la première colonne, puis allez jusqu'au coin inférieur droit de la page, à l'emplacement où les repères des fonds perdus se croisent.

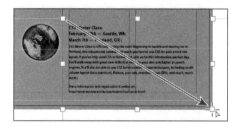

Dessinez un rectangle qui va jusqu'au coin du fond perdu.

3. À l'aide de l'outil Sélection et en maintenant la touche Maj enfoncée, cliquez sur le cadre vert (à l'extérieur du bloc que vous venez de dessiner) qui couvre la majeure partie de la page afin de sélectionner le nouveau rectangle et ce cadre vert.

4. Choisissez Objet > Pathfinder > Soustraction pour soustraire la forme du dessus (le nouveau rectangle) à la forme verte. Le cadre texte au bas de la page doit maintenant se trouver sur un arrière-plan blanc.

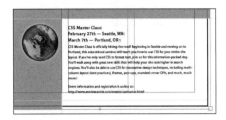

Résultat de la soustraction.

5. En conservant la zone verte sélectionnée, choisissez Objet > Verrouiller la position. Cela permet d'éviter un déplacement accidentel du bloc.

Convertir des formes

Vous pouvez aussi convertir la forme d'un bloc, toujours dans le menu Objet, même si le bloc contient déjà du texte ou des graphiques.

1. Dans le panneau Outils, cliquez et maintenez le bouton de la souris sur l'outil Rectangle (□) jusqu'à ce que d'autres options s'affichent. Sélectionnez alors l'outil Polygone (⬡).

2. Cliquez sur la page 4, à gauche du texte "wasting time". Dans la boîte de dialogue Polygone qui s'affiche, saisissez **1,5 pouce** (38 mm) pour les valeurs Hauteur du polygone et Largeur du polygone (InDesign convertit les valeurs en picas). Assurez-vous que la valeur de Nombre de côtés est 5, puis cliquez sur OK.

3. La forme étant toujours sélectionnée sur la page, cliquez sur Fichier > Importer, puis sélectionnez le fichier stopsign.tif dans le dossier Lesson_03 > Links. Cliquez sur Ouvrir.

4. Choisissez Objet > Alignement > Centrer le contenu pour centrer l'image dans le bloc.

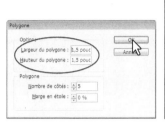 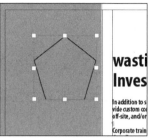 

Modifiez les paramètres   *Bloc.*   *Image en place.*
du polygone.

Ensuite, vous allez modifier la forme pour obtenir un polygone à huit côtés (qui corresponde au panneau Stop).

5. Ouvrez la boîte de dialogue des paramètres du polygone en double-cliquant sur l'outil Polygone (⬡) dans le panneau Outils, puis modifiez les valeurs suivantes :

– Saisissez **8** dans Nombre de côtés.

– Laissez **0 %** pour la valeur de Marge en étoile.

6. Sélectionnez Objet > Convertir la forme > Polygone.

Modifiez les paramètres   *Résultat.*
du polygone.

7. À l'aide de l'outil Sélection, cliquez sur l'image de la page 4, puis sélectionnez Objet > Convertir la forme > Rectangle arrondi. Cliquez à l'extérieur de la page ou choisissez Édition > Tout désélectionner.

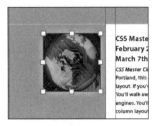

Conversion en rectangle arrondi.

Outil Position

L'outil Position, dissimulé sous l'outil Sélection directe, permet de manipuler à la fois le contenu d'un bloc graphique et le bloc lui-même. Habituellement, on utilise l'outil Sélection directe pour déplacer un graphique dans un bloc, puis on déplace le bloc à l'aide de l'outil Sélection. L'outil Position, quant à lui, permet d'accomplir les deux tâches sans avoir à changer d'outil. L'outil Sélection directe peut cependant toujours être employé pour sélectionner et modifier des points individuels d'un bloc.

1. À l'aide de l'outil Sélection (↖), cliquez au centre de l'image du panneau Stop pour la sélectionner. Cliquez sur le coin supérieur gauche du bloc sélectionné et faites-le glisser afin que les bords supérieur et gauche du cadre touchent les bords du panneau lui-même. Répétez l'opération en déplaçant le coin inférieur droit afin de faire coïncider les bords inférieur et droit du bloc et du panneau.

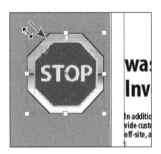

Faites glisser le coin supérieur gauche du bloc.

Faites glisser le coin inférieur droit du bloc.

2. Pour sélectionner l'outil Position : dans le panneau Outils, cliquez sur l'outil Sélection directe en maintenant le bouton de la souris enfoncé.

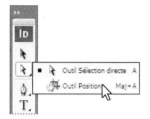

3. Cliquez dans l'image du signe Stop de la page 4. Notez que le curseur se transforme en outil Main (✋) lorsqu'il se trouve sur l'image contenue dans le bloc. Avec les touches de direction, déplacez l'image dans le bloc afin de la centrer.

💡 *Lorsque vous appuyez sur les touches de direction tout en appuyant sur Ctrl+Maj (Windows) ou Cmd+Maj (Mac OS), l'objet se déplace selon de petits incréments. Si vous appuyez uniquement sur la touche Maj lorsque vous utilisez les touches de direction, l'objet se déplace avec des incréments plus importants.*

4. Placez le curseur sur le bord de l'image Stop : il se transforme en un pointeur avec un point (▶.). Cela indique que vous allez sélectionner le bloc si vous cliquez. Cliquez sur le bloc et faites-le glisser jusqu'à ce que le bord droit touche le repère de colonne placé à sa droite.

Note : *Si vous avez redimensionné le bloc, choisissez Édition > Annuler et essayez de nouveau. L'objectif est de déplacer le bloc sur le bord de la colonne.*

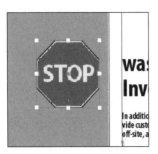

L'outil Position permet ainsi à lui seul de manipuler un bloc et un contenu sans changer d'outil.

Faire pivoter un objet

Plusieurs options permettent de faire pivoter les objets. Ici, nous utiliserons le panneau Contrôle.

1. À l'aide de l'outil Sélection (↖), sélectionnez l'image de la planète bleue au bas de la page 4.

2. Dans le panneau Contrôle, vérifiez que le point central est sélectionné dans l'icône Point de référence (▦) afin que l'objet pivote autour de son centre, puis sélectionnez **90°** dans le menu déroulant des angles de rotation.

Faire pivoter une image dans son bloc

Il est possible de faire pivoter ensemble le bloc et le contenu en une seule action en sélectionnant l'objet à l'aide de l'outil Sélection (↖), puis en faisant glisser l'une des poignées à l'aide de l'outil Rotation. Toutefois, dans certaines circonstances, vous souhaiterez simplement définir une image sous un angle original. Cela peut s'obtenir par une légère variation de la procédure habituelle.

Pour faire pivoter l'image de la terre, vous avez utilisé le panneau Contrôle afin de définir un angle de rotation précis. Dans cette procédure, vous emploierez l'outil Rotation pour faire pivoter le graphique librement :

1. Choisissez Affichage > Ajuster la page à la fenêtre, puis sélectionnez la page 1 dans le menu Pages au bas de la fenêtre de document.

2. Appuyez sur la touche A pour choisir l'outil Sélection directe ( ), positionnez le pointeur sur l'image placée au-dessus du texte JeffG puis cliquez.

Dans le panneau Contrôle, vérifiez que l'icône centrale du Point de référence ( ) est sélectionnée.

3. Appuyez sur la touche R pour choisir l'outil Rotation ( ).

4. Placez le pointeur sur l'une des poignées de coin, cliquez et faites glisser la poignée dans le sens des aiguilles d'une montre pour que l'image et le bloc pivotent. Arrêtez-vous lorsque le résultat vous convient. L'exemple utilise une rotation de –7°.

Note : Il peut être nécessaire d'utiliser l'outil Sélection directe pour repositionner l'image dans le bloc .

Sélectionnez l'image.

Faites pivoter l'image et remplissez le bloc proportionnellement.

Note : *Avant que le pointeur ne se transforme en flèche noire, un aperçu du contenu apparaît lors de l'opération de pivotement. Si vous n'attendez pas, le cadre de sélection reste visible pendant l'opération.*

Aligner plusieurs objets

Il est facile d'obtenir un alignement précis grâce au panneau Alignement. Vous allez centrer une image sur la page, puis aligner plusieurs images par rapport à une autre.

1. Choisissez Affichage > Ajuster la page à la fenêtre, puis sélectionnez la page 3 dans le menu Pages au bas de la fenêtre de document. L'outil Sélection (✹) activé, maintenez la touche Maj enfoncée et cliquez sur le bloc de texte en haut de la page contenant "Partial Class Calendar" et le bloc formant le logo "evolve".

2. Choisissez Fenêtre > Objet et mise en page > Alignement pour ouvrir le panneau du même nom.

3. Dans le panneau Alignement, sélectionnez Aligner sur la page dans le menu de la partie Répartition des objets, puis cliquez sur le bouton Aligner les centres dans le sens horizontal (呂). Les cadres de texte sont maintenant alignés au centre de la page.

Sélectionnez le cadre de texte et le logo, puis alignez les objets.   *Résultat.*

Cliquez dans une zone vide pour tout désélectionner ou choisissez Édition > Tout désélectionner.

4. Activez l'outil Sélection (✹), puis en appuyant sur la touche Maj, cliquez sur les huit icônes placées dans la partie de gauche de la page.

5. Dans le panneau Alignement, choisissez Aligner sur la sélection, dans la partie Répartition des objets, puis cliquez sur le bouton Aligner les centres dans le sens horizontal (♨).

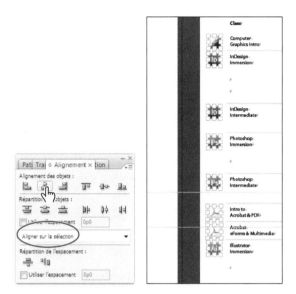

Alignez les objets.   *Résultat.*

6. Cliquez dans une zone vide pour tout désélectionner, puis enregistrez votre fichier.

Redimensionner des objets groupés

InDesign permet de modifier individuellement des objets membres d'un groupe sans les dissocier. Il permet aussi de redimensionner tous les objets d'un groupe en même temps. Vous allez maintenant sélectionner deux des icônes pour les regrouper, puis vous redimensionnerez le groupe afin de redimensionner les deux images en même temps.

1. Choisissez l'outil Sélection (▸) puis, en appuyant sur la touche Maj, cliquez sur les deux icônes Acrobat PDF dans la partie de gauche de la page 3.

2. Choisissez Objet > Associer pour grouper les objets. Puis, l'outil Sélection activé, tout en maintenant les touches Ctrl+Maj (Windows) ou Cmd+Maj (Mac OS), cliquez sur le coin supérieur droit du groupe et faites-le glisser vers le bas et vers la gauche pour donner aux images du groupe approximativement la même taille que l'icône orange placée au-dessous.

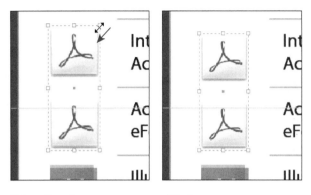

Faites glisser le groupe.   *Résultat.*

3. Choisissez Édition > Tout désélectionner puis Fichier > Enregistrer.

Sélectionner et modifier un bloc dans un groupe

Vous pouvez sélectionner un élément individuel dans un groupe d'objets à l'aide de l'outil Sélection directe ou des éléments du menu. Les formes du logo "evolve" placé en haut de la page 3 (que vous avez centré auparavant) sont groupées afin que vous puissiez les sélectionner et les modifier en tant qu'entité unique. Vous allez changer la couleur de remplissage de quelques formes sans les dissocier, ni modifier les autres éléments du groupe.

1. À l'aide de l'outil Sélection (**)**, cliquez sur le groupe "evolve" en haut de la page 3.

2. Choisissez Sélectionner le contenu (🔱) dans le panneau Contrôle pour sélectionner un objet du groupe sans le dissocier.

Note : Vous pouvez également choisir Objet > Sélectionner > Contenu dans les menus ou cliquer du bouton droit (Windows) ou cliquer en appuyant sur Ctrl (Mac OS) sur le groupe puis, dans le menu contextuel, choisir Sélectionner > Contenu.

*Sélectionnez le groupe
avec l'outil Sélection.*

*Choisissez Sélectionner
le contenu.*

Résultat.

3. Cliquez six fois sur le bouton Sélectionner l'objet précédent () dans le panneau Contrôle afin de sélectionner le premier "e" du mot "evolve". Notez qu'il existe également un bouton Sélectionner l'objet suivant, qui permet de sélectionner dans la direction opposée.

*Cliquez six fois sur
Sélectionner
l'objet précédent.*

Résultat.

*Après avoir sélectionné les formes,
modifiez la couleur de remplissage.*

4. Choisissez l'outil Sélection directe (⬚) dans le panneau Outils. Tout en maintenant la touche Maj enfoncée, cliquez sur les lettres e, v, l, v et e afin de les sélectionner.

5. Cliquez sur l'onglet Nuancier ou sélectionnez Fenêtre > Nuancier pour afficher le panneau du même nom. Dans celui-ci, cliquez sur l'option Fond, puis sélectionnez Papier pour remplir les formes avec une couleur blanche.

*Changez la couleur des
formes.*

Résultat.

Finitions

Il est temps maintenant d'admirer votre travail.

1. Choisissez Édition > Tout désélectionner.

2. Choisissez Affichage > Ajuster la planche à la fenêtre.

3. Dans le panneau Outils, cliquez sur le bouton Mode Aperçu pour masquer tous les repères et les blocs.

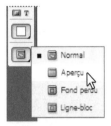

4. Appuyez sur la touche Tab pour fermer tous les panneaux.

5. Enregistrez votre fichier une fois de plus, puis choisissez Fichier > Fermer pour garder InDesign ouvert ou Fichier > Quitter pour terminer votre session InDesign, sauf si vous souhaitez poursuivre ce travail.

Félicitations ! Vous venez de terminer la leçon.

À vous de jouer

Apprenez ici à imbriquer un objet dans une forme que vous avez créée. Suivez ces étapes pour en savoir plus sur la sélection et la manipulation des blocs :

1. Avec l'outil Sélection directe (⬉), sélectionnez et copiez n'importe quelle image.

2. Affichez la page 4 en choisissant Page > Atteindre la page, saisissez **4** puis cliquez sur OK.

3. Pour créer une nouvelle page, choisissez Page > Pages > Ajouter une page.

4. Dessinez une forme sur la nouvelle page à l'aide de l'outil Polygone (⬠) (choisissez librement le nombre de côtés et d'encarts d'étoiles). Sélectionnez la forme avec l'outil Sélection directe, puis choisissez Édition > Coller dedans pour imbriquer l'image dans le bloc. Si vous choisissez Édition > Coller, l'objet ne sera pas collé dans le bloc sélectionné.

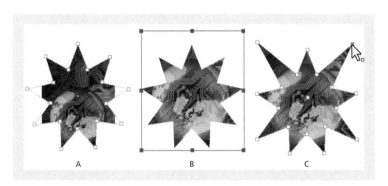

A. Image collée dans un bloc, outil Sélection directe activé.
B. Image déplacée et intégrée au bloc.
C. Bloc du polygone transformé.

5. Déplacez et redimensionnez l'image dans le bloc avec l'outil Sélection directe.

6. Modifiez la forme du bloc du polygone avec le même outil.

7. Faites pivoter à la fois le bloc et l'image à l'aide de l'outil Sélection (▶). Utilisez l'outil Sélection directe pour ne faire pivoter que l'image dans le bloc.

8. Quand vous avez fini de vous entraîner, fermez le document sans l'enregistrer.

Révisions

Questions

1. Quand doit-on utiliser l'outil Sélection et quand doit-on utiliser l'outil Sélection directe pour sélectionner un objet ?

2. Comment redimensionner un bloc et son contenu simultanément ?

3. Comment faire pivoter un graphique dans un bloc sans faire pivoter le bloc ?

4. Sans dissocier les objets, comment peut-on sélectionner un objet dans un groupe ?

Réponses

1. L'outil Sélection est utile pour des tâches de mise en page générales, comme le positionnement et le redimensionnement des objets. L'outil Sélection directe sert pour des tâches qui impliquent le dessin et la modification des tracés ou des blocs, par exemple pour sélectionner le contenu d'un bloc ou pour déplacer des points d'ancrage sur un tracé.

2. Pour redimensionner un bloc et son contenu simultanément, il suffit de choisir l'outil Sélection, de maintenir la touche Ctrl (Windows) ou Cmd (Mac OS) enfoncée, puis de faire glisser une poignée. On peut maintenir la touche Maj enfoncée pour conserver les proportions de l'objet.

3. Pour faire pivoter un graphique dans un bloc, on sélectionne le graphique au moyen de l'outil Sélection directe, puis on choisit l'outil Rotation pour faire glisser l'une des poignées.

4. On sélectionne l'objet dans un groupe avec l'outil Sélection directe.

L'une des fonctions les plus puissantes d'Adobe InDesign CS3 est sa capacité à importer du texte et à le disposer en blocs liés. Une fois le texte importé, vous pouvez créer et appliquer des styles, rechercher et remplacer du texte ou une mise en forme, et corriger l'orthographe.

Importer et modifier du texte

Au cours de cette leçon, vous apprendrez à :

- rechercher et remplacer une police manquante ;

- saisir du texte dans des blocs ;

- placer du texte manuellement et automatiquement ;

- charger des styles à partir d'un autre document et les appliquer ;

- ajouter une note de continuation de page ;

- modifier l'alignement horizontal et vertical du texte ;

- utiliser le placement semi-automatique des blocs de texte ;

- rechercher et remplacer du texte et une mise en forme ;

- vérifier l'orthographe d'un document ;

- corriger automatiquement les mots mal orthographiés ;

- déplacer du texte avec la fonction de glisser-déposer ;

- travailler en mode éditeur.

Mise en route

Vous allez travailler sur un catalogue de douze pages, dont plusieurs ont été réalisées auparavant. Le texte ayant déjà été rédigé, vous le placerez dans le document et vous ajouterez les touches finales au catalogue.

Note : *Si vous ne l'avez pas déjà fait, copiez les fichiers de cette leçon – qui se trouvent sur le CD-ROM* Adobe InDesign CS3 Classroom in a Book *– sur votre disque dur.*

Reportez-vous à la section "Copie des fichiers d'exercices de Classroom in a Book" de l'Introduction.

1. Pour vous assurer que le fonctionnement des outils et des panneaux sera exactement tel que décrit au fil de cette leçon, supprimez ou désactivez les fichiers de préférences en suivant la procédure détaillée à la section "Rétablissement des préférences par défaut" de l'Introduction.

2. Lancez Adobe InDesign CS3.

Gestion des polices

Pour commencer à travailler, vous ouvrirez un document InDesign existant. Il contient une police que vous ne possédez peut-être pas sur votre système. Dans ce cas, vous recevrez un message d'erreur relatif à la police manquante.

1. Choisissez Fichier > Ouvrir, et ouvrez le fichier 04_a.indd situé dans les dossiers IDCIB/Lessons/Lesson_04.

Note : Si vous recevez un message d'avertissement relatif à la non-concordance des profils colorimétriques, cliquez sur OK pour l'ignorer.

Lorsque vous ouvrez un fichier incluant des polices qui ne sont pas installées sur votre système, un message d'erreur indique les polices manquantes. Le texte qui utilise ces polices manquantes est également sélectionné en rose. Vous résoudrez ce problème ultérieurement, en remplaçant la police manquante par une police disponible. Cette fonction d'InDesign est particulièrement utile. Elle signale en effet les polices susceptibles d'entraîner des problèmes à l'impression et propose plusieurs solutions pour faire face à cette situation.

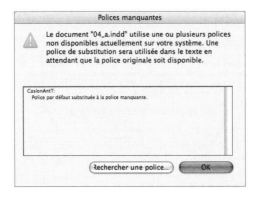

2. Cliquez sur OK pour fermer le message d'erreur.

Parcourez le document. Les pages 6 à 10 sont terminées. Vous allez devoir remplacer les polices manquantes, compléter les cinq premières pages du catalogue ainsi que les pages 11 et 12.

3. Choisissez Fichier > Enregistrer sous, nommez le fichier **04_catalogue** et enregistrez-le dans le dossier Lesson_04.

4. Pour voir à quoi ressemblera le document terminé, ouvrez le fichier 04_b.indd qui se trouve dans le même dossier. Vous pouvez conserver ce document ouvert afin qu'il vous serve de guide pendant que vous travaillez. Lorsque vous êtes prêt à ouvrir le document de la leçon, choisissez son nom dans le menu Fenêtre.

Note : *Là encore, si InDesign signale des problèmes de correspondance de profil de couleurs, ignorez ce message et cliquez sur OK.*

Rechercher et remplacer une police manquante

Lorsque vous avez ouvert ce document, fondé sur un modèle, il y manquait peut-être la police CaslonAntT. Si elle est installée sur votre ordinateur, vous ne recevrez pas de message d'alerte mais vous pouvez tout de même accomplir la procédure qui suit. Vous allez en effet rechercher le texte contenant cette police et la remplacer par la police Adobe Garamond Pro.

1. Dans le panneau Pages, double-cliquez sur l'icône de la page 2 (vous devrez peut-être faire défiler le panneau Pages). Choisissez Affichage > Ajuster la page à la fenêtre. La zone surlignée en rose indique que le texte est mis en forme avec une police manquante.

2. Choisissez Texte > Rechercher une police pour ouvrir la boîte de dialogue correspondante. Cette dernière répertorie toutes les polices utilisées dans le document ainsi que le type de police, par exemple PostScript, True Type ou Open Type. Les polices manquantes sont signalées par l'icône d'alerte (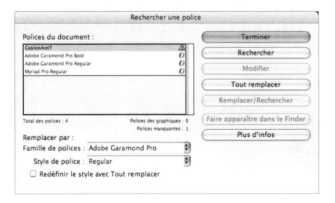).

3. Sélectionnez CaslonAntT dans la liste.

4. Dans le champ Remplacer par, sélectionnez Adobe Garamond Pro dans le menu Famille de polices et Regular dans le menu Style de police.

5. Cliquez sur Tout remplacer. Cliquez sur Terminer pour fermer la boîte de dialogue. Vous voyez que la police a été remplacée.

Note : Dans certains projets, vous devrez peut-être ajouter la police manquante à votre système au lieu de la remplacer. Vous résoudrez ce problème soit en installant la police sur votre système, soit en l'activant à l'aide d'un gestionnaire de polices, soit en ajoutant les fichiers des polices dans le dossier Fonts d'InDesign. Pour de plus amples informations, consultez l'Aide en ligne d'Adobe InDesign.

Création et saisie de texte

Vous pouvez utiliser InDesign pour ajouter du texte dans vos documents ou en importer à partir d'autres programmes, par exemple un logiciel de traitement de texte.

Créer un titre et lui appliquer un style

Dans la partie dorée placée sous "Expedition Tea Company", sur la page 1, vous allez créer un bloc de texte pour le titre du catalogue "2007 Premium Tea Catalog", qui s'étendra sur la première colonne et auquel vous appliquerez le style Catalog Title.

1. Dans la page 1, double-cliquez sur l'outil Zoom (🔍) pour passer à un affichage à 100 %.

2. Pour marquer l'emplacement du haut du bloc de titre, faites glisser un repère sur la règle horizontale pour le placer à la position de **39p0** (165 mm). Pour vous aider, consultez la valeur Y du panneau Transformation ou Contrôle, tout en faisant glisser le repère. En maintenant la touche Maj enfoncée, vous pouvez faire glisser la souris suivant les incréments visibles sur la règle.

3. À l'aide de l'outil Texte (T), positionnez la barre horizontale du curseur Texte près de la marge gauche sur le repère 39p0.

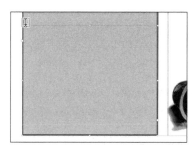

4. Créez un bloc de texte qui démarre au-dessous du repère et qui va jusqu'au bas du cadre doré. Il doit s'étaler sur la première colonne et le haut du bloc doit s'aligner sur le repère 39p0.

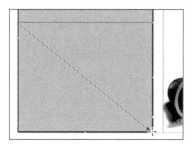

💡 *Si vous devez redimensionner le bloc, choisissez l'outil Sélection et faites glisser les poignées du bloc pour l'aligner sur les repères. Sélectionnez ensuite l'outil Texte et cliquez dans le bloc.*

Après avoir dessiné le bloc de texte, vous voyez le point d'insertion apparaître, vous permettant de commencer la saisie.

5. Dans le bloc de texte que vous venez de créer, saisissez **2007 Premium Tea Catalog**.

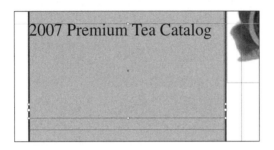

Pour mettre en forme ce titre, vous appliquerez le style Catalog Title. Pour appliquer un style de paragraphe, vous pouvez placer le point d'insertion à n'importe quel endroit du paragraphe ou sélectionner n'importe quelle partie du paragraphe.

6. Choisissez Fenêtre > Texte et tableaux > Styles de paragraphe. Le point d'insertion étant situé dans le titre que vous venez de saisir, sélectionnez Catalog Title dans le panneau Styles de paragraphe.

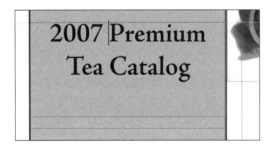

7. Enregistrez le fichier.

Alignement vertical du texte

Pour répartir de façon égale l'espace dans les zones inférieure et supérieure du bloc de texte, vous allez centrer le texte verticalement :

1. Le point d'insertion étant placé n'importe où dans le bloc de texte que vous venez de créer, choisissez Objet > Options de bloc de texte.

[annotation manuscrite : Text frame options]

2. Sous Justification verticale, sélectionnez Justifié dans le champ Alignement, puis cliquez sur OK.

3. Choisissez Fichier > Enregistrer.

Placement manuel du texte

Le processus qui consiste à loger le texte importé, par exemple d'un programme de traitement de texte, dans plusieurs blocs de texte liés est appelé *placement de texte*. InDesign permet de placer du texte manuellement, pour obtenir un meilleur contrôle, ou automatiquement, pour gagner du temps (comme nous le verrons par la suite).

Pour placer du texte manuellement, sélectionnez en premier lieu un fichier texte à importer. Faites ensuite glisser la souris afin de dessiner un bloc ou cliquez n'importe où sur la page pour créer un bloc de texte dans une colonne. Dans cet exercice, vous utiliserez les deux méthodes pour placer le texte dans les colonnes sur la première page du catalogue :

1. Dans le panneau Pages, double-cliquez sur l'icône de la page 1 pour la centrer dans la fenêtre de document. Cliquez dans une zone vide de la page pour désélectionner tous les éléments.

2. Faites glisser un repère sur la règle horizontale à la position de **7p3** (30,5 mm) pour indiquer où doit se placer le bas du bloc.

3. Choisissez Fichier > Importer. Dans la boîte de dialogue Importer, vérifiez que l'option Afficher les options d'importation est sélectionnée. Localisez le fichier 04_c.doc dans le dossier Lesson_04, double-cliquez dessus ou cliquez sur Ouvrir.

4. Veillez à ce que l'option Supprimer les styles et la mise en forme du texte et des tableaux ne soit pas sélectionnée dans la boîte de dialogue Options d'importation. Le texte est alors importé dans la mise en forme qui était la sienne dans l'application de traitement de texte.

Vous allez maintenant créer un bloc afin d'y placer le texte "Welcome to the Expedition Tea Company".

5. Placez l'icône de texte chargé (⊞) sur le coin supérieur gauche de la colonne 2 et faites glisser pour créer un bloc de texte sur la largeur des colonnes 2 et 3 et qui s'étend jusqu'au guide positionné à **7p3**.

Faites glisser la souris pour créer un bloc de texte.

Notez que le bloc de texte contient un *port de sortie* dans le coin inférieur droit. Le signe plus (+) rouge indique du texte *en excès*, que vous allez placer dans la deuxième colonne de la page 1.

6. À l'aide de l'outil Sélection (🔺), cliquez sur ce port de sortie.

Note : *Si vous ne voulez pas placer le texte en excès, vous pouvez cliquer sur n'importe quel outil du panneau Outils afin d'annuler l'icône de texte chargé. Aucun texte ne sera supprimé.*

7. Positionnez l'icône de texte chargé juste en dessous du bloc de texte que vous venez de créer, puis cliquez.

Le texte se place dans un nouveau bloc, à l'endroit où vous avez cliqué, au bas de la deuxième colonne. De nouveau, le port de sortie contient un signe plus (+) rouge indiquant la présence de texte en excès.

8. Répétez les étapes 6 et 7 pour placer le reste du texte dans une troisième colonne, en cliquant au-dessous de l'image de la boîte de thé en bois.

Note : Si vous pouvez créer des blocs indépendants que vous liez entre eux pour chaque colonne, il est également possible de travailler en utilisant une grande colonne divisée en plusieurs autres avec la commande Objet > Options de bloc de texte. Chaque méthode présente ses avantages, selon le type de document envisagé.

Les styles

Les styles facilitent l'application d'une mise en forme répétitive tout au long d'un document. Par exemple, pour que tous vos titres soient formatés de façon cohérente d'un bout à l'autre de votre document, vous pouvez créer un style de titre qui contient les attributs de mise en forme adéquats. Les styles permettent de gagner du temps et ils aident également à présenter des documents homogènes.

Appliquer un style

Pour assurer la cohérence de cet article avec les autres, vous lui appliquerez un style de paragraphe appelé Body (Corps du texte). Nous l'avons créé pour le texte des principaux articles du catalogue.

1. Cliquez sur le panneau Styles de paragraphe (ou choisissez Fenêtre > Texte et tableaux > Styles de paragraphe) pour afficher le panneau.

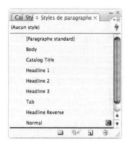

Le panneau Styles de paragraphe de ce document inclut désormais huit styles : Body (Corps du texte), Catalog Title (Titre du catalogue), Headline 1 (Titre 1), Headline 2 (Titre 2), Headline 3 (Titre 3), Tab, Headline Reverse et Normal. Le style Normal est accompagné d'une icône de disquette (🖫), indiquant qu'il a été importé depuis une autre application. En effet, il s'agit d'un style de Microsoft Word qui a été importé en même temps que l'article. Vous allez maintenant appliquer au texte le style InDesign Body.

Note : À sa création, un document InDesign ne contient pas de style de paragraphe par défaut. Vous pouvez en créer ou en ajouter à partir d'autres documents InDesign. Des styles sont également ajoutés à vos documents lorsque vous importez du texte mis en forme dans Microsoft Word.

2. Dans le panneau Pages, double-cliquez sur l'icône de la page 1 pour centrer la première page dans la fenêtre du document. Cliquez sur une zone vide de la page pour désélectionner tous les éléments.

À l'aide de l'outil Texte (T), créez un point d'insertion en cliquant à n'importe quel endroit du premier paragraphe commençant par "Take an extraordinary".

3. Choisissez Body dans le panneau Styles de paragraphe. Le paragraphe est maintenant mis en forme avec une autre police de caractères.

Avant et après l'application du style Body.

4. Répétez les étapes 2 et 3 en créant cette fois un point d'insertion pour chacun des paragraphes qui suivent les quatre titres.

5. Choisissez Fichier > Enregistrer.

Placement automatique du texte

Vous allez employer le placement automatique pour répartir du texte sur les deux pages suivantes. Dans ce cas, InDesign crée de nouveaux blocs de texte dans les repères de colonnes, sur les pages suivantes, jusqu'à ce que tout le texte en excès soit logé. Si votre document ne contient pas assez de pages, InDesign en ajoute en nombre suffisant.

Note : Une série de blocs de texte liés est appelée un article.

1. Choisissez Fichier > Importer. Dans la boîte de dialogue Importer, assurez-vous que la case Afficher les options d'importation est décochée. Sélectionnez le fichier 04_d.doc dans le dossier Lesson_04, puis cliquez sur Ouvrir.

2. Dans le panneau Pages, double-cliquez sur l'icône de la page 2 pour la centrer dans la fenêtre du document.

Lorsque l'icône de texte chargé (⬚) est active, vous pouvez toujours atteindre les différentes pages du document ou en créer de nouvelles. Cela vous permet de continuer à répartir le texte sur les pages, même si elles ne sont pas encore créées au moment où vous cliquez sur le port de sortie d'un bloc de texte.

3. En maintenant la touche Maj enfoncée, placez l'icône de texte chargé dans la première colonne de la page 2, au niveau du repère se trouvant en dessous de "Black Tea", puis cliquez. Relâchez la touche Maj.

 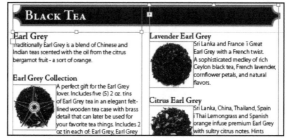

Le fait de maintenir la touche Maj enfoncée permet de placer du texte automatiquement dans un document.

De nouveaux blocs de texte ont été ajoutés aux pages 2, 3 et 4, dans les repères de colonnes, car vous avez maintenu la touche Maj enfoncée pour placer le texte automatiquement. Tout le texte de l'article est maintenant logé.

Redimensionner un bloc de texte

Lorsque vous créez un bloc de texte en cliquant avec l'icône de texte chargé, InDesign lui donne la même largeur que la colonne dans laquelle vous cliquez. Même s'il est placé dans les marges des colonnes, vous pouvez le déplacer, le redimensionner et modifier sa forme.

1. Dans le panneau Pages, double-cliquez sur l'icône de la page 2 pour centrer cette page dans la fenêtre du document (il peut être nécessaire de faire défiler le contenu du panneau pour la voir).

Le bloc de texte dans la colonne droite couvre l'image de la théière qui y était placée. Lorsque vous placez du texte automatiquement, les blocs de texte sont créés selon les paramètres des colonnes, que des objets soient ou non présents. Vous pouvez résoudre ce problème de chevauchement en ajoutant un habillage de texte à l'image ou en redimensionnant le bloc de texte. C'est ce que vous allez faire, afin que le titre "Estate Teas" démarre proprement sur la page 3.

2. À l'aide de l'outil Sélection (↖), cliquez dans le bloc de texte situé dans la colonne droite de la page 2 pour le sélectionner, puis faites glisser la poignée médiane la plus basse au-dessus de l'image, à environ **32p** – 135 mm – (regardez la règle verticale ou le panneau Transformation tout en faisant glisser la souris).

Avant et après le redimensionnement du bloc de texte.

3. Chôisissez Fichier > Enregistrer.

Ajouter un saut de colonne

Parfois, vous ne souhaiterez pas redimensionner un bloc afin de replacer le texte de votre article. À la place, vous ajouterez un saut de colonne qui permet de forcer le placement du texte dans la colonne suivante.

1. Dans le panneau Pages, double-cliquez sur l'icône de la page 3 pour centrer cette page dans la fenêtre de document. Cliquez sur une zone vide de la page pour désélectionner tous les éléments.

2. À l'aide de l'outil Texte (T), insérez le curseur devant "Keemun Panda", près de la partie supérieure de la première colonne.

3. Choisissez Texte > Insérer un caractère de saut > Saut de colonne. Le texte placé après le saut de colonne se déplace dans la deuxième colonne.

Note : Vous pouvez également insérer un saut de colonne en plaçant le curseur dans le texte, puis en appuyant sur la touche Entrée du pavé numérique.

4. Choisissez Fichier > Enregistrer.

Ajouter une note de continuation de page

Comme l'article "Black Tea Category" de la page 3 continue en page 4, vous devez indiquer aux lecteurs qu'ils peuvent poursuivre leur lecture lorsqu'ils arrivent au bas de la page. Pour cela, vous allez ajouter un bloc "suite page x". Vous ajouterez un numéro de page qui indiquera automatiquement la page contenant le bloc de texte suivant.

1. Double-cliquez sur la page 3 dans le panneau Pages pour la centrer dans la fenêtre de document.

2. Faites glisser un repère à partir de la règle horizontale jusqu'à l'emplacement **46p6** (197 mm). Zoomez en avant afin de pouvoir lire facilement le texte dans la colonne.

3. Choisissez l'outil Sélection (↖), cliquez dans le bloc de texte le plus à droite sur la page 3, puis faites glisser la poignée médiane inférieure jusqu'au repère 46p6 (197 mm).

4. Sélectionnez l'outil Texte (T), puis créez un bloc de texte qui remplisse l'espace au bas de la colonne la plus à droite sur la page 3.

5. Un point d'insertion s'affiche dans le nouveau bloc de texte. Saisissez (**Black tea continued on page**) en incluant l'espace et les parenthèses. À l'aide des touches fléchées, placez le point d'insertion avant la parenthèse de fermeture.

6. Sélectionnez Objet > Options de bloc de texte. Cochez la case Ignorer l'habillage, puis cliquez sur OK.

7. Cliquez du bouton droit (Windows) ou cliquez en appuyant sur Ctrl (Mac OS) dans le bloc de texte. Dans le menu contextuel qui apparaît, choisissez Insérer un caractère spécial > Numéro de page suivant. Le texte affiche maintenant "(Black tea continued on page 4)".

Note : Pour que le caractère "Numéro de page suivant" fonctionne, le bloc de texte qui contient cette référence doit toucher ou chevaucher le bloc de texte associé.

8. Pour déplacer la ligne afin qu'elle touche le cadre, choisissez l'outil Sélection (▸), puis faites glisser le haut du nouveau bloc de texte vers le haut afin qu'il s'aligne sur le bloc de texte au-dessus.

Avant que les blocs se touchent.   *Après que les blocs se touchent.*

Modifier l'alignement horizontal et vertical du texte

Le texte de la note de continuation est probablement mis en forme avec un style de paragraphe différent de celui que vous souhaitez employer. Vous allez donc le modifier.

1. Sélectionnez l'outil Texte (T), puis triple-cliquez sur "(Black tea continued on page 4)" pour sélectionner le texte.

2. Dans le panneau Styles de paragraphe, cliquez sur Body.

3. Dans la section Caractère du panneau Contrôle, sélectionnez Italic dans le menu Style.

Le style Body arbore un signe plus (+) dans le panneau Styles de paragraphe. Cela indique que le style appliqué au texte actuel a été modifié.

4. Dans le panneau Contrôle, cliquez sur le bouton Commandes de mise en forme des paragraphes (¶), puis sur Aligner à droite (≡).

Vous allez maintenant aligner le texte au bas du cadre.

5. Choisissez Objet > Options de bloc de texte.

6. Sous Justification verticale, sélectionnez En bas dans le champ Alignement, puis cliquez sur OK.

7. À l'aide de l'outil Sélection, cliquez sur le bloc de texte contenant "(Black tea continued on page 4)", puis maintenez la touche Maj enfoncée et cliquez pour sélectionner le bloc de texte immédiatement au-dessus. Choisissez ensuite Objet >

Associer. Cette action permet de grouper l'article et le bloc de note de continuation en cas de déplacement.

8. Appuyez sur les touches Ctrl+Maj+A (Windows) ou Cmd+Maj+A (Mac OS) pour désélectionner le texte. Puis enregistrez le fichier.

Placement semi-automatique des blocs de texte

Vous allez utiliser le placement semi-automatique pour importer un fichier texte dans plusieurs colonnes sur les pages 4 et 5. Cette procédure permet de créer des blocs de texte l'un après l'autre, sans recharger l'icône de texte.

1. Dans le panneau Pages, double-cliquez sur l'icône de la page 4 pour centrer cette page dans la fenêtre de document. Cliquez sur une zone vide de la page pour désélectionner tous les éléments.

2. Choisissez Fichier > Importer pour ouvrir la boîte de dialogue Importer. Décochez la case Remplacer l'élément sélectionné. Localisez le fichier 04_f.doc, dans le dossier Lesson_04, et ouvrez-le.

3. Tout en maintenant la touche Alt (Windows) ou Option (Mac OS) enfoncée, positionnez l'icône de texte chargé dans la colonne gauche, au repère **6p7** (28 mm), puis cliquez.

Répartition semi-automatique du texte.

Le texte se répartit dans la colonne gauche. Le pointeur ayant toujours la forme de l'icône de texte chargé, vous allez pouvoir intégrer du texte dans un autre bloc.

4. Tout en maintenant la touche Alt/Option enfoncée, pointez l'icône de texte chargé dans la deuxième colonne au repère **6p7**, puis cliquez.

5. Maintenez la touche Alt/Option enfoncée, placez l'icône de texte chargé à la position **6p7** dans la première colonne de la page 5, puis cliquez. Relâchez la touche Alt/Option.

Vous allez maintenant créer la dernière colonne. Inutile d'appuyer sur Alt/Option puisqu'il n'y aura que ces quatre blocs dans cet article.

6. Positionnez l'icône de texte chargé dans la deuxième colonne de la page 5, puis cliquez. Le texte doit maintenant se trouver dans les quatre colonnes.

Le titre "Green Tea" s'affiche dans la deuxième colonne de la page 4.

7. Insérez le curseur devant "Green Tea", puis sélectionnez Texte > Insérer un caractère de saut > Saut de colonne, pour déplacer le texte dans la première colonne de la page 5.

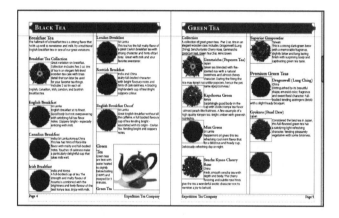

8. Choisissez Fichier > Enregistrer.

Modification du nombre de colonnes sur une page

Vous pouvez changer le nombre de colonnes dans une zone de texte, ce qui évite d'avoir à créer deux blocs séparés pour placer le texte. C'est ce que vous allez appliquer maintenant à la page 11.

1. Dans le panneau Pages, double-cliquez sur l'icône de la page 11 pour centrer cette page dans la fenêtre du document. Assurez-vous qu'elle est la seule à être sélectionnée afin que la modification du nombre de colonnes n'affecte que cette page. Si nécessaire, cliquez sur une autre icône de page, puis sur l'icône de la page 11.

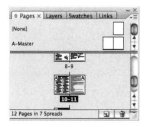

2. Choisissez Page > Marges et colonnes. Sous Colonnes, saisissez **2** dans Nombre, puis cliquez sur OK.

Le nombre de colonnes a changé, mais la largeur des blocs de texte existants n'a pas bougé.

Notez que les blocs de texte sont indépendants du nombre de colonnes. Les marges des colonnes peuvent déterminer la manière dont les blocs de texte sont créés, mais la largeur des blocs ne change pas lorsque vous redéfinissez les colonnes. Une exception à cette règle survient lorsque l'option Modifier la mise en page est activée.

3. À l'aide de l'outil Sélection (➤), sélectionnez le bloc de texte de la page 11 et choisissez Objet > Options de bloc de texte, puis indiquez **2** pour le nombre de colonnes. Cliquez sur OK.

4. Si le titre "Shipping Information" s'affiche au bas de la première colonne, placez le curseur devant cette ligne, puis choisissez Texte > Insérer un caractère de saut > Saut de colonne pour déplacer le texte dans la deuxième colonne.

5. Enregistrez le fichier.

Chargement de styles à partir d'un autre document

Les styles apparaissent uniquement dans le document dans lequel vous les créez. Toutefois, il très simple de partager des styles en les chargeant, c'est-à-dire en les important à partir d'autres documents InDesign, comme dans cet exercice. Ce document contient un style adapté à certains textes de ce catalogue. Au lieu de le recréer, vous allez le charger puis l'appliquer au texte du catalogue.

1. Ouvrez le panneau Styles de paragraphe. Cliquez sur le bouton de menu du panneau ( ) et choisissez Charger des styles de paragraphes.

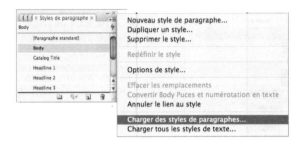

2. Dans la boîte de dialogue Ouvrir un fichier, double-cliquez sur Styles.indd, situé dans le dossier Lesson_04. Décochez le style Paragraphe standard, puisque vous allez importer uniquement le style Tab with Leader. Cliquez sur OK.

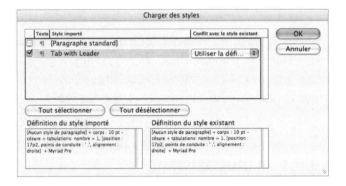

3. Dans le panneau Styles de paragraphe, remarquez le nouveau style intitulé Tab with Leader (vous devrez peut-être faire défiler la liste ou redimensionner le panneau pour le voir).

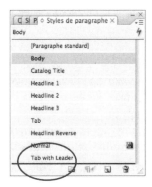

4. Si nécessaire, dans le panneau Pages, double-cliquez sur l'icône de la page 11 pour centrer cette page dans la fenêtre du document. Cliquez sur une zone vide de la page pour tout désélectionner.

5. À l'aide de l'outil Texte (**T**), sélectionnez les trois lignes de texte de la deuxième colonne qui commencent par "For orders up to".

6. Sélectionnez le style Tab with Leader dans le panneau Styles de paragraphe. Le style s'applique au texte sélectionné.

Shipping Information	Shipping Information
Expedition Tea Company uses the US Postal Service to ship our products. Shipping rates are as follows:	Expedition Tea Company uses the US Postal Service to ship our products. Shipping rates are as follows:
Free shipping for orders $75 and over	Free shipping for orders $75 and over
For orders up to $9.99 $3.85	For orders up to $9.99.........................$3.85
For orders up to $39.99 $6.85	For orders up to $39.99.........................$6.85
For orders up to $74.99 $10.85	For orders up to $74.99....................... $10.85
Orders are typically shipped the next day, ensuring a prompt and timely delivery of all your packages.	Orders are typically shipped the next day, ensuring a prompt and timely delivery of all your packages.

Avant et après l'application du style Tab with Leader.

Placement du texte dans un bloc existant

Lorsque vous importez du texte, vous pouvez le placer dans un nouveau bloc ou dans un bloc existant. Dans ce dernier cas, cliquez pour positionner le point d'insertion afin que le texte se place à partir de ce point. Vous pouvez également cliquer avec l'icône de texte chargé dans un bloc existant afin de remplacer le contenu de ce bloc.

La dernière page du catalogue contient un bloc réservé pour l'adresse. Vous allez y placer un nouvel article.

1. Dans le panneau Pages, double-cliquez sur l'icône de la page 12 pour centrer la dernière page dans la fenêtre de document. Cliquez sur une zone vide de la page pour tout désélectionner.

2. Choisissez Fichier > Importer. Dans la boîte de dialogue Importer, décochez la case Afficher les options d'importation, si nécessaire. Double-cliquez sur le fichier 04_e.doc dans le dossier Lesson_04. Le pointeur se transforme en icône de texte chargé (⬚), avec un aperçu des premières lignes de l'article que vous importez. Lorsque vous déplacez le pointeur sur un bloc de texte vide, des parenthèses entourent l'icône (⬚).

3. Placez le pointeur texte chargé sur le bloc réservé, au-dessous du logo, puis cliquez.

Placement du texte dans un bloc existant.

4. Choisissez Fichier > Enregistrer.

Recherche et remplacement

À l'instar de la plupart des traitements de texte, InDesign permet de rechercher du texte et de le remplacer. Vous pouvez également rechercher et remplacer une mise en forme ou des caractères spéciaux.

Rechercher du texte et remplacer une mise en forme

Vous allez rechercher les occurrences des mots "Expedition Tea Company" dans le document. Assurez-vous que le niveau de grossissement est tel que vous pouvez facilement lire le texte et observer la mise en forme sur la page. Il est inutile de sélectionner quoi que ce soit dans cet exemple.

Vous ajouterez à toutes ces occurrences le symbole de marque commerciale (™) et vous les passerez en petites capitales.

1. Choisissez Édition > Rechercher/Remplacer. Dans Rechercher, saisissez **Expedition Tea Company**.

2. Appuyez sur la touche Tab pour passer à Remplacer par et saisissez les mêmes mots mais ajoutez le symbole de marque commerciale. Vous l'obtenez en cliquant sur le bouton Caractères spéciaux pour le remplacement (@), à côté de la zone Remplacer par. Choisissez Symboles > Symbole de marque commerciale.

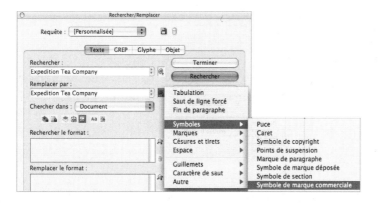

Vous pouvez voir ^d (un accent circonflexe et un d) s'insérer après le nom de la société. Il s'agit du code pour le symbole de marque commerciale. Dans le menu Rechercher dans, assurez-vous que Document est sélectionné. Dans la ligne de petites icônes, placée au-dessous de la liste déroulante, sélectionnez Inclure les gabarits (🔳) puisque le nom de la société se trouve également dans ces pages.

Ces paramètres indiquent à InDesign qu'il doit rechercher "Expedition Tea Compagny" dans tous les blocs de texte du document y compris dans les gabarits et remplacer par "Expedition Tea Compagny™". Nous allons maintenant lui indiquer de modifier la mise en forme des occurrences.

3. Cliquez sur Plus d'options pour afficher des options supplémentaires de mise en forme dans la boîte de dialogue.

4. Ne modifiez pas la zone Rechercher le format mais cliquez sur le bouton Spécifier les attributs à modifier () en regard de la zone Remplacer le format.

5. Dans la boîte de dialogue Rechercher un format, sélectionnez Formats de caractères de base (à gauche). Sélectionnez ensuite Petites capitales dans la liste déroulante Casse.

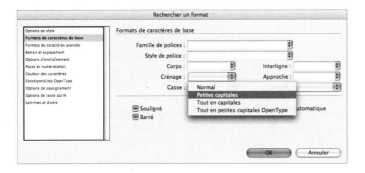

6. Laissez les autres options telles quelles. Cliquez sur OK pour retourner à la boîte de dialogue Rechercher/Remplacer. Notez l'icône au-dessus de la zone Remplacer par : elle indique qu'InDesign va modifier le texte en utilisant la mise en forme spécifiée.

7. Cliquez sur Tout remplacer. Un message indique le nombre d'occurrences qu'InDesign a trouvées et modifiées.

8. Cliquez sur OK pour fermer le message, puis sur Terminé afin de fermer la boîte de dialogue Rechercher/Remplacer. Enregistrez le fichier.

Avant et après avoir recherché et remplacé les attributs.

Vérification orthographique

Comme la plupart des traitements de texte, InDesign fournit un outil de vérification de l'orthographe, qui permet de contrôler l'orthographe d'un texte sélectionné, d'un article, de tous les articles d'un document, ou encore de tous les articles de différents documents ouverts simultanément.

1. Dans le panneau Pages, allez à la page 1. Sélectionnez l'outil Texte, puis placez le curseur avant le mot "Welcome" dans le premier paragraphe. Notez que dans les options de caractères du panneau Contrôle, Anglais : États-Unis est sélectionné. Si vous travaillez avec un document dans une autre langue, vous pouvez sélectionner un autre dictionnaire dans cette liste.

2. Choisissez Édition > Orthographe > Orthographe pour ouvrir la boîte de dialogue du même nom.

3. Dans le menu déroulant Chercher dans, sélectionnez l'option Document pour vérifier l'orthographe du document actif.

4. Cliquez sur Commencer pour rechercher le premier mot mal orthographié dans notre lettre d'information. Le mot "oolong" apparaît dans le champ Absent du dictionnaire.

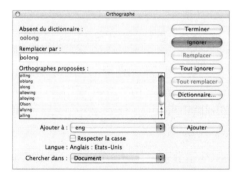

5. Notez les suggestions répertoriées dans la liste Orthographes proposées. Si vous souhaitiez remplacer ce mot, il vous suffirait d'en sélectionner une ou de saisir l'orthographe de votre choix dans le champ Remplacer par. Vous pourriez ensuite choisir de ne remplacer que cette occurrence du mot (en cliquant sur le bouton Remplacer) ou de les remplacer toutes (en cliquant, cette fois, sur le bouton Tout remplacer).

6. Le mot "oolong" étant le nom exact d'un type de thé, cliquez sur le bouton Ignorer. Cette action ne permet cependant d'ignorer que cette première occurrence du mot. InDesign l'indiquera de nouveau à mesure que vous vérifierez le document. Pour éviter cela, vous cliquerez sur le bouton Tout ignorer la prochaine fois que vous rencontrerez cette occurrence du mot dans le texte.

7. Cliquez sur Terminer pour fermer la boîte de dialogue Orthographe.

8. Choisissez Fichier > Enregistrer.

Ajout de mots à un dictionnaire

Pour éviter qu'un mot soit identifié comme mal orthographié dans d'autres documents, le meilleur moyen consiste à l'ajouter à un dictionnaire utilisateur externe.

1. Fermez le catalogue, puis quittez et redémarrez InDesign.

2. Choisissez Fichier > Ouvrir et ouvrez le fichier 04_catalogue du dossier Lesson_04.

3. Sur la page 1 du document, placez le point d'insertion devant le mot "Welcome" du premier paragraphe. Choisissez Édition > Orthographe > Orthographe pour ouvrir la boîte de dialogue du même nom.

4. Dans le menu déroulant Chercher dans, sélectionnez l'option Document pour vérifier l'orthographe dans tout le document.

5. Cliquez sur Commencer pour rechercher le premier mot mal orthographié dans la lettre d'information. Le mot "oolong" apparaît dans le champ Absent du dictionnaire.

6. Cliquez sur le bouton Ajouter pour ajouter ce mot à un dictionnaire utilisateur externe, nommé eng. Ce dictionnaire s'étendant à toute l'application, InDesign reconnaîtra le terme "oolong" comme correctement orthographié dans tous vos futurs documents.

7. Cliquez sur Terminer pour fermer la boîte de dialogue Orthographe.

Ajouter des mots au dictionnaire du document

Il arrive parfois qu'une orthographe spécifique ne doive être affectée à un mot que dans un document en particulier. L'idéal est dans ce cas de stocker cette orthographe dans un dictionnaire inhérent au document InDesign concerné.

1. Choisissez Édition > Orthographe > Dictionnaire. Notez que le dictionnaire cible est le dictionnaire eng par défaut et que "oolong" est répertorié sous Liste de dictionnaires : Mots ajoutés. Pour supprimer ce mot du dictionnaire utilisateur externe, sélectionnez-le dans la liste et cliquez sur le bouton Supprimer.

2. Faites défiler la liste déroulante du menu Cible et sélectionnez 04_catalogue.

3. Saisissez le terme **oolong** dans le champ Mot, puis cliquez sur le bouton Ajouter. Ce mot est ajouté au dictionnaire de ce document uniquement. Son orthographe sera donc reconnue uniquement dans ce document et dans aucun autre. Cliquez sur Terminer.

Vérification orthographique dynamique

Il n'est pas nécessaire d'attendre la fin de la création d'un document pour en vérifier le contenu orthographique. InDesign inclut en effet une fonctionnalité de vérification orthographique dynamique permettant de détecter les mots mal orthographiés lors de la saisie du texte. Si vous choisissez de n'activer cette fonctionnalité qu'une fois le texte entièrement entré, tous les mots *a priori* mal orthographiés seront mis en évidence.

1. Avant d'activer cette fonctionnalité, choisissez Édition > Préférences > Orthographe (Windows) ou InDesign > Préférences > Orthographe (Mac OS). Vérifiez que la case Activer la vérification orthographique dynamique est cochée. Spécifiez ensuite quelles erreurs vous souhaitez voir mises en évidence (dans la zone Rechercher), et de quelle couleur (dans la zone Couleur de soulignement). Fermez la boîte de dialogue et revenez à votre document. (Les mots inconnus du dictionnaire utilisateur par défaut sont automatiquement soulignés en rouge.)

Note : *Pour désactiver la vérification orthographique dynamique, choisissez Édition > Orthographe > Vérification orthographique dynamique.*

2. Si vous ajoutez un mot mal orthographié une fois la vérification orthographique dynamique activée, ce mot est mis en évidence par un soulignement à mesure que vous le saisissez. Faites un essai : saisissez le mot **snew** dans la première colonne de la page 1 afin de voir cet outil à l'œuvre.

Correction automatique des mots mal orthographiés

La fonctionnalité de correction automatique d'InDesign élève la notion de vérification orthographique dynamique un niveau au-dessus. En effet, une fois cette fonctionnalité activée, InDesign corrige automatiquement les mots mal orthographiés à mesure que vous les saisissez. Les modifications apportées se fondent sur une liste de mots fréquemment mal orthographiés associés à leur bonne orthographe. Cette liste peut être modifiée pour également inclure des mots régulièrement mal orthographiés dans d'autres langues.

1. Avant d'activer cette fonctionnalité, choisissez Édition > Préférences > Correction automatique (Windows) ou InDesign > Préférences > Correction automatique (Mac OS). Vérifiez que la case Activer la correction automatique est cochée. Vous pouvez également choisir de corriger automatiquement les erreurs de casse en cochant la case correspondante.

2. Jetez un œil à la liste de mots régulièrement mal orthographiés et à la langue sélectionnée par défaut, Anglais : E.U. Choisissez Français dans la liste Langue et voyez les mots communément mal orthographiés dans notre langue. Sélectionnez de nouveau Anglais : E.U. avant de continuer.

3. Cliquez sur le bouton Ajouter pour faire apparaître la boîte de dialogue Ajouter à la liste des corrections automatiques. Saisissez le mot **snew** dans le champ Mot mal orthographié et le mot **snow** dans le champ Correction. Cliquez sur OK, puis une nouvelle fois sur OK pour quitter la boîte de dialogue Préférences.

4. Saisissez de nouveau le mot **snew** dans la première colonne de la page 1 pour voir cette fois la fonctionnalité de correction automatique à l'œuvre.

Édition de glisser-déposer de texte

Pour résoudre le problème des mots éventuellement mal placés dans un document, InDesign fournit la fonctionnalité d'Édition de glisser-déposer de texte. Elle permet de déplacer du texte d'un bloc, d'une fenêtre de mise en page ou encore d'un document à l'autre. Vous allez l'utiliser pour déplacer du texte d'un paragraphe à un autre dans votre catalogue.

1. Avant de commencer à déplacer tout texte, choisissez Édition > Préférences > Texte (Windows) ou InDesign > Préférences > Texte (Mac OS). Dans la section Édition de glisser-déposer de texte, vérifiez que la case Activer en mode mise en page est cochée. Cette option permet de déplacer du texte d'une fenêtre de document ouverte ou d'un document à l'autre. Cliquez sur OK.

Note : Le mode mise en page est le mode d'affichage par défaut d'InDesign et il permet d'afficher la totalité du texte et des graphiques. Vous pouvez également utiliser le mode éditeur dans lequel seul le texte s'affiche. Reportez-vous à la section suivante pour plus d'informations sur ce mode.

2. Dans votre fenêtre de document, positionnez-vous sur la page 11. Changez de niveau de grossissement afin de pouvoir aisément lire les paragraphes qui se situent dans la partie supérieure de la première colonne.

3. La phrase "Tea is more than just a great beverage" s'est trouvée par inadvertance placée au début du premier paragraphe dont le titre est "More than Just the Tea". À l'aide de l'outil Texte (**T**), sélectionnez cette phrase.

4. Sans changer d'outil, laissez le curseur sur cette phrase, qui apparaît maintenant en surbrillance. Le curseur prend la forme d'une nouvelle icône (▶ₜ). Cliquez sur la phrase et faites-la glisser jusqu'à son nouvel emplacement, à la fin du paragraphe, après le mot "well".

More than Just the Tea	More than Just the Tea
Tea is more than just a great beverage. We are committed to providing you not only with the best teas, but also to infuse your life with the story behind the tea. This might include information about the history, health benefits, rituals, accessories, environmental influence as well as ways to improve not only your own experience with tea but that of others as well.	We are committed to providing you not only with the best teas, but also to infuse your life with the story behind the tea. This might include information about the history, health benefits, rituals, accessories, environmental influence as well as ways to improve not only your own experience with tea but that of others as well. Tea is more than just a great beverage

5. Lorsque vous relâchez le bouton de la souris, la phrase apparaît à son nouvel emplacement. (Si vous préférez la copier, plutôt que de la déplacer, appuyez simplement sur les touches Alt/Option au cours du glissement.)

Le mode éditeur

Le mode éditeur est idéal pour les utilisateurs qui préfèrent travailler sur une interface d'édition uniquement focalisée sur le contenu textuel d'un document.

1. La page 11 du catalogue étant visible dans la fenêtre du document, sélectionnez l'outil Texte (T) et cliquez dans la première colonne pour y placer un point d'insertion.

2. Choisissez Édition > Mode éditeur. La fenêtre Mode éditeur s'ouvre, affichant le texte brut de la lettre d'information. Toute mise en page, tout graphisme et autre élément non textuel ont été omis afin de faciliter l'édition du contenu textuel du document.

3. Dans la fenêtre Mode éditeur, placez le point d'insertion pour ajouter le mot "accessories" dans le premier paragraphe après "teapots" et avant "and". Si nécessaire, déplacez la fenêtre afin de pouvoir également visualiser la modification de ce texte dans la fenêtre du document.

Note : En mode éditeur, des numéros de ligne facilitent le travail et les mots mal orthographiés sont soulignés dynamiquement, comme c'est le cas dans la fenêtre du document. Si la case Activer en mode éditeur est cochée dans la section Texte des Préférences, il vous est également possible de glisser-déposer du texte, comme vous l'avez fait précédemment.

4. Pour faciliter l'affichage et l'édition du texte, les paramètres d'affichage de la fenêtre Mode éditeur peuvent être modifiés en choisissant Édition > Préférences > Affichage en mode éditeur (Windows) ou InDesign > Préférences > Affichage en mode éditeur (Mac OS). Remplacez la taille de la police par **14 pts** et l'interligne par Double espace pour voir comme ce nouveau paramétrage facilite l'édition du texte.

5. Les styles de paragraphe utilisés n'apparaissent pas directement dans la fenêtre Mode éditeur, mais sont répertoriés dans la colonne de gauche et peuvent être appliqués (tout en restant invisibles) dans cette fenêtre. Pour plus d'informations sur l'application des styles dans InDesign, reportez-vous à la Leçon 7.

6. Fermez la fenêtre Mode éditeur.

À vous de jouer

Cette leçon s'est limitée aux bases de la création et de l'application des styles. Si vous rédigez beaucoup de texte dans InDesign, vous voudrez en savoir plus sur la manière dont l'option Style suivant fonctionne et sur l'application des styles à l'aide de raccourcis clavier.

Note : Dans Windows, la touche Num Lock doit être activée pour que les raccourcis clavier suivants fonctionnent.

1. Aucun texte n'étant sélectionné, double-cliquez sur le style Headline 3 dans le panneau Styles de paragraphe.

2. Créez un point d'insertion en cliquant dans la boîte de texte Raccourci. Appuyez sur Ctrl+Maj+3 [du pavé numérique] (Windows) ou Cmd+Option+3 [du pavé numérique] (Mac OS).

3. Dans l'option Style suivant, sélectionnez Body. Cliquez sur OK pour fermer la boîte de dialogue. Entraînez-vous maintenant à appliquer le style Headline à l'aide du raccourci clavier. Notez que lorsque vous appuyez sur la touche Entrée/Retour à la fin du paragraphe Headline 3, le paragraphe suivant prend automatiquement le style Body.

Note : Si le texte n'apparaît pas dans la boîte de texte Raccourci, c'est peut-être que vous n'utilisez pas les chiffres du pavé numérique. Dans Windows, vérifiez que la touche Num Lock est activée. Si vous travaillez sur un ordinateur portable dépourvu de clavier numérique, utilisez le menu Styles de paragraphe pour choisir les styles.

Révisions

Questions

1. Comment placer du texte automatiquement ? Comment placer du texte bloc par bloc ?

2. Comment l'utilisation des styles peut-elle faire gagner du temps ?

3. Lors de la vérification de l'orthographe d'un document, InDesign signale des mots employés dans d'autres langues. Comment résoudre ce problème ?

Réponses

1. Lorsque l'icône de texte chargé apparaît après utilisation de la commande Importer ou après un clic sur un port de sortie, on clique en maintenant la touche Maj enfoncée. Pour placer du texte bloc par bloc, on peut maintenir la touche Alt (Windows) ou Option (Mac OS) enfoncée pour recharger l'icône de texte après avoir cliqué ou fait glisser le curseur pour créer un bloc.

2. Les styles font gagner du temps car ils permettent de conserver un groupe d'attributs de mise en forme applicables rapidement à un texte. Pour mettre le texte à jour, il n'est pas nécessaire de le modifier paragraphe par paragraphe : il suffit de modifier le style.

3. Avant de vérifier l'orthographe du document, il faut sélectionner toute expression écrite dans une langue étrangère et définir la langue de ce texte dans le panneau Caractère.

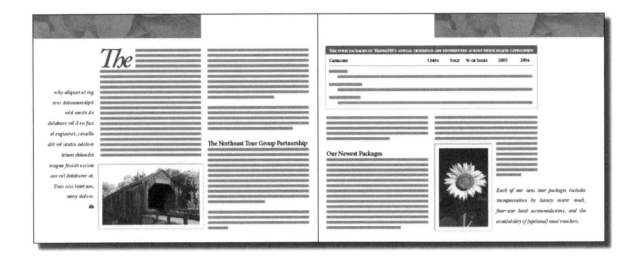

Grâce à InDesign, vous contrôlez avec précision le texte et la mise en forme de votre document. Les panneaux facilitent la modification des polices, des styles et de l'alignement, l'ajout de tabulations et de retraits, et l'application de dégradés et de contours au texte.

Travailler avec le texte

Au cours de cette leçon, vous apprendrez à :

• préparer et utiliser une grille de ligne de base ;

• modifier l'espacement et l'apparence d'un texte ;

• insérer des caractères spéciaux dans le texte avec les polices Open Type ;

• créer des lettrines ;

• créer un tableau comprenant des tabulations avec des points de conduite et des retraits accrochés.

Mise en route

Vous allez créer un rapport annuel de deux pages pour la société TravelNE. Pour ce travail, vous utiliserez une des polices Open Type livrées sur le CD-ROM de l'application Adobe InDesign CS3.

Note : Si vous ne l'avez pas déjà fait, copiez les fichiers de cette leçon – qui se trouvent sur le CD-ROM Adobe InDesign CS3 Classroom in a Book *– sur votre disque dur. Reportez-vous à la section "Copie des fichiers d'exercices de* Classroom in a Book" *de l'Introduction.*

1. Pour vous assurer que le fonctionnement des outils et des panneaux sera exactement tel que décrit au fil de cette leçon, supprimez ou désactivez les fichiers de préférences en suivant la procédure détaillée à la section "Rétablissement des préférences par défaut" de l'Introduction.

2. Lancez Adobe InDesign.

Pour commencer à travailler, vous allez ouvrir un document InDesign existant.

3. Choisissez Fichier > Ouvrir. Double-cliquez sur le fichier 05_a.indd qui se trouve dans les dossiers IDCIB/Lessons/Lesson_05.

4. Choisissez Fichier > Enregistrer sous, renommez le fichier **05_rapport.indd** et enregistrez-le dans le dossier Lesson_05.

5. Si vous voulez voir à quoi ressemblera le document terminé, ouvrez le fichier 05_b.indd qui se trouve dans le même dossier. Vous pouvez conserver ce document ouvert afin qu'il vous serve de guide pendant que vous travaillez. Lorsque vous êtes prêt à ouvrir le document de la leçon, choisissez son nom dans le menu Fenêtre.

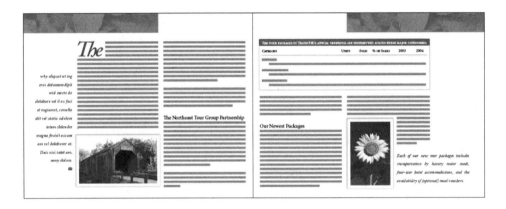

Ajustement de l'espacement vertical

InDesign propose plusieurs options pour personnaliser et ajuster l'espacement vertical d'un document. Vous pouvez :

• définir automatiquement l'espace entre toutes les lignes du texte, à l'aide d'une grille de ligne de base ;

• définir l'espace entre chaque ligne, à l'aide de l'option Interligne du panneau Contrôle ;

• définir l'espace entre chaque paragraphe séparément, à l'aide des options Espace avant et Espace après du panneau Contrôle ;

• utiliser les options Justification verticale dans la boîte de dialogue Options de bloc de texte pour aligner du texte dans un bloc.

Vous allez commencer par utiliser la grille de ligne de base pour aligner le texte.

Aligner le texte sur une grille de ligne de base

Vous voudrez peut-être, une fois que vous aurez choisi la taille de la police et l'inter-ligne du texte de votre document, définir une grille de ligne de base (aussi appelée grille d'interligne) pour la totalité du document. Elle matérialisera l'interligne du texte principal et servira pour aligner la ligne de base de texte d'une colonne avec la ligne de base de texte des colonnes voisines.

Avant de définir la grille de ligne de base, vous allez vérifier la valeur de la marge supérieure du document et la valeur d'interligne du texte principal. Ces éléments fonctionnent avec la grille pour créer une mise en page cohérente :

1. Pour connaître la valeur de la marge supérieure de la page, choisissez Page > Marges et colonnes. La marge supérieure est définie à 6p0 (25 mm). Cliquez sur Annuler pour fermer la boîte de dialogue.

2. Pour déterminer la valeur de l'interligne, sélectionnez l'outil Texte (T) dans le panneau Outils et cliquez sur un paragraphe du texte principal. Vérifiez dans le panneau Contrôle la valeur de l'interligne (⅍), qui est de 14 pts (14 points).

3. Choisissez Édition > Préférences > Grilles (Windows) ou InDesign > Préfé-rences > Grilles (Mac OS) pour définir les options de grille. À la section Grille de ligne de base, saisissez **6** dans Début, valeur qui correspond à vos paramètres de marge supérieure de 6p0. Cette option définit l'emplacement de la première ligne de grille pour le document. Si vous laissez la valeur par défaut d'InDesign, qui est de 3p0 (12,7 mm), la première ligne de grille apparaîtra au-dessus de la marge supérieure.

4. Dans le champ Pas, saisissez **14 pt**, valeur qui correspond à votre interligne. Lorsque vous sélectionnez une autre option, InDesign convertit automatiquement en picas la valeur définie en points, soit 1p2 (5 mm).

5. Choisissez **100 %** dans le champ Seuil.

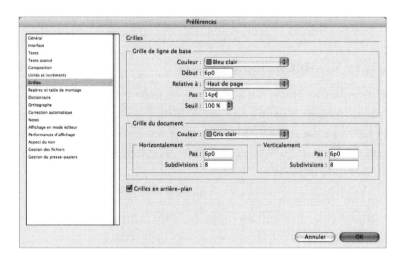

Cette option définit la valeur d'affichage du document à partir de laquelle vous pouvez voir la grille à l'écran. À 100 %, la grille apparaît dans la fenêtre du document uniquement à un agrandissement minimum de 100 %.

6. Cliquez sur OK pour fermer la boîte de dialogue.

Visualiser la grille de ligne de base

Vous allez maintenant faire apparaître à l'écran la grille que vous venez de créer :

1. Choisissez Affichage > Grilles et repères > Afficher la grille de ligne de base. La grille n'apparaît pas, car l'affichage du document est inférieur à la valeur du Seuil de la grille. Choisissez 100 % dans le menu de grossissement, dans l'angle inférieur gauche de la fenêtre de document – la grille apparaît maintenant à l'écran.

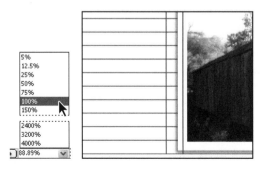

Vous allez vous servir du panneau Contrôle pour aligner tout le texte sur la grille. Vous pouvez aligner plusieurs articles, indépendamment les uns des autres ou simultanément. Vous alignerez tous les articles de cette double page simultanément.

2. Si le panneau Contrôle n'est pas visible, choisissez Fenêtre > Contrôle pour le faire apparaître.

3. L'outil Texte (**T**) étant toujours sélectionné, créez un point d'insertion en cliquant n'importe où dans le premier paragraphe de la planche, puis choisissez Édition > Tout sélectionner.

Note : Lorsque vous appliquez des attributs de paragraphe, il n'est pas nécessaire de sélectionner la totalité des paragraphes avec l'outil Texte. Sélectionnez-en simplement une portion. Si vous ne mettez en forme qu'un seul paragraphe, vous pouvez simplement cliquer dans le paragraphe afin d'y placer un point d'insertion.

4. Dans le panneau Contrôle, assurez-vous que le bouton Commandes de mise en forme des paragraphes (¶) est actif, puis cliquez sur le bouton Aligner sur la grille de ligne de base (≣). Le texte se cale de façon que les lignes de base des caractères demeurent sur les lignes de la grille.

Avant et après l'alignement du texte sur la grille de ligne de base.

5. Si nécessaire, faites glisser le document vers le côté gauche de la planche pour voir l'accroche sur le côté de la page ; puis cliquez sur un point d'insertion dans l'accroche.

6. Dans le panneau Contrôle, cliquez sur le bouton Aligner sur la grille de ligne de base. L'interligne du texte étant de 18 points et celui de la grille de ligne de base étant de 14 points (1p2, 5 mm), l'alignement sur la grille entraîne l'expansion du texte : une ligne du texte occupe deux lignes de grille (avec un interligne de 28 points).

Avant et après l'alignement de l'accroche sur la grille de ligne de base.

7. Enregistrez le fichier.

Modifier l'espacement au-dessus et au-dessous des paragraphes

Lorsque vous appliquez un espace avant ou après un paragraphe que vous avez précédemment aligné sur la grille, la valeur de l'espace s'arrondit automatiquement au multiple immédiatement supérieur de la valeur de la grille. Par exemple, si la grille est définie à 14 points et que vous spécifiiez un "espace après" de n'importe quelle valeur inférieure à 14, InDesign augmente automatiquement cette valeur pour atteindre 14; si vous spécifiez un espace d'une valeur supérieure à 14, comme 16, InDesign augmente la valeur jusqu'au multiple supérieur suivant : 28. Vous pouvez utiliser la valeur Espace avant ou après au lieu de la valeur de la grille de ligne de base, en sélectionnant l'option Ne pas aligner sur la ligne de grille de base (≡≡) pour le paragraphe concerné.

Aucun espace (à gauche), espace ajusté pour s'aligner sur la grille à 28 points (à droite).

Vous allez augmenter l'espace qui se trouve après le deuxième paragraphe de l'article principal. Tous les autres paragraphes de la planche ont déjà été mis en forme avec une valeur d'"espace après" de 1p2.

1. Choisissez l'outil Texte (T) et cliquez n'importe où dans le deuxième paragraphe sur la page de gauche (page 1).

2. Dans le panneau Contrôle, saisissez **1p2** (5 mm) pour Espace après (▄▤) et appuyez sur Entrée (Windows) ou Retour (Mac OS). Le texte du titre suivant passe automatiquement à la ligne de grille suivante.

Avant et après l'application de la valeur Espace après au paragraphe supérieur.

Vous allez maintenant augmenter l'espace avant le titre.

3. Créez un point d'insertion en cliquant dans le titre "The Northeast Tour Group Partnership". Dans le panneau Contrôle, saisissez **0p6** (2,5 mm) dans le champ Espace avant (▔▤) puis appuyez sur Entrée (Windows) ou Retour (Mac OS). Étant donné que vous avez précédemment aligné le titre sur la grille de ligne de base, la valeur d'espace avant passe à 14 points au lieu de 6.

Pour utiliser la valeur 0p6 (2,5 mm) au lieu de 14 et ajouter un espace entre le titre et le paragraphe suivant, vous allez désaligner le titre de la grille :

4. Le curseur se trouvant toujours dans le titre "The Northeast Tour Group Partnership", cliquez sur le bouton Ne pas aligner sur la grille de ligne de base (▤▤) dans le panneau Contrôle. Le titre se déplace légèrement vers le haut et s'éloigne du corps du texte, situé au-dessous.

Avant et après le désalignement du titre de la grille de ligne de base.

Ce titre et celui de la page de droite (page 2) sont mis en forme à l'aide du style Head1 (Titre 1). Pour mettre à jour automatiquement le second titre afin qu'il utilise les mêmes valeurs d'espacement que celui que vous venez de modifier, vous allez redéfinir le style.

5. Cliquez sur l'onglet du panneau Styles de paragraphe (ou choisissez Texte > Styles de paragraphe) pour faire apparaître le panneau.

6. Créez un point d'insertion en cliquant dans le titre "The Northeast Tour Group Partnership". Un signe plus (+) apparaît après le nom de style Head1 dans le panneau. Ce signe indique que la mise en forme du texte sélectionné a été modifiée par rapport à la mise en forme originale du style.

7. Cliquez sur le menu du panneau (▾≡) et choisissez Redéfinir le style. Le style Head1 prend maintenant la mise en forme du texte courant.

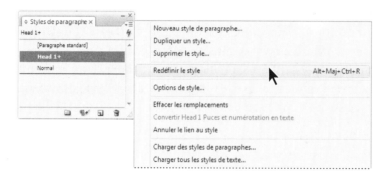

Notez que le signe plus (+) disparaît et que l'espace avant est ajouté au titre de la page 2.

8. Pour appliquer les mêmes caractéristiques d'alignement à un autre titre, cliquez avec l'outil Texte dans le titre de la page 2 "Our Newest Packages", puis sélectionnez le style Head1 dans le panneau Styles de paragraphe pour appliquer le style à nouveau.

9. Enregistrez le fichier.

Modification des polices et du style du texte

La modification des polices et des styles de texte peut faire énormément varier l'apparence de votre document. Vous allez le voir maintenant en travaillant sur l'une des accroches le long de la bordure de la planche. Vous allez réaliser ces modifications à partir du panneau Contrôle :

1. Cliquez sur l'onglet du panneau Contrôle (ou choisissez Fenêtre > Contrôle).

2. À l'aide de l'outil Texte (T), cliquez sur n'importe quel mot de l'accroche, le long du côté gauche de la page 1, puis choisissez Édition > Tout sélectionner pour sélectionner la totalité du paragraphe.

3. Dans le panneau Contrôle, vérifiez que le bouton Commandes de mise en forme des caractères (A) est activé, puis sélectionnez Adobe Caslon Pro dans le menu Police et Semibold Italic dans le menu Style de texte.

4. Dans la zone Corps, saisissez **15** et appuyez sur Entrée (Windows) ou Retour (Mac OS).

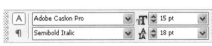

5. Choisissez Édition > Tout désélectionner pour annuler la sélection sur la totalité du texte. Notez la manière dont le texte reste aligné sur la grille même après la modification de ces attributs.

Adobe Caslon Pro étant une police Open Type, vous pouvez aller dans le panneau Glyphes afin de sélectionner différentes variantes pour de nombreux caractères.

6. Sélectionnez le premier caractère (le "W") de l'accroche, puis choisissez Texte > Glyphes.

7. Dans le panneau Glyphes, sélectionnez Variantes de sélection dans le menu déroulant, pour voir uniquement les variantes du "W". Vous remarquerez qu'on trouve de nombreuses options de filtrage dont la ponctuation. Double-cliquez ensuite sur la variante la plus proche du "W" en script pour remplacer le caractère d'origine dans l'accroche.

8. Fermez le panneau Glyphes.

Quelques-uns des caractères spéciaux les plus fréquemment employés, comme les symboles de copyright et de marque déposée, sont également disponibles dans le menu contextuel qui s'affiche lorsque vous cliquez du bouton droit (Windows) ou en appuyant sur Ctrl (Mac OS) sur le point d'insertion de texte.

9. Vous n'utiliserez plus la grille de ligne de base dans le reste de la leçon, vous pouvez donc la masquer. Pour cela, choisissez Affichage > Grilles et repères > Masquer la grille de ligne de base. Puis enregistrez le fichier.

Modification de l'alignement du paragraphe

Vous pouvez jouer facilement sur la manière dont un paragraphe s'adapte à son bloc de texte en modifiant son alignement horizontal. Il est possible d'aligner du texte sur l'un des bords d'un bloc, sur les deux ou avec un encart de bloc de texte. La justification du texte sert à l'aligner sur les bords gauche et droit. Dans cette section, vous allez justifier l'accroche :

1. Choisissez l'outil Texte (T) et créez un point d'insertion en cliquant dans l'accroche sur la page 1.

2. Dans le panneau Contrôle, assurez-vous que le bouton Commandes de mise en forme des paragraphes (¶) est activé, puis cliquez sur le bouton Justifier toutes les lignes (≡).

Avant et après la justification du texte.

Ajout d'une police décorative et de caractères spéciaux

Vous allez maintenant ajouter un caractère d'une police décorative et un espace cadratin (caractère spécial) à la fin de l'accroche. Employés ensemble, la police décorative et l'espace cadratin amélioreront beaucoup l'apparence du paragraphe justifié.

1. Choisissez l'outil Texte (T) et placez un point d'insertion dans l'accroche, juste après le point final.

2. Si le panneau Glyphes n'est pas ouvert, choisissez Texte > Glyphes.

3. Dans le panneau Glyphes, puis le menu Afficher, sélectionnez Ornements.

4. Dans la liste déroulante, sélectionnez le caractère 🌑 et double-cliquez pour l'insérer. Le caractère apparaît au point d'insertion dans le document. Vous en avez maintenant fini avec le panneau Glyphes pour cette leçon, vous pouvez donc le fermer et enregistrer votre travail.

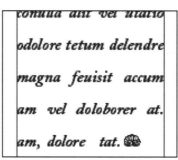

*Note : Les polices Open Type peuvent afficher beaucoup plus de caractères spéciaux que vous n'avez l'habitude d'en voir. Elles offrent en effet beaucoup plus de caractères et de caractères spéciaux que les précédentes familles de polices. Cependant, les polices OpenType d'Adobe sont fondées sur le même principe que les polices PostScript. Pour de plus amples informations, consultez l'adresse **www.adobe.fr/type**.*

L'espacement des mots de la dernière ligne de l'accroche est trop important en son centre. Vous pouvez résoudre cela en ajoutant un espace cadratin à la fin du paragraphe. Ce type d'espace ajoute un espacement variable à la dernière ligne d'un paragraphe totalement justifié. Vous allez insérer l'espace cadratin entre le point et le caractère décoratif de fin d'article que vous venez d'ajouter.

Vous pourriez ajouter un espace cadratin à partir du menu Texte, mais cette fois-ci vous le ferez *via* le menu contextuel.

5. L'outil Texte activé, cliquez pour insérer un point d'insertion entre le point final et le caractère décoratif.

6. Cliquez du bouton droit (Windows) ou cliquez en appuyant sur Ctrl (Mac OS), et choisissez Insérer une espace > Cadratin.

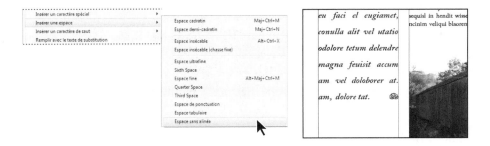

Création d'une lettrine

Les fonctions spécifiques d'InDesign pour la mise en forme des caractères permettent de donner un style bien à vous à vos documents. Par exemple, vous pouvez créer une lettrine, utiliser un dégradé pour la couleur du texte, insérer des caractères en exposant ou en indice ou vous servir de polices avec des ligatures. Vous allez maintenant créer une lettrine haute de trois lignes dans le premier paragraphe du document :

1. Choisissez l'outil Texte (T) et créez un point d'insertion en cliquant dans le premier paragraphe de la page 1.

2. Dans le panneau Contrôle, saisissez **3** dans le champ Nombre de lignes en lettrine pour que les lettres s'étendent sur trois lignes. Puis saisissez **3** dans le champ Un ou plusieurs caractères en lettrine (⬚) pour étendre l'application d'une lettrine aux trois premières lettres. Appuyez sur Entrée (Windows) ou Retour (Mac OS).

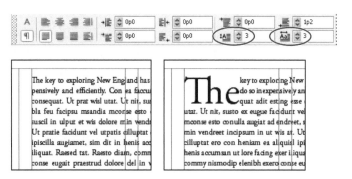

Avant et après l'application de la lettrine.

3. Cliquez sur le bouton Commandes de mise en forme des caractères (A) dans le panneau Contrôle. Avec l'outil Texte (T), sélectionnez la lettrine de la page 1. Sélectionnez Adobe Caslon Pro dans le menu Famille de police et Semibold Italic dans le menu Style de police.

4. Maintenant sélectionnez uniquement "Th". Choisissez Texte > Glyphes pour afficher le panneau du même nom. Sélectionnez Variantes de sélection pour obtenir les variantes pour "Th". Double-cliquez sur la variante la plus décorative pour remplacer les caractères dans la lettrine. Fermez le panneau Glyphes.

Appliquer un fond et un contour au texte

Vous allez ajouter un fond et un contour aux lettrines que vous venez de créer :

1. L'outil Texte (T) étant toujours activé, sélectionnez les trois caractères en lettrine sur la page 1.

2. Si nécessaire, sélectionnez la case Fond (⬚) dans le panneau Nuancier.

3. Dans le panneau Nuancier, sélectionnez Pantone Reflex Blue. InDesign colore les lettres en bleu ; cependant, vous ne pouvez pas encore le voir, car le texte est toujours sélectionné.

Note : Si Reflex Blue n'apparaît pas dans le panneau, cliquez sur le bouton Afficher toutes les nuances ().

4. Dans le panneau Outils, sélectionnez la case Contour (⬚).

5. Dans le panneau Nuancier, sélectionnez Noir. Un contour apparaît autour de chacune des lettres.

L'épaisseur par défaut du contour est de 1 pt. Vous allez l'augmenter à 1,5 pt.

6. Choisissez Fenêtre > Contour pour ouvrir le panneau du même nom.

7. Dans le panneau Contour, saisissez **1,5 pt** dans le champ Épaisseur, puis appuyez sur la touche Entrée (Windows) ou Retour (Mac OS). Appuyez ensuite sur Ctrl+Maj+A (Windows) ou sur Cmd+Maj+A (Mac OS) pour désélectionner le texte et voir ainsi le fond et le contour.

Lettrine d'origine (à gauche), lettrine avec fond en couleur (au centre) et lettrine avec fond et contour (à droite).

8. Fermez le panneau Contour, puis enregistrez le fichier.

Modifier l'alignement des lettrines

Vous pouvez modifier l'alignement des lettrines ainsi que leur taille s'il y a des lettres descendantes, par exemple un "y". C'est ce que vous allez réaliser à présent afin que les lettrines s'alignent correctement avec la marge de gauche.

1. Avec l'outil Texte (T), placez le point d'insertion n'importe où dans le premier paragraphe contenant les lettrines. Dans la partie la plus à droite du panneau Contrôle, cliquez sur le menu du panneau (▾☰), puis sélectionnez Lettrines et styles imbriqués.

2. Cochez la case Aligner le bord gauche afin que les lettrines s'alignent mieux avec le bord gauche. Cliquez sur OK.

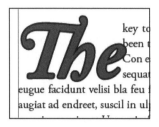 

Avant et après l'alignement.

Espacement des lettres et des mots

Les fonctions de crénage et d'approche d'InDesign permettent de modifier l'espacement entre les mots et entre les lettres. D'autre part, l'espacement général du texte dans un paragraphe se règle à l'aide des compositeurs de ligne simple ou de paragraphe.

Ajuster le crénage et l'approche

Le *crénage* consiste à agrandir ou à diminuer l'espace entre des paires de lettres spécifiques. L'*approche* consiste à insérer le même espacement entre tous les caractères d'une portion de texte. Vous pouvez utiliser les fonctions de crénage et d'approche sur le même texte.

Vous allez créner manuellement certaines lettrines, puis vous rapprocherez les lettres du titre "Northeast Tour Group Partnership".

1. Pour mieux distinguer la quantité d'espace entre deux lettres et les résultats du crénage, sélectionnez l'outil Zoom (🔍) dans le panneau Outils et agrandissez l'affichage des lettrines.

2. Si nécessaire, augmentez le niveau de zoom dans le menu de grossissement, dans l'angle inférieur gauche de la fenêtre de document.

3. Sélectionnez l'outil Texte (T) et placez le point d'insertion entre le "h" et le "e" des lettrines.

4. Appuyez sur les touches Alt+Flèche gauche (Windows) ou sur Option+Flèche gauche (Mac OS) pour déplacer la lettre "e" vers la gauche. Appuyez plusieurs fois jusqu'à ce que les deux lettres adjacentes vous paraissent agréables à regarder. Nous l'avons fait deux fois.

Espacez maintenant les lettrines et les quatre lignes placées à côté d'elles.

5. Placez le point d'insertion sur la première ligne, devant le mot "key". Appuyez sur les touches Alt+Flèche droite (Windows) ou sur Option+Flèche droite (Mac OS) pour la déplacer les quatre lignes de texte vers la droite. Appuyez plusieurs fois jusqu'à ce que cela vous paraisse agréable à regarder. Nous l'avons fait six fois.

Avant et après le crénage.

Vous allez maintenant définir une valeur d'approche pour la totalité du titre "The Northeast Tour Group Partnership", afin de condenser l'espacement général et de faire tenir le titre sur une ligne. Pour définir l'approche, vous devez d'abord sélectionner la plage des caractères que vous voulez rapprocher :

6. Choisissez Affichage > Ajuster la page à la fenêtre, pour afficher toute la page.

7. À l'aide de l'outil Texte (T), cliquez quatre fois sur "The Northeast Tour Group Partnership" pour sélectionner la totalité du titre.

8. Dans le panneau Contrôle, cliquez sur le bouton Commandes de mise en forme des caractères, puis sélectionnez –15 dans le champ Approche (A V) et appuyez sur Entrée (Windows) ou Retour (Mac OS).

The Northeast Tour Group Partner-ship
Molenis sendre magnim nonsed te do consectet, vel delent wis nonse con er sum irit, voloborem eliquiscilla faccum venis niatue

The Northeast Tour Group Partnership
Molenis sendre magnim nonsed te do consectet, vel delent wis nonse con er sum irit, voloborem eliquiscilla faccum venis niatue feugue verciliquam quis niatis dip er inim dip ex eniat at am quat.

Avant et après la modification de l'approche.

Vous allez enfin utiliser un raccourci clavier pour désélectionner tout le texte.

9. Appuyez sur Ctrl+Maj+A (Windows) ou sur Cmd+Maj+A (Mac OS).

10. Appuyez sur Ctrl+1 (Windows) ou sur Cmd+1 (Mac OS) pour retourner à un affichage de 100 %.

Note : Les caractères du pavé numérique ne reflètent pas systématiquement les chiffres placés dans la partie supérieure du clavier, surtout lorsqu'il s'agit des raccourcis clavier. Par exemple, dans les étapes précédentes, si vous appuyez sur les touches Ctrl+1 ou Cmd+1 à l'aide du pavé numérique, cela n'aura aucun effet.

11. Enregistrez le fichier.

Appliquer des compositeurs de paragraphe et de ligne simple

La densité d'un paragraphe (quelquefois appelée sa *couleur*) est déterminée par la méthode de composition employée. Lorsque vous composez du texte, InDesign prend en compte l'espacement entre les mots, l'espacement entre les lettres, la mise à l'échelle des caractères spéciaux ainsi que les options de césure que vous avez sélectionnées, puis évalue et choisit les sauts de ligne les plus adaptés. InDesign fournit deux options pour composer du texte : le compositeur de paragraphe, qui prend en compte plusieurs lignes à la fois, et le compositeur de ligne simple, qui étudie séparément chaque ligne.

Lorsque vous utilisez le compositeur de paragraphe, InDesign compose une ligne en prenant en compte l'impact de cette opération sur les autres lignes du paragraphe ; il aboutit ainsi au meilleur arrangement global possible pour le paragraphe. Si vous changez le texte d'une ligne donnée, les sauts de ligne précédents et suivants dans le même paragraphe sont, si besoin, modifiés, ce qui harmonise la répartition de l'espace dans le paragraphe. Lorsque vous utilisez le compositeur de ligne simple, standard dans les autres logiciels de traitement de texte et de mise en page de bureau, seules les lignes suivant le texte modifié sont recomposées.

Le texte de cette leçon a été composé à l'aide du compositeur de paragraphe par défaut. Vous allez modifier le texte de l'accroche en page 3 et le recomposer à l'aide des deux compositeurs pour constater les différences. Vous allez tout d'abord employer le compositeur de ligne simple.

1. L'outil Texte (T) étant sélectionné, créez un point d'insertion en cliquant dans l'accroche de la page 1.

2. Choisissez Texte > Paragraphe, puis sélectionnez Compositeur de ligne simple Adobe dans le menu du panneau Paragraphe ( ).

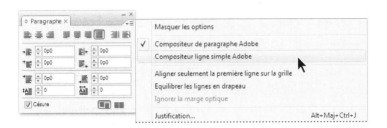

Le compositeur de ligne simple étudie chaque ligne individuellement ; par conséquent, certaines lignes dans un paragraphe apparaîtront plus denses ou plus espacées que d'autres.

Le compositeur de paragraphe étudiant plusieurs lignes à la fois, la densité des lignes dans un paragraphe est plus homogène.

3. Choisissez Compositeur de paragraphe Adobe dans le menu du panneau Paragraphe. Notez la manière dont les lignes de texte présentent une densité homogène et comme tout le texte occupe de manière agréable le bloc de texte.

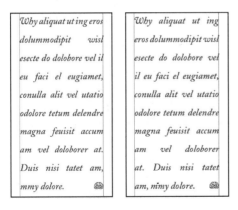

Accroche mise en forme à l'aide du compositeur de ligne simple (à gauche)
et à l'aide du compositeur de paragraphe (à droite).

4. Choisissez Fichier > Enregistrer.

Création d'un tableau à l'aide des tabulations

Les tabulations permettent de positionner le texte dans des lignes horizontales spécifiques du bloc. Dans le panneau Tabulations, vous pouvez organiser le texte et créer des points de conduite, des retraits décrochés et des retraits accrochés. Vous allez l'utiliser ici afin de mettre en forme le tableau qui se trouve en haut de la page 2.

1. Si nécessaire, faites défiler l'écran jusqu'en haut de la page 2, jusqu'à ce que le tableau apparaisse à l'écran.

2. Pour voir les indicateurs de tabulations dans le tableau, choisissez Texte > Afficher les caractères masqués. Vérifiez que le mode Affichage standard (◻) est sélectionné dans le panneau Outils. Si vous ne voulez pas les voir pendant votre travail, choisissez Texte > Masquer les caractères masqués.

3. Choisissez l'outil Texte (T), cliquez sur le mot "Category" en haut du tableau.

4. Choisissez Texte > Tabulations pour ouvrir le panneau du même nom. Lorsqu'un point d'insertion se trouve dans un bloc de texte, le panneau Tabulations s'aligne sur le bord du bloc afin que les mesures présentes dans la règle du panneau correspondent exactement au texte.

5. Pour centrer la page à l'écran, double-cliquez sur l'icône de la page 2 dans le panneau Pages. Étant donné que le panneau Tabulations se déplace indépendamment du tableau, les deux ne sont plus alignés.

6. Si l'onglet du panneau n'est pas aligné sur le bloc de texte, cliquez sur l'icône de l'aimant (⌂) dans le panneau Tabulations pour l'aligner.

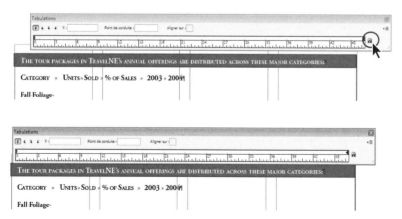

Cliquez sur l'icône de l'aimant dans le panneau Tabulations pour aligner la règle sur le texte sélectionné.

Note : Si le panneau Tabulations ne s'est pas aligné sur le bloc de texte, c'est peut-être qu'une partie du tableau est masquée ou qu'il n'y a pas assez de place pour lui entre le bloc de texte et le haut de la fenêtre du document. Faites défiler si nécessaire, puis cliquez à nouveau sur l'icône de l'aimant ( ).

7. À l'aide de l'outil Texte, sélectionnez le texte du tableau, à partir du mot "Category" jusqu'au nombre "$110,000".

8. Dans le panneau Tabulations, cliquez sur le bouton Tabulation centrée ( ) afin que, lorsque vous définirez les nouvelles positions de tabulations, celles-ci s'alignent par leur centre.

9. Dans le panneau Tabulations, pointez sur la partie supérieure de la règle, juste au-dessus des chiffres, puis cliquez pour définir les indicateurs de tabulation aux emplacements suivants : **24**, **29**, **34**, **40** et **45**. Vous pouvez voir l'emplacement du pointeur sur la règle dans la boîte de texte X (au-dessus, du côté gauche de la règle). Pour définir précisément la valeur, faites glisser le curseur dans la règle tout en regardant la valeur X avant de relâcher le bouton de la souris, ou saisissez directement la valeur de X dans le panneau Tabulations.

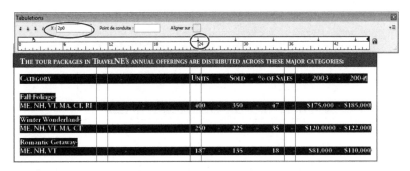

La valeur dans la boîte de texte X indique l'emplacement de la tabulation sélectionnée.

Note : Si vous ne placez pas correctement la tabulation la première fois, vous pourrez la sélectionner dans la règle et saisir l'emplacement dans la valeur X. Vous pouvez aussi cliquer sur une tabulation dans let panneau Tabulations et la faire glisser vers le haut pour la supprimer.

10. Appuyez sur les touches Ctrl+Maj+A (Windows) ou Cmd+Maj+A (Mac OS) pour désélectionner tout le texte et afficher les nouveaux paramètres de tabulations.

THE TOUR PACKAGES IN TravelNE's ANNUAL OFFERINGS ARE DISTRIBUTED ACROSS THESE MAJOR CATEGORIES:					
CATEGORY		UNITS	SOLD	% OF SALES	2003	2004
Fall Foliage ME, NH, VT, MA, CT, RI		400	350	47	$175,000	$185,000
Winter Wonderland ME, NH, VT, MA, CT		250	225	35	$120,0000	$122,000
Romantic Getaway ME, NH, VT		187	135	18	$81,000	$110,000

Vous allez maintenant définir le format des points de conduite pour certaines tabulations.

11. Sélectionnez le texte du tableau compris entre "Fall" et "$110,000".

12. Dans le panneau Tabulations, cliquez sur la première flèche de tabulation le long de la règle pour la sélectionner. Désormais, le point de conduite que vous allez créer affectera n'importe quelle tabulation sélectionnée à l'indicateur de cette tabulation.

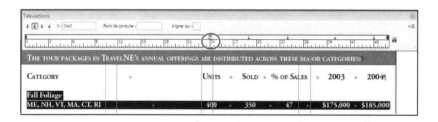

13. Dans la boîte de texte Point de conduite, saisissez ._ (point, espace) et appuyez sur Entrée (Windows) ou Retour (Mac OS). Tous les caractères peuvent servir de points de conduite de tabulations. Nous avons placé un espace entre les points pour créer une suite de points aérée.

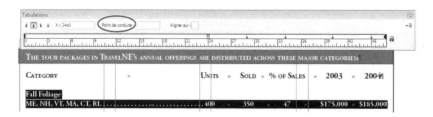

14. Désélectionnez le texte du tableau et visualisez les points de conduite.

Création d'un retrait accroché

Vous allez continuer à travailler dans le panneau Tabulations, cette fois pour créer des retraits accrochés. Le bloc de texte de ce tableau possède une valeur d'encart de 6 points en haut et de 9 points sur les côtés et en bas. (Pour voir les valeurs d'encart, sélectionnez le texte, puis choisissez Objet > Options de bloc de texte.) Un *encart* définit l'espace entre le texte et le bloc ; vous allez l'élargir encore plus en plaçant un retrait sur les trois catégories du tableau.

Vous pouvez définir un retrait dans le panneau Tabulations ou dans le panneau Contrôle. Vous garderez le panneau Contrôle visible afin de constater que les valeurs s'y modifient également :

1. Vérifiez que le panneau Contrôle est visible. Si nécessaire, sélectionnez Fenêtre > Contrôle.

2. Dans le tableau, sélectionnez le texte compris entre "Fall" et "$110,000" à l'aide de l'outil Texte (**T**).

3. Vérifiez que le panneau Tabulations est toujours aligné au-dessus du tableau. S'il a été déplacé, cliquez sur l'icône de l'aimant (⌂).

4. Dans le panneau Tabulations, faites glisser l'indicateur de retrait du bas, sur le côté gauche de la règle, vers la droite jusqu'à ce que la valeur X atteigne **2p0** (8,5 mm). Faire glisser l'indicateur du bas déplace les deux à la fois. Notez la manière dont tout le texte se déplace vers la droite et voyez comment, dans le panneau Paragraphe, l'option de retrait passe à 2p0. Conservez le texte sélectionné.

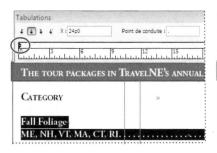 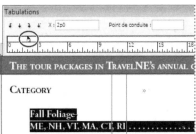

Vous allez maintenant ramener les titres des catégories à leur emplacement d'origine dans le tableau pour créer un retrait accroché :

5. Dans le panneau Tabulations, faites de nouveau glisser l'indicateur de retrait supérieur vers la gauche jusqu'à ce que la valeur X soit de **–2p0** (–8,5 mm). Désélectionnez le texte : vous voyez le retrait accroché.

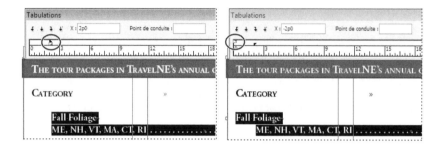

6. Fermez le panneau Tabulations et enregistrez le fichier.

Note : Vous pouvez également créer des tableaux d'information à l'aide du menu Tableau et du panneau Tableau. Pour plus d'informations, reportez-vous à la Leçon 9, "Créer des tableaux".

Ajout d'un filet sous un paragraphe

Il est possible aussi d'ajouter un filet, ou une ligne, au-dessus ou au-dessous d'un paragraphe. Vous allez ajouter un filet sous les titres du tableau :

1. Choisissez l'outil Texte (T) et cliquez dans le mot "Category", dans le tableau.

2. Dans le panneau Contrôle, cliquez sur le bouton Commandes de mise en forme des paragraphes (¶). Dans le menu du panneau (▾≡), choisissez Filets de paragraphe.

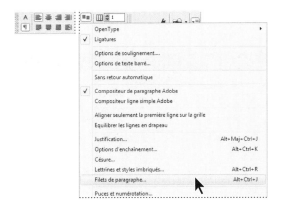

3. Dans le haut de la boîte de dialogue Filets de paragraphe, choisissez Filet au-dessous dans le menu, puis cochez la case Filet pour l'activer.

4. Pour voir le filet lorsque vous sélectionnez vos options, cochez Aperçu et déplacez la boîte de dialogue afin qu'elle ne recouvre pas le titre.

5. Dans le champ Épaisseur, choisissez **1 pt** ; dans le champ Couleur, choisissez Reflex Blue ; dans le champ Largeur, choisissez Colonne et dans le champ Décalage, saisissez **0p9** (3 mm). Puis cliquez sur OK.

Vous pouvez voir un filet bleu sous le texte.

The tour packages in TravelNE's annual offerings are distributed across these major categories:						
Category			Units	Sold	% of Sales	2003	2004
Fall Foliage ME, NH, VT, MA, CT, RI		400	350	47	$175,000	$185,000
Winter Wonderland ME, NH, VT, MA, CT		250	225	35	$120,0000	$122,000
Romantic Getaway ME, NH, VT.		187	135	18	$81,000	$110,000

6. Enregistrez le fichier.

Félicitations ! Vous avez terminé la leçon.

À vous de jouer

Maintenant que vous avez appris l'essentiel de la mise en forme du texte dans un document InDesign, vous pouvez appliquer ces connaissances à votre travail. Testez les actions suivantes pour améliorer votre maîtrise de la typographie :

1. Cliquez à l'intérieur de divers paragraphes et entraînez-vous à activer et désactiver les options de césure à partir du panneau Paragraphes. Sélectionnez un mot ayant un trait d'union et choisissez Sans retour automatique dans le menu du panneau Caractère pour empêcher un mot isolé de subir la césure.

2. Cliquez à l'intérieur du texte et choisissez Édition > Mode éditeur. Apportez quelques modifications au texte puis sélectionnez Édition > Éditer l'original. Les changements effectués dans l'éditeur se reflètent dans la mise en page. Entraînez-vous à utiliser les commandes de formatage et d'édition disponibles lorsque vous travaillez en mode éditeur.

3. Appliquez l'option Alignement optique des marges à chaque paragraphe de l'article principal, sauf aux accroches et au tableau. Vous accédez à cette fonction dans la commande Article du menu Texte.

Grâce à l'alignement optique des marges, le texte s'aligne visuellement le long des bords du bloc de texte, permettant ainsi à certains éléments, comme les signes de ponctuation, d'être positionnés à l'extérieur du bloc de texte.

Révisions

Questions

1. Comment afficher une grille de ligne de base ?

2. Où et quand doit-on utiliser un espace cadratin ?

3. Quelle est la différence entre un compositeur de paragraphe et un compositeur de ligne simple ?

Réponses

1. Pour afficher une grille de ligne de base, il suffit de choisir Affichage > Grilles et repères > Afficher la grille de ligne de base. L'affichage actuel du document doit se trouver au Seuil d'affichage ou au-dessus, tel qu'il est défini dans les préférences de la Grille de ligne de base. La valeur par défaut est de 75 %.

2. L'espace cadratin est utile sur du texte justifié. Par exemple, s'il est employé avec un caractère spécial ou une police décorative à la fin d'un paragraphe, il absorbe l'espace excédentaire de la dernière ligne.

3. Le compositeur de paragraphe évalue simultanément plusieurs lignes lorsqu'il choisit le meilleur saut de ligne possible. Le compositeur de ligne simple, quant à lui, n'étudie qu'une seule ligne à la fois pour déterminer l'emplacement des sauts de ligne.

Vous pouvez à tout moment créer, enregistrer et appliquer des couleurs quadrichromiques ou en tons directs, y compris des teintes et des mélanges de dégradés.

Lorsque votre document doit correspondre à des standards de couleurs définis par des clients ou des concepteurs, il est indispensable que l'affichage et la modification des couleurs soient homogènes, de la numérisation des images source à la sortie finale. Un système de gestion des couleurs permet de pallier les différences de couleurs entre périphériques afin de rendre fiables les couleurs que votre système produit.

Travailler avec la couleur

Au cours de cette leçon, vous apprendrez à :

• ajouter des couleurs au panneau Nuancier ;

• appliquer des couleurs aux objets ;

• créer des contours en pointillé ;

• créer et appliquer une nuance dégradée ;

• ajuster la direction du mélange de dégradé ;

• créer une teinte ;

• créer une couleur en ton direct ;

• désigner un moteur de gestion des couleurs ;

• désigner les profils ICC source et de destination par défaut ;

• assigner des profils ICC dans InDesign CS3 ;

• incorporer des profils ICC dans des graphiques créés dans d'autres programmes Adobe.

Mise en route

Vous allez configurer la gestion des couleurs pour l'annonce d'un chocolatier fictif, appelé "Tifflins Truffles". La *gestion des couleurs* est importante dans les environnements où il convient d'évaluer la couleur des images de manière fiable, et ce dans le contexte d'une sortie finale. La *correction des couleurs* concerne un autre domaine, qui implique des images affichant des problèmes de ton ou de balance des couleurs ; ces problèmes se gèrent généralement dans l'application de création et de retouche d'images, comme Photoshop CS3.

L'annonce paraîtra dans de nombreuses publications ; il sera donc très important d'avoir des couleurs homogènes et stables. Vous allez configurer le système de gestion des couleurs en utilisant un modèle CMJN orienté presse. Vous créerez ensuite le document à partir d'images provenant d'autres produits Adobe, et vous désignerez les profils ICC à employer pour assurer l'homogénéité et l'intégrité des couleurs.

L'annonce est composée de graphiques générés dans InDesign CS3 ainsi que dans d'autres applications Adobe. Vous allez gérer leurs couleurs pour assurer une sortie couleur cohérente depuis InDesign CS3.

Note : Si vous ne l'avez pas déjà fait, copiez les fichiers de cette leçon – qui se trouvent sur le CD-ROM Adobe InDesign CS3 Classroom in a Book – sur votre disque dur. Reportez-vous à la section "Copie des fichiers d'exercices de Classroom in a Book" de l'Introduction.

1. Pour vous assurer que le fonctionnement des outils et des panneaux sera exactement tel que décrit au fil de cette leçon, supprimez ou désactivez les fichiers de préférences en suivant la procédure détaillée à la section "Rétablissement des préférences par défaut" de l'Introduction.

2. Lancez Adobe InDesign CS3.

3. Allez dans Fichier > Ouvrir puis choisissez le fichier 06_a.indd qui se trouve dans les dossiers IDCIB/Lessons/Lesson_06.

4. Choisissez Fichier > Enregistrer sous, renommez le fichier **06_couleur.indd**, et enregistrez-le dans le dossier Lesson_06.

Note : Cette leçon est conçue pour InDesign CS3 associé à Adobe Illustrator (version 9 ou supérieure) et Adobe Photoshop (version 5.0 ou supérieure). Si vous ne possédez pas ces programmes, vous ne pourrez pas aller jusqu'au bout des instructions pas à pas pour gérer les couleurs des graphiques.

5. Si vous voulez voir à quoi ressemblera le document terminé, ouvrez le fichier 06_b.indd qui se trouve dans le même dossier. Vous pouvez le conserver ouvert afin qu'il vous serve de guide pendant que vous travaillez. Lorsque vous êtes prêt à ouvrir ce document, choisissez son nom dans le menu Fenêtre.

A. *Objet InDesign CS3.* **B.** *Fichier d'image CMJN existante (archivée).*
C. *Fichier Illustrator exporté comme bitmap.* **D.** *Fichier d'image CMJN existante (archivée).*
E. *Fichier Adobe Illustrator.* **F.** *Fichier PSD Photoshop.*

Note : Lorsque vous avancerez dans cette leçon, vous aurez tout loisir de déplacer les panneaux ou de choisir le niveau de grossissement qui vous convient le mieux. Pour plus d'informations, reportez-vous à la Leçon 1, "L'espace de travail d'InDesign", aux sections "Modification de l'affichage d'un document" et "Panneau Navigation".

Les exigences de l'impression

Il est conseillé de connaître les exigences liées au mode d'impression avant de commencer à travailler sur un document. Il peut être utile, par exemple, de rencontrer un professionnel du prépresse et de discuter avec lui de la conception et de l'utilisation de la couleur dans votre document. Connaissant bien son équipement, ce professionnel pourra vous suggérer des méthodes pour gagner du temps et de l'argent, améliorer la qualité et éviter des problèmes d'impression ou de couleur potentiellement onéreux. L'annonce publicitaire de cette leçon a été conçue pour être imprimée sur une presse professionnelle à l'aide du modèle colorimétrique CMJN.

Ajout de couleurs au panneau Nuancier

Il est possible d'ajouter des couleurs à des objets à l'aide d'une combinaison de panneaux et d'outils. Le traitement des couleurs d'InDesign CS3 est centré sur le panneau Nuancier. En effet, celui-ci permet de créer et de nommer des couleurs, d'appliquer, de modifier et d'actualiser plus facilement les couleurs des objets dans un document. Le panneau Couleur permet d'appliquer des couleurs (appelées *couleurs sans nom*) aux objets, mais pas de les actualiser rapidement. Vous devrez actualiser la couleur de chaque objet individuellement.

Vous allez donc créer la plupart des couleurs que vous utiliserez dans ce document. Puisqu'il est destiné à être imprimé sur une presse professionnelle, vous créerez des couleurs quadrichromiques CMJN :

1. Vérifiez qu'aucun objet n'est sélectionné, puis cliquez sur l'onglet du panneau Nuancier. S'il n'est pas visible, choisissez au préalable Fenêtre > Nuancier.

Le panneau Nuancier contient les couleurs qui ont été préchargées dans InDesign CS3, ainsi que les couleurs, les teintes et les dégradés que vous avez créés et conservés pour les réutiliser ultérieurement.

2. Choisissez Nouvelle couleur dans le menu du panneau Nuancier (▾≡).

3. Annulez la sélection de l'option Nommer selon la valeur chromatique, puis, dans le champ Nom de la nuance, saisissez **Marron**. Vérifiez que les champs Type et Mode sont définis respectivement sur Quadrichromie et CMJN.

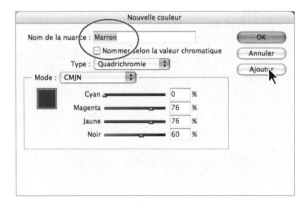

L'option Nommer selon la valeur chromatique nomme une couleur à l'aide des valeurs de couleur CMJN que vous entrez et actualise automatiquement le nom si vous modifiez la valeur. Cette option n'est disponible que pour les couleurs quadri ; elle se révèle très utile lorsque vous souhaitez vous servir du panneau Nuancier pour contrôler la composition exacte des nuances de ces couleurs. Pour cette nuance, vous avez désélectionné l'option Nommer selon la valeur chromatique afin de pouvoir utiliser un nom (Marron), plus simple à lire.

4. Dans les pourcentages de couleurs, saisissez les valeurs suivantes : C = **0**, M = **76**, J = **76**, N = **60**, puis cliquez sur Ajouter pour conserver la boîte de dialogue ouverte et ajouter deux couleurs supplémentaires.

5. Répétez les trois étapes précédentes pour nommer et créer les couleurs suivantes :

	C	M	J	N
Bleu	60	20	0	0
Saumon	2	13	29	0

Si vous oubliez d'entrer le nom d'une couleur ou si vous avez saisi une valeur incorrecte, double-cliquez sur la nuance, modifiez son nom ou sa valeur, puis cliquez sur OK.

Ces nouvelles couleurs ne sont stockées que dans le document dans lequel elles sont créées. Vous les appliquerez au texte, aux graphiques et aux blocs du document.

Application de couleurs aux objets

L'application d'une couleur de nuance est réalisée en suivant trois grandes étapes : (1) sélectionnez le texte ou l'objet, (2) spécifiez dans le panneau Outils si vous voulez modifier le contour ou le fond et (3) sélectionnez la couleur dans le panneau Nuancier. Vous pouvez également, à partir du panneau Nuancier, faire glisser des nuances sur les objets.

1. Sélectionnez n'importe lequel des trois losanges en haut à droite de la page à l'aide de l'outil Sélection (✎). Ces trois objets étant groupés, ils sont tous sélectionnés.

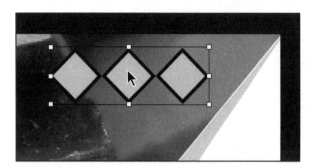

Vous allez les dissocier et verrouiller leurs positions respectives afin d'éviter de les déplacer par inadvertance.

2. Le groupe d'objets étant toujours sélectionné, choisissez Objet > Dissocier, puis Objet > Verrouiller la position.

3. Annulez la sélection de tous les objets d'une des façons suivantes : choisissez Édition > Tout désélectionner, cliquez dans une zone vide de la fenêtre de document, ou appuyez sur les touches Ctrl+Maj+A (Windows) ou Cmd+Maj+A (Mac OS).

4. Pour zoomer en avant sur les losanges, activez l'outil Zoom (🔍) puis cliquez et faites glisser la souris sur les trois losanges pour dessiner un cadre autour des formes. L'affichage se modifie afin que la zone sélectionnée dans le cadre emplisse la fenêtre de document. Vérifiez que les trois losanges sont visibles.

💡 *Pour affiner le grossissement du zoom, pressez les touches Ctrl+= (Windows) ou Cmd+= (Mac OS). Pour réaliser un zoom arrière, appuyez sur Ctrl+– (Windows) ou Cmd+– (Mac OS).*

5. Choisissez l'outil Sélection (✎), puis cliquez sur le losange central pour le sélectionner. Cliquez sur la case Contour (▣) dans le panneau Outils, puis sur Green dans le panneau Nuancier (il peut être nécessaire de faire défiler la liste des nuances).

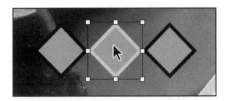

Le contour du losange est maintenant vert.

6. Désélectionnez l'objet.

7. Cliquez sur le losange gauche pour le sélectionner. Choisissez Marron dans le panneau Nuancier pour appliquer une bordure marron.

8. Le losange gauche étant toujours sélectionné, cliquez sur la case Fond (■) dans le panneau Outils, puis sélectionnez Green dans le panneau Nuancier (vous aurez peut-être besoin de faire défiler les nuances).

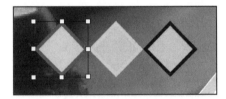

Le losange droit nécessite les mêmes contour marron et fond vert. Vous utiliserez la Pipette pour copier les attributs du contour et du fond du losange gauche, grâce à une opération rapide.

9. Sélectionnez l'outil Pipette (✐) et cliquez sur le losange gauche. La Pipette est maintenant remplie (✎), indiquant ainsi qu'elle a extrait les attributs de l'objet sur lequel vous avez cliqué.

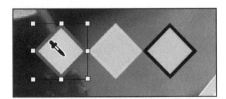

10. Avec la Pipette, cliquez sur le fond gris du losange le plus à droite : il reçoit les attributs de fond et de contour du losange gauche.

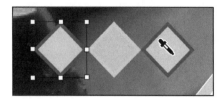

Vous allez maintenant modifier la couleur du losange central.

11. Activez l'outil Sélection, puis annulez la sélection des objets.

12. L'outil Sélection activé, cliquez sur le losange central pour le sélectionner. Cliquez sur la case Fond dans le panneau Outils, puis sélectionnez [Papier] dans le panneau Nuancier.

L'option [Papier] est une couleur particulière qui simule la couleur du papier sur lequel vous imprimez. Les objets situés derrière un objet coloré en papier ne s'imprimeront pas à l'endroit où cet objet les chevauche. Au lieu de cela, la couleur du papier sur lequel vous imprimez s'affichera en transparence.

13. Choisissez Édition > Tout désélectionner.

Vous allez maintenant modifier le contour des six losanges et de la ligne placés au bas de l'annonce.

14. L'outil Sélection toujours activé, maintenez la touche Maj enfoncée puis cliquez sur les six losanges en bas ainsi que sur la ligne placée derrière eux.

15. Dans le panneau Outils, cliquez sur la case Contour (⟐) puis sur la nuance Brown dans le panneau Nuancier.

Création de contours en pointillé

Vous allez maintenant transformer la ligne noire qui entoure l'annonce en une ligne en pointillé personnalisée. Étant donné que vous n'appliquerez ces pointillés qu'à un objet, vous les créerez dans le panneau Contour. Si vous devez enregistrer un contour pour l'utiliser à plusieurs reprises dans un document, vous pouvez facilement créer un style de contour. Pour de plus amples informations sur l'enregistrement des styles de contour – pointillés, points et bandes par exemple –, consultez la rubrique "Pour définir des styles de contour personnalisés", dans l'Aide en ligne d'Adobe InDesign CS3.

1. Désélectionnez les objets et zoomez en arrière pour ajuster le document à la fenêtre. Choisissez l'outil Sélection (↖) et sélectionnez le large trait noir qui entoure l'annonce.

2. Si le panneau Contour n'est pas visible, choisissez Fenêtre > Contour pour l'afficher ou cliquez sur son onglet dans le dock.

3. Dans le champ Type, sélectionnez Tirets.

Six boîtes Tiret et Blanc apparaissent au bas du panneau Contour. Pour créer une ligne en pointillé, spécifiez la longueur du tiret, puis la valeur du blanc entre les tirets, appelée aussi *espacement*.

4. Saisissez les valeurs suivantes dans les boîtes Tiret et Blanc : **12, 4, 2, 4** (appuyez sur la touche Tab après avoir saisi chaque valeur pour passer à la case suivante). Laissez les deux dernières cases Tiret et Blanc vides.

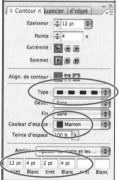

5. Sélectionnez Marron dans la liste Couleur d'espace pour affecter cette couleur à l'espacement.

6. Désélectionnez les lignes et fermez le panneau Contour, puis choisissez Fichier > Enregistrer.

Les dégradés

Un *dégradé* est un mélange gradué de deux couleurs ou plus, ou de teintes de la même couleur. Vous pouvez créer soit un dégradé linéaire, soit un dégradé radial.

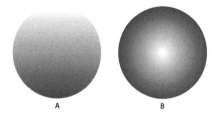

A. Dégradé linéaire. *B. Dégradé radial.*

Créer et appliquer une nuance dégradée

Dans InDesign CS3, chaque dégradé possède au moins deux limites de couleurs. En modifiant le mélange de couleurs de chaque limite et en ajoutant des limites de couleurs supplémentaires dans le panneau Dégradé, vous pouvez créer des dégradés personnalisés :

1. Vérifiez que tous les objets sont désélectionnés, et choisissez Nouveau dégradé dans le menu du panneau Nuancier (▾☰).

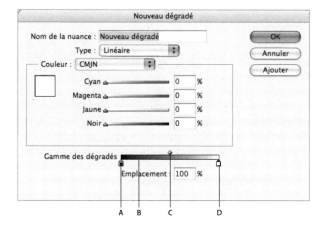

*A. Limite gauche. **B.** Gamme des dégradés.*
*C. Curseur de la gamme. **D.** Limite droite.*

Les dégradés sont définis par une série de limites de couleurs dans leur gamme. La *limite*, point à partir duquel un dégradé passe d'une couleur à l'autre, est identifiée par un carré situé sous la gamme du dégradé.

2. Dans le champ Nom de la nuance, saisissez **Dégradé marron/saumon**.

3. Cliquez sur l'indicateur de limite gauche (⬚). Dans Couleur, sélectionnez Nuancier, puis Marron dans la liste.

Le côté gauche de la gamme des dégradés est marron.

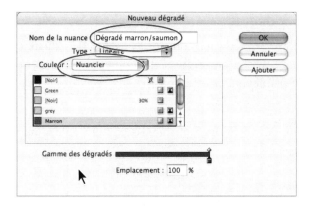

4. Cliquez sur l'indicateur de limite droit. Dans le champ Couleur, sélectionnez Nuancier, puis Saumon dans la liste déroulante.

La gamme des dégradés affiche un mélange de couleurs entre le marron et le saumon.

5. Cliquez sur OK.

Vous allez maintenant appliquer le dégradé au fond du losange central.

6. Zoomez en avant sur le coin supérieur droit de la page pour obtenir une visibilité optimale des trois losanges.

7. Avec l'outil Sélection (▶), cliquez sur le losange central.

8. Cliquez sur la case Fond (▣) dans le panneau Outils, puis sur Dégradé marron/saumon dans le panneau Nuancier.

Ajuster la direction d'un dégradé

Une fois que le dégradé est appliqué à un objet, vous pouvez le modifier en utilisant l'outil Dégradé pour "repeindre" le fond le long d'un trait imaginaire que vous ferez glisser. Cet outil permet de modifier la direction d'un dégradé ainsi que son point de départ et son point final.

1. Vérifiez que le losange central est toujours sélectionné, puis choisissez l'outil Dégradé (◻) dans le panneau Outils.

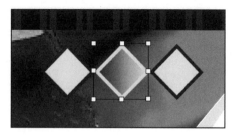

Vous allez tester l'outil Dégradé pour comprendre comment modifier la direction et l'intensité du dégradé.

2. Pour créer un effet de dégradé plus progressif, placez le pointeur à l'extérieur du losange sélectionné, et faites-le glisser par-delà celui-ci.

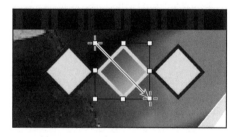

Quand vous relâchez le bouton de la souris, vous remarquez que le mélange du marron et du saumon est devenu plus progressif.

3. Pour créer un dégradé plus précis, faites glisser une petite ligne au centre du losange. Continuez de vous entraîner avec l'outil Dégradé jusqu'à ce que vous compreniez bien son fonctionnement.

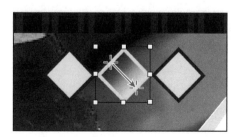

4. Lorsque vous avez terminé de vous entraîner, faites glisser le curseur depuis l'angle supérieur du losange jusqu'à son angle inférieur. Vous laisserez ensuite ce dégradé dans le losange central.

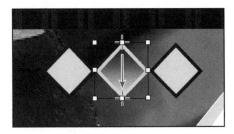

5. Choisissez Fichier > Enregistrer.

Création d'une teinte

Outre les couleurs, vous pouvez ajouter des teintes au panneau Nuancier. Une *teinte* est une version filtrée (plus claire) d'une couleur. Vous allez créer une teinte de 30 % de la nuance Marron enregistrée auparavant dans cette leçon.

Les teintes d'InDesign CS3 sont utiles en ce qu'elles conservent la relation qui existe entre la teinte et la couleur d'origine. Par exemple, si on modifiait la nuance Marron en une autre couleur, la nuance de teinte créée se transformerait en une version plus claire de la nouvelle couleur.

Créez la teinte comme suit :

1. Désélectionnez tous les objets.

2. Choisissez Affichage > Ajuster la page à la fenêtre pour centrer la page dans la fenêtre de document.

3. Cliquez sur Marron dans le panneau Nuancier. Choisissez Nouvelle teinte dans le menu du panneau Nuancier (▾≡). Dans le pourcentage de Teinte, saisissez **30** et cliquez sur OK.

Notez qu'une nouvelle nuance de teinte apparaît au bas du panneau Nuancier et qu'en haut sont affichées des informations sur la teinte sélectionnée : la case Fond/contour indique que la teinte marron est actuellement attribuée au fond sélectionné, et l'option Teinte indique une valeur de 30 % de la couleur marron d'origine.

4. Avec l'outil Sélection (➤), cliquez sur le texte "Si" au centre de la page pour le sélectionner.

5. Vérifiez que la case Fond (■) est sélectionnée, puis cliquez sur la teinte Marron que vous venez de créer dans le panneau Nuancier ; notez le changement de couleur.

Création d'une couleur en ton direct   *Pantone*

Cette annonce sera imprimée sur une presse professionnelle à l'aide du modèle colorimétrique CMJN, standard qui nécessite quatre plaques séparées, une pour le cyan, une pour le magenta, une pour le jaune et une pour le noir. Le modèle CMJN présentant toutefois une gamme limitée de couleurs, les couleurs en tons directs seront utiles. Elles sont en effet employées pour créer d'autres couleurs que celles de la gamme CMJN ou pour créer des couleurs individuelles telles que celles utilisées dans les logos des sociétés.

Dans cette annonce, le titre nécessite une encre métallisée qui n'existe pas dans le modèle CMJN. Vous allez donc ajouter une couleur métallisée en ton direct à partir d'une bibliothèque de couleurs.

1. Désélectionnez tous les objets.

[annotation manuscrite : Swatches]

2. Dans le menu du panneau Nuancier (▾≡), sélectionnez Nouvelle couleur.

[annotation manuscrite : Spot]

3. Dans la boîte de dialogue, sélectionnez Tons directs dans le menu déroulant Type de couleur.

4. Dans le champ Mode colorimétrique, sélectionnez Pantone Solid Coated.

5. Dans la zone de texte PANTONE C, saisissez **567** afin d'aboutir automatiquement à la couleur souhaitée pour ce projet, c'est-à-dire PANTONE 567 C.

6. Cliquez sur OK. La couleur métallisée en ton direct est ajoutée au panneau Nuancier. Remarquez l'icône (◉) près du nom de la couleur dans le panneau Nuancier. Elle indique qu'il s'agit d'une couleur en ton direct.

Note : *La couleur que vous voyez sur votre moniteur n'est pas exactement la même que la couleur imprimée. Pour déterminer la couleur adaptée à vos besoins, étudiez le tableau fourni par les systèmes de couleurs, comme un référentiel Pantone ou un tableau de références des encres fourni par votre imprimeur. Chaque couleur en ton direct que vous créez génère une plaque supplémentaire. En général, les imprimeurs produisent soit deux couleurs en utilisant du noir et une couleur en ton direct, soit quatre couleurs CMJN, avec la possibilité d'ajouter une ou plusieurs couleurs en ton direct. L'emploi d'autres couleurs en tons directs peut augmenter vos coûts d'impression. Il est conseillé de consulter l'imprimeur avant de les employer.*

Couleurs quadri et tons directs

Un ton direct est une encre spéciale prémélangée, utilisée à la place ou en complément d'encres CMJN et qui requiert sa propre plaque d'impression sur une presse. Il est conseillé d'employer des tons directs lorsqu'un nombre limité de couleurs est spécifié et que leur précision est primordiale. Les tons directs permettent la reproduction fidèle des couleurs situées hors de la gamme de couleurs quadrichromiques. Toutefois, à l'impression, leur apparence exacte dépend du mélange d'encre effectué par l'imprimeur et du papier choisi, et non des valeurs chromatiques attribuées, ni de la gestion des couleurs. Lorsque vous spécifiez des valeurs de tons directs, vous ne faites que décrire une simulation de l'aspect de la couleur sur votre moniteur ou votre imprimante composite (qui varie selon les limitations de gamme spécifiques à chaque périphérique).

Une couleur quadri est imprimée à l'aide d'une combinaison des quatre encres quadri standard : cyan, magenta, jaune et noir (CMJN). Privilégiez la quadrichromie pour les travaux d'impression, tels que les photographies couleurs, qui nécessitent un nombre élevé de couleurs et pour lesquels l'utilisation de tons directs serait peu pratique ou trop onéreuse.

- Pour un résultat optimal lors de l'impression haute qualité de vos documents, utilisez les valeurs CMJN indiquées dans les nuanciers quadrichromiques, que vous pourrez vous procurer auprès de votre imprimeur.

- Les valeurs chromatiques définitives d'une couleur quadri correspondent à ses valeurs CMJN. Par conséquent, si vous spécifiez une couleur quadri avec des valeurs RVB (ou LAB, dans InDesign), celles-ci seront converties en CMJN à l'impression des séparations de couleurs. Ces conversions varient suivant vos paramètres de gestion des couleurs et le profil du document.

- Ne vous fiez pas à l'aspect d'une couleur quadri sur votre moniteur, à moins que vous n'ayez correctement configuré un système de gestion des couleurs et que vous soyez conscient de ses limites.

- Évitez d'employer des couleurs quadri dans les documents destinés uniquement à une diffusion en ligne, car la gamme de couleurs CMJN est plus réduite que celle d'un moniteur standard.

Pour certains travaux d'impression, il peut se révéler utile de combiner couleurs quadrichromiques et tons directs. Par exemple, vous pourrez utiliser un ton direct pour reproduire la couleur exacte du logo d'une société sur un rapport annuel et imprimer, sur les mêmes pages, des photographies en couleurs quadri. Vous pouvez également utiliser une plaque d'impression de tons directs pour appliquer un vernis sur des zones imprimées en couleurs quadri. Dans ces deux cas, votre travail d'impression nécessitera cinq encres au total : quatre encres quadri et un ton direct ou un vernis.

Extrait de l'Aide en ligne d'Adobe InDesign CS3.

Application de couleurs au texte

Comme pour les blocs, vous pouvez appliquer un contour ou un fond au texte lui-même. Vous allez donc maintenant appliquer des couleurs au texte dans les parties inférieure et supérieure du document :

1. Choisissez l'outil Sélection (⬂) et cliquez sur "Indulgent?", puis, tout en maintenant la touche Maj enfoncée, cliquez sur le bloc "Paris • Madrid • New York" pour le sélectionner.

2. Vérifiez que la case Fond (■) dans le panneau Outils est sélectionnée, puis cliquez sur la petite icône "T" (la mise en forme affecte le bouton du texte) dans la ligne sous la case Fond.

3. Dans le panneau Nuancier, cliquez sur PANTONE 567 C, puis cliquez dans une zone vide pour vous assurer qu'aucun objet n'est sélectionné. Le texte apparaît maintenant dans la couleur en ton direct.

4. Choisissez Fichier > Enregistrer.

Étendre l'application de couleurs à d'autres objets

Vous allez appliquer la couleur du texte "Yes!" au texte "Oui!" Commencez par examiner une vue agrandie du texte "Yes!" pour déterminer la couleur employée :

1. Cliquez sur l'outil Zoom (🔍) dans le panneau Outils, puis tracez un cadre autour du texte central.

2. Choisissez l'outil Sélection directe (⬂), puis cliquez sur le texte "Yes!" pour le sélectionner. Notez que la nuance correspondante dans le panneau Nuancier apparaît en surbrillance lorsque vous sélectionnez l'objet auquel elle est appliquée.

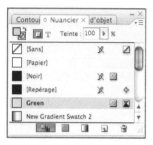

Vous allez appliquer cette couleur au texte "Oui!" :

3. Faites glisser la nuance de fond Green du panneau Nuancier jusqu'au texte "Oui!" Ne relâchez le bouton de la souris *qu'une fois dans* l'objet et non sur son contour. Le curseur se transforme en flèche avec une case noire (▸) lorsque vous déposez la nuance sur le fond du texte. Une flèche avec une ligne sur la droite (▸/) s'affiche lorsque vous déplacez la nuance sur le contour du texte. Assurez-vous que Teinte dans le panneau Nuance soit à 100 %.

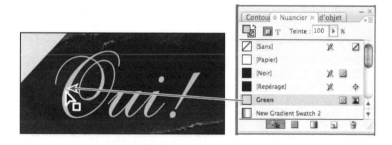

L'opération de glisser-déposer peut être plus commode pour appliquer de la couleur lorsqu'un objet représente une cible large et simple car vous n'avez pas à le sélectionner au préalable.

💡 *Si vous avez appliqué la couleur au mauvais objet, choisissez Édition > Annuler appliquer l'attribut et recommencez.*

Créer une autre teinte

Créez maintenant une teinte à partir de la couleur Bleu. Lorsque vous modifierez la couleur Bleu, la teinte le sera également :

1. Désélectionnez tous les objets.

2. Cliquez sur Bleu dans le panneau Nuancier. Choisissez Nouvelle teinte dans le menu du panneau Nuancier (▼≡). Saisissez **40** dans la boîte Teinte, puis cliquez sur OK.

3. Choisissez l'outil Sélection (▶) et sélectionnez le texte "Si!". Appliquez-y le fond Bleu 40 %.

Vous allez ensuite modifier la couleur Bleu et, par conséquent, le Bleu 40 %.

4. Désélectionnez tous les objets.

5. Double-cliquez sur Bleu (et non sur la teinte Bleu) pour modifier la couleur. Dans Nom de la nuance, saisissez **Violet Bleu**. Dans les pourcentages de couleurs, saisissez les valeurs suivantes : C = **59**, M = **80**, J = **40**, N = **0**. Cliquez sur OK.

Notez que le changement de couleur affecte tous les objets auxquels les teintes Bleu et Bleu 40 % ont été appliquées. Comme vous pouvez le voir, l'ajout de couleurs au panneau Nuancier facilite l'actualisation des couleurs sur plusieurs objets.

6. Choisissez Fichier > Enregistrer.

Techniques de dégradé avancées

Vous avez créé et appliqué un dégradé et ajusté sa direction à l'aide de l'outil Dégradé. InDesign CS3 permet également d'élaborer des dégradés de plusieurs couleurs et de choisir le point où les couleurs se mélangent. De plus, vous pouvez appliquer un dégradé à un objet isolé ou à une série d'objets.

Créer une nuance de dégradé avec plusieurs couleurs

Vous avez déjà créé un dégradé avec deux couleurs : marron et saumon. Vous allez maintenant en produire un avec trois limites afin qu'une couleur vert-jaune extérieure porte son dégradé vers le blanc au milieu. Vérifiez qu'aucun objet n'est sélectionné avant de commencer :

1. Dans le menu du panneau Nuancier (▼≡), choisissez Nouveau dégradé, et saisissez **Dégradé vert/blanc** dans le champ Nom de la nuance.

Les couleurs du mélange précédent apparaissent dans la boîte de dialogue.

2. Cliquez sur l'indicateur de la limite gauche (⬠), sélectionnez Nuancier dans le champ Couleur, puis la nuance verte. Cliquez sur l'indicateur de la limite droite (⬠), sélectionnez Nuancier dans le champ Couleur et la nuance verte dans la liste déroulante.

3. L'indicateur de la limite droite étant toujours sélectionné, choisissez CMJN dans la liste Couleur. Maintenez la touche Maj enfoncée et faites glisser le curseur Jaune jusqu'à **40 %**, puis relâchez. Le dégradé est composé de vert clair et de vert.

Maintenant, vous allez ajouter un indicateur de limite au centre afin que les couleurs soient en dégradé à partir du centre.

4. Cliquez juste sous le centre de la gamme des dégradés pour ajouter une nouvelle limite. Dans le champ Emplacement, saisissez **50** pour vous assurer que la limite est centrée.

5. Dans Couleur, sélectionnez CMJN, puis faites glisser chacun des quatre curseurs de couleurs sur **0** (zéro) pour créer du blanc. Vous pouvez également sélectionner Nuancier, puis choisir la couleur Papier pour créer une couleur de limite blanche.

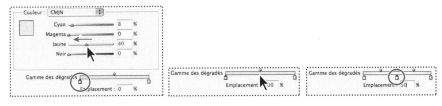

Modifiez la limite   *Cliquez pour ajouter*   *Changez la limite en blanc.*
verte à gauche.   *une nouvelle limite.*

6. Cliquez sur OK, puis choisissez Fichier > Enregistrer.

Appliquer un dégradé à un objet

Avant d'appliquer le dégradé que vous venez de réaliser, vous allez modifier la taille de l'affichage afin de voir la totalité de la page :

1. Choisissez Affichage > Ajuster la page à la fenêtre ou double-cliquez sur l'outil Main (🖐) pour obtenir le même résultat.

2. Activez l'outil Sélection (▶), cliquez sur la bande jaune-vert du côté droit de l'image du chocolat pour la sélectionner. Sélectionnez la case Fond (■) dans le panneau Outils, puis le Dégradé vert/blanc dans le panneau Nuancier. Sélectionnez la case Contour (🔲) dans le menu Outils, puis cliquez sur le bouton Appliquer Sans (⊘) au bas du panneau Outils.

3. Pour appliquer le dégradé, sélectionnez l'outil Nuance de dégradé (▭) dans le panneau Outils, puis faites-le glisser sur la forme.

Le dégradé vert/blanc est appliqué.   *Modifiez le dégradé avec l'outil Nuance de dégradé.*

4. Choisissez Édition > Tout désélectionner, puis Fichier > Enregistrer.

Appliquer un dégradé à plusieurs objets

Vous venez d'utiliser l'outil Dégradé pour modifier la direction d'un dégradé ainsi que les points de début et de fin du dégradé. À présent, vous allez l'employer pour appliquer un dégradé aux six losanges qui se situent dans la partie inférieure de la page :

1. Double-cliquez sur l'outil Main (✋) pour ajuster la page à la fenêtre.

2. Choisissez l'outil Sélection (▶) et cliquez sur le losange de gauche, placé sous le texte "Paris • Madrid • New York" pour le sélectionner. Tout en maintenant la touche Maj enfoncée, sélectionnez les cinq autres losanges.

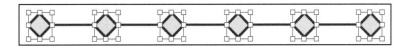

Vous allez appliquer le dégradé vert/blanc aux six différents objets :

3. Vérifiez que la case Fond (▣) est sélectionnée dans le panneau Nuancier, puis cliquez sur Appliquer le dégradé dans le panneau Outils.

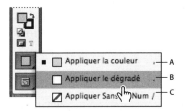

A. *Appliquer la dernière couleur utilisée.*
B. *Appliquer le dernier dégradé utilisé.*
C. *Supprimer la couleur ou le dégradé.*

Maintenant que la case Fond est configurée avec le dégradé et que la case Contour est configurée pour Sans, le prochain objet que vous dessinerez sera empli avec le dégradé et n'aura pas de contour.

Notez que le dégradé affecte chaque objet individuellement. Vous allez vous servir de l'outil Dégradé pour l'appliquer aux six objets sélectionnés comme s'ils n'en faisaient qu'un.

4. Les six objets étant toujours sélectionnés, choisissez l'outil Dégradé (▣) dans le panneau Outils. Faites glisser un trait imaginaire, comme l'indique le schéma ci-après.

Le dégradé court maintenant sur les six objets sélectionnés.

5. Choisissez Fichier > Enregistrer.

Cohérence des couleurs

La *gestion des couleurs* est un élément important dans les environnements où il convient d'évaluer la couleur des images de manière fiable, et ce dans le contexte d'une sortie finale. La *correction des couleurs* concerne un aspect différent qui implique des images affichant des problèmes de ton ou de balance des couleurs ; ces problèmes se gèrent généralement dans l'application de création et de retouche d'images, comme Photoshop CS3.

❓ *Voir aussi la rubrique "À propos de la gestion des couleurs dans les applications Adobe", dans l'Aide en ligne d'Adobe InDesign CS3.*

Gestion des couleurs : aperçu

Les périphériques et les graphiques sont dotés de différentes gammes de couleurs. Bien que les gammes se recoupent toutes, leur correspondance n'est pas exacte, ce qui explique pourquoi certaines couleurs affichées sur votre moniteur ne seront pas fidèlement reproduites à l'impression. Ces couleurs sont dites *hors gamme* car elles figurent hors du spectre des couleurs imprimables. Par exemple, vous pouvez créer beaucoup de couleurs dans le spectre visible (voir figure ci-contre) en utilisant des programmes comme InDesign CS3, Photoshop CS3 et Illustrator CS3, mais vous ne serez en mesure d'en reproduire qu'une partie sur une imprimante de bureau. L'imprimante possède une *gamme de couleurs* moins étendue que l'application employée pour mettre au point les couleurs.

Quand faire appel à la gestion des couleurs ?

Vous pourrez bénéficier de tous les avantages d'un système de gestion des couleurs si vous devez réaliser l'une des tâches suivantes :

- Obtenir une sortie couleur prévisible et homogène sur plusieurs périphériques utilisant la séparation de couleurs, votre imprimante de bureau et votre moniteur. La gestion des couleurs est particulièrement utile pour ajuster la couleur sur des périphériques dont la gamme est peu étendue, comme une presse à imprimer en quadrichromie.

- Vérifier minutieusement (prévisualiser) l'épreuve d'un document en couleurs sur le moniteur en réalisant une simulation d'un périphérique de sortie spécifique. (Les limites d'affichage du moniteur ainsi que d'autres facteurs, comme les conditions d'éclairage, ont une influence sur la vérification des épreuves à l'écran.)

- Évaluer avec précision et incorporer de façon homogène des images couleur provenant de diverses sources si elles utilisent aussi la gestion des couleurs, et même, dans certains cas, si elles ne l'utilisent pas.

- Envoyer des documents en couleurs vers différents périphériques et supports de sortie sans avoir à ajuster manuellement les couleurs des documents ou des images d'origine. Cette méthode est idéale lorsque vous créez des images destinées à l'impression et à l'affichage en ligne.

- Imprimer correctement des couleurs sur un périphérique de sortie inconnu.

Si vous décidez d'utiliser la gestion des couleurs, vérifiez avec vos partenaires (par exemple, les graphistes ou les prestataires de service d'impression) que tous les aspects de votre flux de gestion des couleurs respectent leurs besoins.

Note : Ne confondez pas la gestion des couleurs avec la correction des couleurs. Un système de gestion des couleurs ne corrige pas une image enregistrée avec des problèmes de tons ou d'harmonie des couleurs. Il fournit un environnement permettant d'évaluer en toute fiabilité les images dans l'optique de la sortie finale.

Extrait de l'Aide en ligne d'Adobe InDesign CS3.

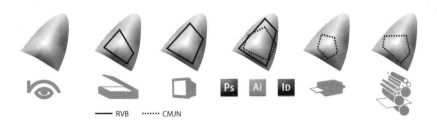

Spectre visible contenant des millions de couleurs (à gauche) comparé aux gammes de couleurs des différents périphériques et graphiques.

Pour compenser ces différences et obtenir la meilleure adéquation possible entre ce qui figure à l'écran et les couleurs imprimées, les applications utilisent un système de gestion des couleurs (CMS). En employant un moteur de gestion des couleurs, le CMS transpose les couleurs de la gamme d'un périphérique dans une gamme indépendante de tout périphérique, comme la gamme CIE (Commission internationale d'éclairage) LAB. À partir de la gamme de couleurs indépendante, le CMS adapte celle du premier périphérique à celle d'un autre périphérique par le biais d'un processus appelé *mappage de couleurs* ou *mappage de gammes*. Le CMS procède aux ajustements nécessaires pour représenter les couleurs de façon homogène d'un périphérique à l'autre.

Un CMS utilise trois composants pour créer une correspondance entre les couleurs de périphériques différents :

• une gamme de couleurs indépendante de tout périphérique (ou de toute référence) ;

• des profils ICC, qui définissent les caractéristiques des couleurs sur les différents périphériques et graphiques ;

• un moteur de gestion de couleurs, qui adapte les couleurs d'une gamme dans une autre gamme.

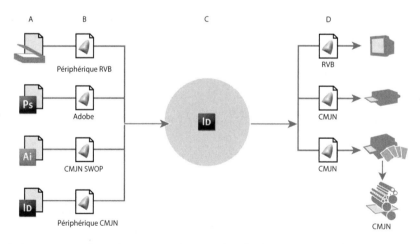

A. *Les scanners et les applications graphiques créent des documents en couleurs.*
B. *Les profils source ICC décrivent les gammes de couleurs des documents.*
C. *Un moteur de gestion des couleurs utilise les profils source ICC afin de faire correspondre les couleurs d'un document à une gamme de couleurs de référence, pour les applications qui la reconnaissent.*
D. *Le moteur de gestion des couleurs adapte, en s'appuyant sur la gamme de référence, les couleurs du document à la gamme de couleurs des périphériques de sortie à l'aide des profils ICC de destination.*

Gamme de couleurs indépendante

Pour comparer deux gammes avec succès et effectuer les ajustements nécessaires, le système de gestion des couleurs doit utiliser une gamme de référence afin de définir "objectivement" les couleurs. La plupart des CMS appliquent le modèle de couleur CIE LAB, qui existe indépendamment de tout périphérique et qui est suffisamment vaste pour reproduire toutes les couleurs visibles par l'œil humain. C'est pourquoi CIE LAB est considéré comme un modèle de référence.

Profils ICC

Un *profil ICC* décrit la façon dont un périphérique donné reproduit les couleurs en employant un standard inter-plate-forme défini par l'ICC (*International Color Consortium*, consortium international de la couleur). Les profils ICC sont la garantie que les images s'affichent correctement dans les applications compatibles ICC et sur les périphériques couleur. Pour cela, il faut incorporer les informations de profil dans le fichier d'origine ou assigner le profil dans votre application.

Vous devez disposer d'au moins un *profil source* pour le périphérique (scanner ou appareil photo numérique, par exemple) ou le standard (SWOP ou Adobe RGB, par exemple) utilisé pour créer les couleurs, et d'un *profil de destination* pour le périphérique (moniteur ou imprimante composite, par exemple) ou le standard (SWOP ou TOYO, par exemple) qui sera employé pour reproduire les couleurs.

Moteurs de gestion des couleurs

Parfois appelé *module de correspondance des couleurs* (CMM), le moteur de gestion des couleurs interprète les profils ICC. Comme un traducteur, il transpose les couleurs hors gamme du périphérique source dans la gamme des couleurs que le périphérique de destination est capable de restituer. Il peut être intégré au système de gestion des couleurs ou être un élément séparé du système d'exploitation.

La transposition dans une autre gamme, et particulièrement dans une gamme plus petite, passe en général par un compromis. De ce fait, il existe plusieurs méthodes de transposition. Par exemple, une méthode qui préserve les relations entre les couleurs dans une photographie altérera souvent les couleurs d'un logo. Les moteurs de gestion des couleurs proposent donc différents modes de transposition, connus sous le nom de *modes de rendu*. Il est alors possible de choisir celui qui sera le mieux adapté à l'image à traiter. Voici quelques exemples de modes de rendu classiques : le mode *Perception* (photographies) permet de préserver les relations entre les couleurs telles qu'elles sont perçues par l'œil ; le mode *Saturation* (graphiques) permet de créer des couleurs éclatantes au détriment de leur précision ; le mode *Colorimétrie relative et absolue* privilégie la précision des couleurs au détriment de la relation entre les couleurs.

Composants d'un environnement de travail orienté CMJN

Dans un environnement de travail CMJN, vous manipulez des images CMJN préparées pour une presse professionnelle spécifique ou des anciennes versions (archivées) d'images CMJN. Vous générerez un profil source en vous basant sur votre presse professionnelle ou sur une norme de vérification contractuelle. Vous imbriquerez ensuite ce profil dans l'image CMJN ou vous l'assignerez dans InDesign CS3. Le profil permet une impression CMJN respectant l'intégrité des couleurs lorsqu'un quotidien est imprimé à différents endroits, par exemple. Grâce à l'emploi de la gestion des couleurs, l'intégrité et l'homogénéité des couleurs seront les mêmes sur tous les postes de travail. Pour la sortie finale, vous assignerez un profil de séparation qui décrira votre norme de vérification contractuelle ou la presse de destination.

Configuration de la gestion des couleurs dans InDesign

Aucun périphérique (écran, film, imprimante ou presse) n'est capable de reproduire la gamme complète des couleurs visibles par l'œil humain. Chacun dispose d'une capacité spécifique et produit des compromis différents dans la reproduction des images en couleurs. Les capacités de rendu des couleurs d'un appareil de sortie spécifique sont connues sous les noms de *gamme* ou d'*espace couleur*.

InDesign et les autres applications graphiques, notamment Adobe Photoshop et Adobe Illustrator, utilisent des numéros pour décrire les couleurs de chaque pixel présent à l'écran. Ces numéros correspondent au modèle de la couleur, comme les valeurs RVB pour le rouge, le vert et le bleu, et les valeurs CMJN pour le cyan, le magenta, le jaune et le noir.

La gestion des couleurs consiste simplement à désigner une méthode cohérente pour transposer les numéros de chaque pixel de la source (le document ou l'image stocké sur votre ordinateur) vers le périphérique de sortie (écran, imprimante couleur ou presse à haute résolution, chacun avec sa gamme spécifique).

Dans un environnement ICC, c'est-à-dire qui respecte les conventions du Consortium international de la couleur (ICC), vous spécifiez un *moteur de gestion des couleurs* ainsi qu'un *profil couleur*. Le moteur de gestion des couleurs correspond à la fonction ou au module logiciel qui effectue la lecture et la transposition des couleurs entre différents espaces. Un profil de couleurs correspond, quant à lui, à la description de la correspondance entre les numéros des couleurs et l'espace couleur (les capacités) des périphériques de sortie.

Les applications Adobe CS3 offrent de nouveaux outils et fonctionnalités de gestion des couleurs particulièrement simples à utiliser. Ils permettent d'obtenir des résultats plus que satisfaisants, sans pour cela vous obliger à devenir un expert en gestion des couleurs. Celle-ci étant dorénavant systématiquement activée, vous pouvez désormais contrôler la cohérence des couleurs d'une plate-forme ou d'une application à l'autre, tout en vous assurant de leur précision tout au long des différentes phases de production : édition, épreuve et impression finale.

Aperçu d'Adobe Bridge

L'application Adobe Bridge, qui est présente dans tous les produits de la suite Adobe CS3, est en quelque sorte un centre de contrôle à partir duquel l'utilisateur peut sélectionner des fichiers de paramètres de couleurs. Ces fichiers incluent des règles prédéfinies de gestion de la couleur et des profils par défaut. La sélection d'un fichier de paramètres de couleurs (CSF) dans Adobe Bridge permet d'assurer un traitement cohérent des couleurs, de même qu'un affichage et une impression homogènes d'une application Adobe CS3 à l'autre.

Chaque fois qu'un utilisateur sélectionne un fichier de paramètres de couleurs, les valeurs prédéfinies de ce dernier déterminent la gestion des couleurs dans toutes les applications, y compris le traitement des profils intégrés, la nature des espaces de travail RVB et CMJN, ou encore l'affichage ou non de messages d'avertissement lorsqu'un profil intégré ne concorde pas avec l'espace de travail par défaut. Un fichier de paramètres de couleurs doit être sélectionné en fonction de votre travail. Pour de plus amples informations sur Adobe Bridge, consultez l'aide et recherchez "Adobe Bridge".

Choisir un moteur Adobe ACE

Plusieurs sociétés ont développé différentes techniques pour gérer les couleurs. Le système de gestion des couleurs vous laisse libre de choisir un moteur de gestion des couleurs correspondant à l'approche que vous souhaitez avoir. Ce moteur transpose les couleurs d'un périphérique ou d'un standard dans la gamme d'un autre périphérique ou d'un autre standard. InDesign CS3 propose désormais le moteur Adobe ACE, un système utilisant la même architecture que Photoshop et Illustrator, et ce afin que vos choix de gestion des couleurs s'intègrent dans toute la gamme des applications graphiques Adobe.

1. Choisissez Édition > Couleurs.

Le moteur de gestion des couleurs et les autres paramètres que vous choisirez dans la boîte de dialogue Couleurs seront enregistrés dans InDesign CS3 et s'appliqueront à tous les documents InDesign CS3 avec lesquels vous travaillerez ensuite.

Par défaut, la gestion des couleurs est activée dans InDesign CS3.

2. Choisissez Prépresse pour l'Europe 2 dans le menu déroulant Paramètres.

3. Cochez la case Mode avancé.

4. Sous Options de conversion, dans la partie inférieure de la boîte de dialogue, sélectionnez Adobe (ACE) dans le menu déroulant Moteur.

5. Dans la liste Mode, sélectionnez Perception (vous étudierez cette option en détail plus loin).

6. Dans Règles de gestion des couleurs, sélectionnez Conserver les profils incorporés dans la liste CMJN.

7. Laissez cette boîte de dialogue ouverte, elle vous sera utile à la section qui suit.

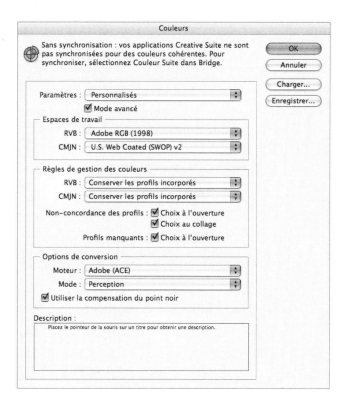

Choisissez Adobe ACE, à moins que votre partenaire prépresse ne vous recommande un autre moteur. Utilisez le même moteur tout au long de votre travail dans Photoshop CS3, Illustrator CS3, Acrobat CS3 et InDesign CS3.

Configurer des espaces de travail par défaut

Pour compléter la configuration de la gestion des couleurs au niveau de l'application, vous devrez choisir des profils de destination pour les périphériques (le moniteur, l'imprimante composite et le standard de séparation des couleurs) que vous allez utiliser pour reproduire les couleurs. Dans InDesign CS3, ces profils sont qualifiés d'*espaces de travail*. Ils sont également disponibles dans d'autres applications graphiques d'Adobe, comme Illustrator CS3 et Photoshop CS3. Une fois l'espace de travail défini dans les trois applications, des couleurs cohérentes sont automatiquement configurées pour les illustrations, les images numériques et les mises en page de documents.

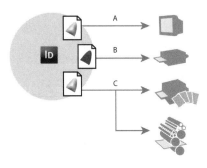

*A. Profil du moniteur. **B.** Profil composite.*
C. Profil de séparation (il peut s'agir d'un
périphérique de sortie ou d'un standard
de presse, comme SWOP ou TOYO).

Commencez par sélectionner un profil de moniteur. Si la boîte de dialogue Couleurs a été fermée, rouvrez-la.

1. Dans la section Espaces de travail, dans la liste CMJN, sélectionnez US Web Coated (SWOP) v2.

Plus loin, vous configurerez l'affichage à l'écran des images en pleine résolution afin qu'InDesign CS3 puisse assurer la gestion des couleurs pour toutes les données graphiques disponibles.

2. Déplacez la boîte de dialogue et étudiez les couleurs de l'annonce.

Remarquez l'importance du marron. Vous constaterez une différence notable entre les nuances de marron lorsque vous appliquerez le système de gestion des couleurs en fermant la boîte de dialogue dans l'étape qui suit.

3. Cliquez sur OK.

4. Choisissez Affichage > Couleurs d'épreuve. Cette commande affiche les couleurs d'épreuve sur votre moniteur. Selon vos conditions d'affichage, vous pouvez grâce à elle obtenir un aperçu plus précis de la façon dont l'image sera imprimée.

Plusieurs couleurs changent dans l'annonce ; les nuances de marron, notamment, apparaissent avec plus de détails. Il est important de constater que, même si les images ont un meilleur aspect que lorsque vous avez ouvert le document, elles n'ont pas été altérées en elles-mêmes. Seul l'affichage a changé. Plus spécifiquement, ce que vous voyez représente maintenant les caractéristiques de couleur des appareils suivants :

– le programme ou le scanner qui a enregistré l'image, qui utilise le profil source intégré dans l'image ;

– le périphérique de sortie finale pour le document, qui utilise le profil de destination configuré plus haut dans cette leçon.

Vous voyez aisément que le succès de la gestion des couleurs dépend en dernier lieu de l'exactitude de vos profils.

Attribuer des profils source

Les profils source décrivent la gamme de couleurs qu'InDesign CS3 utilise lorsque vous créez des couleurs et que vous les appliquez à des objets, ou lorsque vous importez des graphiques RVB, CMJN ou LAB qui n'ont pas été enregistrés avec un profil incorporé. Lors d'importation d'images avec un profil incorporé, InDesign CS3 gère leurs couleurs à partir de ce profil et non à partir des profils définis ici. Vous pouvez cependant décider de passer outre les profils intégrés pour une image donnée.

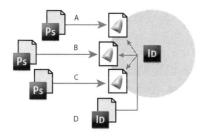

A. Profil LAB.
B. Profil RVB.
C. Profil CMJN.
D. Document InDesign CS3 appliquant
un profil qui correspond au modèle de
couleur de chaque image dépourvue de profil.

1. Choisissez Édition > Attribuer des profils. Dans les sections Profil RVB et Profil CMJN, sélectionnez les options Attribuer l'espace de travail actuel qui doivent être définies sur Adobe RGB (1998) US Web Coated (SWOP) v2, comme indiqué.

Le texte qui suit les mots "espace de travail" contient les informations d'espace de travail que vous avez entrées dans la boîte de dialogue Couleurs. Avec ces paramètres, le moteur Adobe ACE n'a pas à convertir inutilement les couleurs pour lesquelles vous avez déjà spécifié un profil.

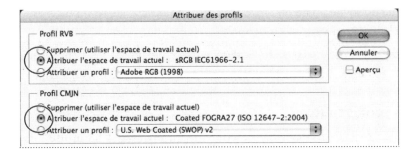

2. Laissez la boîte de dialogue ouverte, vous vous en servirez à la section suivante.

Spécifier le mode de rendu

Le mode de rendu détermine la façon dont le moteur de gestion des couleurs transpose les couleurs de la gamme de couleurs d'un périphérique vers celle d'un autre. Vous allez choisir la méthode de transposition des couleurs que le moteur de gestion des couleurs d'InDesign CS3 emploiera pour les images de l'annonce :

1. Dans la partie inférieure de la boîte de dialogue Attribuer des profils, laissez coché le paramètre Colorimétrie relative pour l'option Rendu des couleurs en aplat. Il permet de préserver les couleurs individuelles au détriment du maintien des relations entre les couleurs. Ce mode est donc approprié aux logos et aux autres graphismes du même genre.

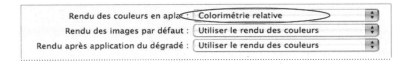

2. Vérifiez que le choix Utiliser le rendu des couleurs est sélectionné dans les options Rendu des images par défaut et Rendu après application du dégradé. Ces options sont parfaitement adaptées aux photographies.

3. Cliquez sur OK pour fermer la boîte de dialogue Attribuer des profils, puis enregistrez votre travail.

Utiliser l'affichage en résolution maximale avec la gestion des couleurs

Lorsque vous adoptez des résolutions d'affichage inférieures à la résolution maximale afin que l'écran soit rafraîchi plus rapidement, l'affichage des couleurs est également accéléré et donc moins précis. Les couleurs s'affichent plus précisément lorsque vous regardez des images en résolution maximale (en plus d'activer la gestion des couleurs).

Choisissez Affichage > Performances d'affichage > Affichage de qualité supérieure.

Il est particulièrement important de consulter des images incluant une gestion des couleurs en résolution maximale lorsque vous travaillez avec des images bichromiques.

Lorsque la gestion des couleurs est activée, l'affichage est défini avec une résolution maximale et vous utilisez des profils exacts qui sont correctement appliqués. profitez donc de la meilleure représentation de couleurs possible de votre moniteur.

Note : Pour économiser de l'espace disque, les fichiers d'exemple de cette leçon ont une résolution de 150 points par pouce (ppp). Les couleurs n'apparaissent donc pas aussi précisément qu'elles le feraient avec une valeur plus élevée.

Gestion des couleurs pour les images importées dans InDesign

Lorsque vous importez une image, vous pouvez contrôler la gestion de ses couleurs dans votre document. Si vous savez qu'un graphisme contient un profil incorporé avec le mode de rendu approprié, il suffit de l'importer et de continuer de travailler. InDesign CS3 lira et appliquera le profil incorporé à l'image et l'intégrera dans le système de gestion des couleurs du document. Si une image bitmap importée ne possède pas de profil intégré, InDesign lui applique le profil source par défaut (CMJN, RVB ou LAB).

InDesign CS3 applique aussi un profil source par défaut aux objets dessinés dans le programme. Vous pouvez assigner un profil différent à l'image importée (en choisissant Édition > Attribuer des profils) ou ouvrir l'image dans son application d'origine et y intégrer un profil.

L'annonce contient déjà deux images qui ont été enregistrées sans profil incorporé. Vous allez les intégrer dans le système de gestion des couleurs du document en suivant deux méthodes différentes : l'assignation de profil dans InDesign CS3 et l'incorporation d'un profil depuis l'application d'origine de l'image. Plus loin, vous importerez deux images supplémentaires et utiliserez deux méthodes d'assignation de profil avant de les placer dans l'annonce.

Assignation d'un profil après importation d'une image

Lorsque vous importez des images qui ont été enregistrées sans profil, InDesign CS3 leur applique le profil source par défaut. Si l'image importée n'a pas été créée dans la gamme de couleurs par défaut, vous devrez lui assigner un profil décrivant sa gamme de couleurs d'origine.

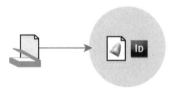

InDesign CS3 applique son profil source par défaut à toute image bitmap dépourvue de profil incorporé.

Vous allez travailler avec une image qui a été importée dans InDesign CS3 avant l'activation de la gestion des couleurs. Pour commencer, vous confirmerez le profil par défaut qu'InDesign CS3 utilise pour gérer les couleurs des images. Ensuite, vous assignerez un nouveau profil, car la gamme de couleurs d'origine de l'image est différente de celle utilisée par défaut :

1. Avec l'outil Sélection (↖), sélectionnez l'assiette de confiserie dans la partie gauche de l'annonce.

2. Choisissez Objet > Couleurs de l'image.

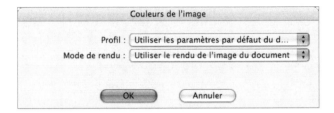

Le profil choisi est Utiliser les paramètres par défaut du document. InDesign CS3 permet de gérer les couleurs pour chaque image importée, à laquelle il assigne le profil source par défaut que vous avez configuré précédemment. Cette boîte sert également à assigner un nouveau profil. Étant donné que l'assignation a lieu dans InDesign CS3, le changement ne s'appliquera qu'à l'image sélectionnée dans le document courant.

3. Dans Profil, choisissez US Sheetfed Coated v2 pour faire correspondre le profil à la gamme de couleurs d'origine de l'image, c'est-à-dire la gamme utilisée par la personne qui a scanné l'image en mode CMJN.

4. Laissez sélectionné le paramètre Utiliser le rendu de l'image du document, dans la section Mode de rendu, puis cliquez sur OK. Les couleurs s'assombrissent considérablement.

InDesign CS3 va gérer les couleurs de l'image en utilisant le profil nouvellement assigné.

Incorporation d'un profil dans une image Photoshop

En règle générale, il est préférable d'incorporer les profils ICC dans les fichiers avant d'importer les images dans d'autres documents qui utilisent la gestion des couleurs. Ainsi, les images dotées de profils intégrés auront plus de chances de s'afficher correctement dans InDesign CS3 ou d'autres programmes à gestion de couleurs sans nécessiter de travail supplémentaire.

Ici, vous allez travailler avec une image bitmap précédemment importée, ne contenant pas de profil incorporé.

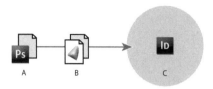

A. *Gamme de couleurs CMJN de l'image.*
B. *Image avec un profil ICC incorporé.*
C. *InDesign CS3 utilise le profil incorporé.*

Note : *Si vous ne disposez pas de Photoshop, travaillez avec les fichiers Photoshop qui se trouvent dans le dossier de la leçon. Les instructions vous indiqueront la marche à suivre.*

Configurer la gestion des couleurs dans Photoshop CS3

Pour commencer, vous allez définir la *gamme de couleurs de l'espace de travail* (utilisée pour l'affichage et pour les modifications) pour les images en modes RVB et CMJN :

1. Lancez Photoshop, choisissez Édition > Couleurs (Windows) ou Photoshop > Couleurs (Mac OS).

2. Dans la zone Paramètres, choisissez Prépresse pour l'Amérique du Nord 2 dans le menu déroulant. Cliquez sur le bouton Plus d'options si elle n'apparaît pas.

3. Pour l'option CMJN, sous Espaces de travail, vérifiez que US Web Coated (SWOP) v2 est sélectionné, afin que le profil incorporé corresponde au profil de séparation par défaut spécifié dans InDesign CS3.

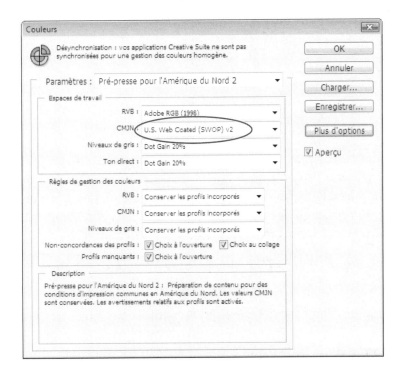

4. Laissez les autres réglages tels qu'ils sont, et cliquez sur OK.

Incorporer un profil

Maintenant que vous avez indiqué la gamme de couleurs pour l'image Photoshop, incorporez le profil spécifié :

1. Dans Photoshop, choisissez Fichier > Ouvrir et sélectionnez 06_d.psd dans le dossier Lesson_06.

2. Si la boîte de dialogue Profil manquant apparaît, sélectionnez Attribuer un profil de travail CMJN. L'option est déjà réglée sur US Web Coated (SWOP) v2, c'est-à-dire le profil que vous avez sélectionné dans la procédure précédente. Cliquez sur OK. Si vous ne recevez pas d'avertissement de profil manquant, choisissez Image > Mode > Convertir en profil et choisissez US Web Coated (SWOP) v2 comme Profil de destination, puis cliquez sur OK.

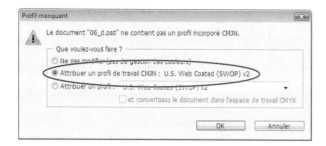

3. Pour insérer le profil, choisissez Fichier > Enregistrez sous. Sélectionnez le dossier Lesson_06 et choisissez TIFF dans le menu déroulant Format. Saisissez le nom de fichier **06_dprof.tif**. Vérifiez que la case Profile ICC : US Web Coated (SWOP) v2, sous Windows et sous Mac OS, est cochée, puis cliquez sur Enregistrer.

4. Dans la boîte de dialogue Options TIFF, cliquez sur OK pour accepter les paramètres par défaut.

5. Fermez l'image, quittez Photoshop et retournez dans InDesign CS3.

Mettre à jour l'image dans InDesign CS3

Maintenant que vous avez inséré le profil ICC dans le fichier Photoshop, vous pouvez mettre à jour l'image dans InDesign CS3. Ce dernier gérera alors les couleurs en utilisant le profil inséré.

1. Dans InDesign CS3, activez l'outil Sélection (⬉) et sélectionnez l'image du chocolat.

2. Effectuez l'une des opérations suivantes :

– Si vous avez suivi les instructions Photoshop des sections précédentes, cliquez sur le bouton Rééditer un lien (🔗) en bas du panneau Liens. Localisez le fichier 06_dprof.tif que vous venez juste d'enregistrer dans le dossier Lesson_06. Double-cliquez sur le fichier.

Note : *Si vous rééditez un lien vers un fichier en employant un format de fichier différent, vous devez sélectionner Tous les fichiers dans le menu déroulant Type lorsque vous recherchez le fichier sur le système d'exploitation Windows.*

– Si vous n'avez pas Photoshop ou que vous ayez sauté les deux sections précédentes, cliquez sur le bouton Rééditer un lien (🔗) en bas du panneau Liens.

Localisez le fichier 06_dprof.psd dans le dossier Final. Double-cliquez sur le fichier.

Note : *Vous devrez peut-être sélectionner Tous les fichiers dans le champ Type.*

3. Pour confirmer l'utilisation du profil incorporé, ouvrez le menu du panneau Liens (choisissez Fenêtre > Liens si le panneau n'est pas visible) et choisissez Informations sur le lien dans le menu qui apparaît. Dans la boîte de dialogue, vérifiez que US Web Coated (SWOP) v2 apparaît en face de Profil, puis cliquez sur Terminé.

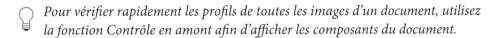 *Pour vérifier rapidement les profils de toutes les images d'un document, utilisez la fonction Contrôle en amont afin d'afficher les composants du document.*

Maintenant que vous avez configuré les images existantes du document, vous allez peaufiner l'annonce en important deux images supplémentaires et en configurant leurs options pendant l'importation.

Assignation d'un profil durant l'importation d'une image

Si vous savez qu'une image dont les couleurs sont gérées utilise une gamme de couleurs différente de celle du profil source, vous pouvez lui assigner un profil durant l'importation dans InDesign CS3. C'est ce que vous allez faire avec une image CMJN scannée sans profil avant de la placer dans l'annonce :

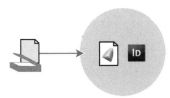

Vous pouvez assigner un profil à une image durant son importation.

1. Dans InDesign CS3, choisissez Affichage > Afficher les contours du bloc pour afficher les contours du cadre qui contiendra l'image à importer, de même que les contours de tous les blocs graphiques de l'annonce.

2. Si nécessaire, ajustez l'affichage afin de voir facilement les blocs du côté inférieur droit de la planche. À l'aide de l'outil Sélection (↖), cliquez sur le plus grand des trois blocs.

3. Choisissez Fichier > Importer, et effectuez les opérations suivantes :

– Sélectionnez le fichier 06_e.psd qui se trouve dans le dossier Lesson_06.

– Cochez la case Afficher les options d'importation, afin de pouvoir spécifier un profil.

– Cliquez sur Ouvrir.

4. Dans la boîte de dialogue Options d'importation d'image, cliquez sur le bouton Couleur.

5. Sélectionnez les options suivantes :

– Dans Profil, choisissez US Sheetfed Coated v2, c'est-à-dire la gamme de couleurs de l'image d'origine.

Note : *Si vous avez choisi un autre profil dans la section "Assignation d'un profil après importation d'une image", sélectionnez-le ici aussi.*

– Dans Mode de rendu, sélectionnez Perception (Images).

– Cliquez sur OK.

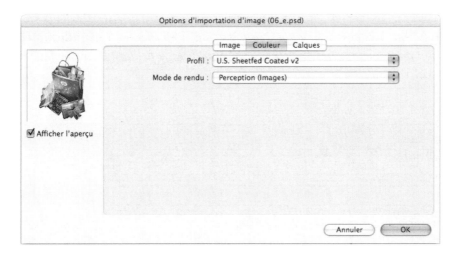

L'image apparaît dans le cadre sélectionné. InDesign CS3 assurera la gestion des couleurs de cette image selon le profil que vous avez assigné.

6. Sélectionnez Objet > Ajustement > Ajuster le contenu proportionnellement si l'image ne s'ajuste pas.

Incorporation d'un profil dans un graphique Illustrator

À présent, vous allez configurer Illustrator (version 9 ou supérieure) afin que ses paramètres de gestion des couleurs correspondent à ceux d'InDesign CS3. Vous enregistrerez alors un graphique Illustrator dont la gestion des couleurs est activée et le placerez dans un document InDesign CS3.

InDesign CS3 peut assurer la gestion des couleurs des images vectorielles créées dans Illustrator 9 et versions ultérieures si vous enregistrez celles-ci dans des formats qui intègrent les profils, comme PDF ou TIFF. Vous allez enregistrer le fichier au format PDF, puis l'importer dans InDesign CS3.

Note : Si vous ne possédez pas Illustrator 9 ou une version supérieure, lisez les deux sections qui suivent, puis passez à l'étape 2 de la section "Importer un fichier Illustrator avec gestion des couleurs dans InDesign CS3" et utilisez le fichier Illustrator fourni dans le dossier Lesson_06.

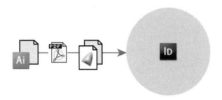

InDesign CS3 gère les couleurs d'un fichier PDF
en utilisant le profil enregistré avec la version PDF du fichier.

Configurer la gestion des couleurs dans Illustrator CS3

Pour commencer, vous configurerez la gestion des couleurs dans Illustrator CS3 de manière qu'elle corresponde aux paramètres de gestion des couleurs utilisés dans InDesign CS3. Après cette opération, les couleurs seront les mêmes dans InDesign et dans Illustrator, à l'écran comme à l'impression. De plus, il sera possible d'incorporer un profil ICC dans une version PDF exportée depuis un fichier Illustrator. Ainsi, lorsque vous placerez le fichier Illustrator exporté dans une mise en page InDesign CS3, le programme gérera les couleurs du logo en utilisant le profil incorporé.

1. Lancez Illustrator CS3 et choisissez Édition > Couleurs.

2. Dans la boîte de dialogue résultante, cochez la case Mode avancé pour détailler la boîte de dialogue et afficher d'autres options. Puis, dans la section Paramètres, sélectionnez Prépresse pour l'Amérique du Nord 2.

3. Sous Espaces de travail, pour RVB, sélectionnez sRGB IEC61966-2.1. Laissez CMJN défini sur US Web Coated (SWOP) v2.

4. Vérifiez les options de conversion et assurez-vous que le moteur Adobe (ACE) et Colorimétrie relative sont sélectionnés.

5. Cliquez sur OK.

Vous avez terminé la configuration de la gestion des couleurs dans Illustrator.

Incorporer un profil dans un graphique à partir d'Illustrator

Un fichier Illustrator peut incorporer un profil ICC lorsqu'il est exporté aux formats bitmap (.bmp) ou PDF, et InDesign CS3 peut utiliser ce profil pour gérer les couleurs du graphique. Dans cette section, vous exporterez un fichier au format PDF, puis vous placerez le graphique dans un document InDesign CS3 :

1. Dans Illustrator, allez dans Fichier > Ouvrir. Choisissez le fichier 06_f.ai qui se trouve dans les dossiers IDCIB/Lessons/Lesson_06.

2. Lorsque la boîte de dialogue Profil manquant s'ouvre, sélectionnez Attribuer l'espace de travail actuel : US Web Coated (SWOP) v2, puis cliquez sur OK.

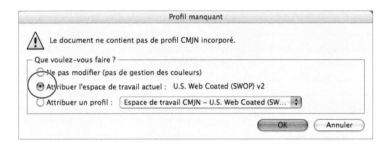

3. Choisissez Fichier > Enregistrer sous.

4. Nommez le fichier **06_Logo.pdf** et choisissez Adobe PDF dans la liste déroulante Type (Windows) ou Format (Mac OS). Assurez-vous que le dossier Lesson_06 est sélectionné, puis cliquez sur le bouton Enregistrer. La boîte de dialogue Options de format Adobe PDF s'affiche.

5. Vérifiez que les options de compression PDF sont adaptées à votre production finale en cliquant sur l'onglet Générales, dans la partie gauche de la boîte de dialogue.

6. Dans Compatibilité, sélectionnez les paramètres indiqués ci-après et choisissez Acrobat 5.0. Ce paramètre permet d'enregistrer le profil avec le fichier PDF. Cliquez sur Enregistrer en PDF.

7. Fermez le fichier et quittez Illustrator.

Importer un fichier Illustrator avec gestion des couleurs dans InDesign CS3

Maintenant que vous avez créé le fichier PDF à partir du document Illustrator, vous allez l'importer dans InDesign CS3 :

1. Dans InDesign CS3, sélectionnez le dernier cadre vide situé dans la partie inférieure droite de l'annonce.

2. Effectuez l'une des opérations suivantes :

– Si vous avez suivi les instructions Illustrator des sections précédentes, choisissez Fichier > Importer, et sélectionnez le fichier 06_Logo.pdf que vous venez de créer. Vérifiez que l'option Afficher les options d'importation est cochée lors de l'importation du graphique.

– Si vous n'avez pas Illustrator ou que vous ayez sauté les deux étapes précédentes, choisissez Fichier > Importer, et sélectionnez le fichier 06_Logo.pdf dans le dossier Final qui se trouve dans le dossier Lesson_06. Assurez-vous que la case à cocher Afficher les options d'importation est sélectionnée, puis cliquez sur Ouvrir.

3. Dans la boîte de dialogue Importation PDF, dans Recadrer, choisissez Cadre de sélection. Cette option importe uniquement le cadre de sélection du logo, c'est-à-dire la plus petite zone incluant le logo.

4. Assurez-vous que la case Arrière-plan transparent est sélectionnée, afin que le texte et les images se situant sous le cadre soient visibles, et cliquez sur OK.

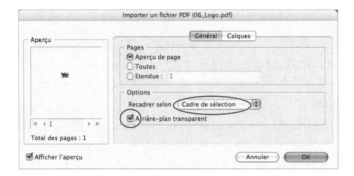

Le logo apparaît dans le cadre sélectionné. InDesign CS3 assurera la gestion des couleurs du fichier PDF en utilisant le profil incorporé.

5. Si l'image ne s'ajuste pas dans le bloc, sélectionnez Objet > Ajustement > Ajuster le contenu proportionnellement.

6. Enregistrez le fichier.

Au fil de cette leçon, vous avez appris à configurer la gestion des couleurs dans trois applications Adobe. Vous avez aussi découvert plusieurs méthodes pour incorporer des images de façon que la gestion des couleurs puisse leur être appliquée après leur importation dans InDesign CS3. Étant donné que vous avez "recopié" les couleurs de votre environnement dans les autres applications Adobe à partir desquelles vous avez importé les images, vous bénéficiez de couleurs homogènes entre les applications.

À ce stade, vous pouvez utiliser le fichier natif InDesign CS3 avec tous les fichiers liés, ou exporter le fichier InDesign CS3 sous forme de fichier PDF en incorporant les profils ICC que vous avez assignés. Si vous créez un fichier PDF à partir du document, les couleurs de l'annonce seront les mêmes dans toutes les publications où elle paraîtra, quel que soit le système de gestion des couleurs employé par l'application de mise en page. À l'imprimerie, un système de gestion des couleurs transposera les informations de couleurs du document dans la gamme de couleurs de la presse.

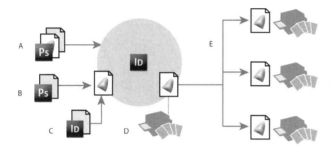

A. Image avec un profil CMJN incorporé.
B. Image avec un profil CMJN assigné dans InDesign CS3.
C. Document InDesign CS3 utilisant un profil CMJN fondé sur D.
D. Profil de séparation.
E. Profils de séparation adaptés aux différentes presses.

Autres sources d'information sur la gestion des couleurs

Vous trouverez des informations complémentaires sur la gestion des couleurs sur le Web et en librairie. Voici quelques-unes des ressources disponibles à la date de parution de cet ouvrage :

• Sur le site Web d'Adobe (**www.adobe.fr**), recherchez **color management**.

• Sur le site Web d'Apple (**www.apple.fr**), recherchez **ColorSync**.

• Chez votre libraire, demandez l'ouvrage intitulé *Gestion des couleurs*, éditions Peachpit Press.

À vous de jouer

Suivez ces étapes pour en savoir plus sur l'importation des couleurs et le travail avec des dégradés :

1. Pour générer un nouveau document, choisissez Fichier > Nouveau > Document, et cliquez sur OK.

2. Pour importer les couleurs d'un autre document InDesign CS3, procédez comme suit :

– Utilisez le menu du panneau Nuancier et choisissez Nouvelle couleur.

– Dans le menu Mode, sélectionnez Autre bibliothèque et recherchez le dossier Lesson_06.

– Double-cliquez sur 06_couleur.indd (ou 06_b.indd). Notez que les couleurs que vous avez créées apparaissent dans une boîte de dialogue pour le nouveau document.

– Sélectionnez le dégradé Brown/Tan (dégradé Marron/Saumon) et cliquez sur OK pour fermer la boîte de dialogue et ajouter le dégradé au panneau Nuancier.

– Répétez cette procédure pour ajouter quelques-unes des autres couleurs au panneau Nuancier.

3. En utilisant les fichiers de la leçon ou votre propre document InDesign CS3, double-cliquez sur le nuancier Papier et modifiez sa composition. La couleur du document change pour refléter la couleur du papier sur lequel le document sera reproduit.

Révisions

Questions

1. Quel avantage y a-t-il à appliquer des couleurs à l'aide du panneau Nuancier plutôt qu'avec le panneau Couleurs ?

2. Quels sont les avantages et les inconvénients des couleurs en tons directs par rapport aux couleurs quadrichromiques ?

3. Après avoir créé un dégradé et l'avoir appliqué à un objet, comment ajuster la direction d'un mélange de dégradés ?

4. À quoi sert le moteur de gestion des couleurs ?

5. Que décrit le profil source ?

6. Quelles sont les trois façons d'attacher un profil ICC à un graphisme de manière qu'InDesign CS3 puisse gérer ses couleurs ?

7. Pourquoi faut-il incorporer un profil ICC dans un graphisme ?

8. Quel est le format de fichier qui incorpore des profils ICC et peut être utilisé indifféremment sous Windows et Mac OS ?

Réponses

1. Quand on utilise le panneau Nuancier pour appliquer une couleur à plusieurs objets et qu'on décide ensuite d'employer une couleur différente, il est inutile de modifier chaque objet individuellement. Il suffit de choisir une autre couleur dans le panneau Nuancier ; la couleur de tous les objets sera automatiquement mise à jour.

2. L'emploi d'une couleur en ton direct permet d'assurer la fidélité des couleurs. Toutefois, chacune des couleurs en tons directs nécessite sa propre plaque à l'imprimerie. De ce fait, leur utilisation est plus onéreuse. On travaille avec des couleurs quadrichromiques lorsqu'un document nécessite un grand nombre de couleurs et dans les cas où l'utilisation d'encres en tons directs individuelles serait onéreuse ou peu pratique, par exemple pour imprimer des photographies en couleurs.

3. Pour ajuster la direction du mélange du dégradé, on se sert de l'outil Dégradé pour repeindre le fond le long d'un trait imaginaire.

4. Le moteur de gestion des couleurs traduit les couleurs de l'espace couleur d'un périphérique vers l'espace couleur d'un autre périphérique par le biais d'un processus nommé mappage de couleurs.

5. Les profils source décrivent la gamme de couleurs qu'InDesign CS3 attribue aux objets que vous créez avec les outils de dessin ou lorsque vous importez une image RVB, CMJN ou LAB qui n'a pas été enregistrée avec un profil.

6. On peut insérer le profil dans le fichier d'origine, l'assigner dans InDesign CS3 ou utiliser le profil par défaut spécifié lors de la configuration de la gestion des couleurs dans InDesign CS3.

7. L'insertion d'un profil ICC permet de s'assurer que les images s'afficheront correctement dans toutes les applications à gestion des couleurs compatibles ICC. Ces applications emploieront les profils incorporés au lieu d'appliquer un profil par défaut.

8. Un nombre croissant de formats peuvent contenir un profil ICC intégré, mais les formats le plus largement supportés, à utiliser avec les profils ICC intégrés, sont pour l'heure les formats d'image bitmap comme Photoshop (PSD), TIFF et JPEG.

L'application Adobe InDesign CS3 permet la création de styles, c'est-à-dire d'ensembles d'attributs de mise en forme, que vous pouvez ensuite appliquer dans vos conceptions afin de modifier en une action unique l'aspect général des images et du texte qu'elles contiennent.

Travailler avec les styles

Au cours de cette leçon, vous apprendrez à :

• créer et appliquer des styles de paragraphe ;

• créer et appliquer des styles de caractère ;

• créer et appliquer des styles de tableau ;

• créer et appliquer des styles d'objet ;

• imbriquer des styles de caractère dans des styles de paragraphe ;

• actualiser des styles d'objet, de caractère et de paragraphe ;

• créer des groupes de styles ;

• importer des styles depuis d'autres documents InDesign.

Mise en route

Vous allez travailler sur un document de trois pages pour une société d'expédition de thé. Plusieurs éléments, notamment du texte et des images, sont déjà en place. Votre travail consistera à appliquer des styles, ou groupes d'attributs, à ces éléments.

Note : Si vous ne l'avez pas déjà fait, copiez les fichiers de cette leçon – qui se trouvent sur le CD-ROM Adobe InDesign CS3 Classroom in a Book *– sur votre disque dur. Reportez-vous à la section "Copie des fichiers d'exercices de* Classroom in a Book" *de l'Introduction.*

1. Pour vous assurer que le fonctionnement des outils et des panneaux sera exactement tel que décrit au fil de cette leçon, supprimez ou désactivez les fichiers de préférences en suivant la procédure détaillée à la section "Rétablissement des préférences par défaut" de l'Introduction.

2. Lancez Adobe InDesign CS3.

Pour commencer à travailler, vous ouvrirez un document InDesign existant.

3. Allez dans Fichier > Ouvrir. Choisissez le fichier 07_a.indd, qui se trouve dans les dossiers IDCIB/Lessons/Lesson_07.

4. Choisissez Fichier > Enregistrer sous, renommez le fichier **07_etc.indd**, puis enregistrez-le dans le dossier Lesson_07.

5. Pour voir à quoi ressemblera le document final, ouvrez le fichier 07_b.indd qui se trouve dans le même dossier. Ce document peut rester ouvert pour vous servir de référence. Lorsque vous êtes prêt à ouvrir le document de la leçon, choisissez son nom dans le menu Fenêtre.

Création et application d'un style de paragraphe

Les styles de paragraphe servent à appliquer une mise en forme au texte et à la mettre à jour de façon automatisée. Ils permettent d'obtenir une conception plus cohérente et d'accélérer le fastidieux processus de production. Ils incluent toutes les options de formatage de texte. Ainsi, ils allient généralement des attributs de caractère tels que la police, le style et la couleur à des attributs de paragraphe tels que les retraits, l'alignement, les tabulations et les règles de césure. Ils diffèrent également des styles de caractère dans le sens où ils sont appliqués à des paragraphes entiers, et non uniquement aux caractères sélectionnés.

Créer un style de paragraphe

Vous allez appliquer une mise en forme de texte supplémentaire à votre document en créant un style de paragraphe et en l'appliquant à des paragraphes sélectionnés.

1. Le fichier 07_etc.indd étant ouvert, double-cliquez sur la page 1 dans le panneau Pages pour la centrer dans la fenêtre du document.

La façon la plus simple de créer un style de paragraphe est de formater un paragraphe à l'aide d'une mise en forme locale (à laquelle aucun style n'a été appliqué), puis de générer un nouveau style à partir de cet échantillon. Cette méthode permet de "visualiser" le style avant de le créer. Dans le cas présent, vous commencerez par formater le texte de la première partie du document localement, puis vous affecterez cette mise en forme à un nouveau style de paragraphe. Ce nouveau style pourra ensuite être repris facilement dans le reste du document.

2. Choisissez l'outil Texte (T) dans le panneau Outils, cliquez et faites glisser le curseur pour sélectionner "Loose Leaf Teas" dans la première colonne du document.

3. Dans le panneau Contrôle, cliquez sur le bouton Commandes de mise en forme des caractères (Ⓐ) et définissez le paramétrage suivant :

– Police : Adobe Caslon Pro ;

– Style : Semibold ;

– Corps : **18 pts**.

Ne modifiez pas les autres paramètres par défaut.

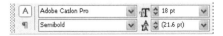

4. Dans le panneau Contrôle, cliquez sur le bouton Commandes de mise en forme des paragraphes (¶), puis augmentez la valeur de Retrait de première ligne (⁺▤) à **0p9**.

Maintenant, vous allez créer un style de paragraphe en utilisant cette mise en forme afin de pouvoir la réutiliser pour d'autres paragraphes du document. Assurez-vous que vous avez laissé le point d'insertion dans le paragraphe que vous venez de mettre en forme.

5. S'il n'est pas déjà visible, ouvrez le panneau Styles de paragraphe en choisissant Fenêtre > Texte et tableaux > Styles de paragraphe. Quelques styles sont déjà fournis dans ce panneau dont le style [Paragraphe standard].

6. Créez le nouveau style en choisissant l'option de menu Nouveau style de paragraphe. La fenêtre Nouveau style de paragraphe apparaît. Elle propose diverses options de mise en forme à intégrer à votre style.

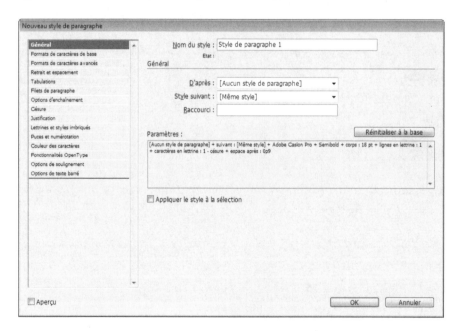

7. Affectez tout d'abord un nom au style en saisissant le mot **Head2** (titre de niveau 2) dans le champ Nom du style, dans la partie supérieure de la fenêtre.

8. Dans la section Général de la fenêtre, le champ D'après permet de baser le nouveau style de paragraphe sur un style existant. Cependant, votre but étant de créer un nouveau style, il est inutile de remplacer l'option par défaut.

9. Il est possible également d'indiquer à InDesign de passer automatiquement au style suivant en appuyant sur la touche Entrée (Windows) ou Retour (Mac OS). Sélectionnez Body Text pour le champ Style suivant, puisque c'est le style que l'on utilise après les titres employant le style Head2.

10. Vous pouvez affecter un raccourci clavier à votre style pour une application plus rapide. Placez un point d'insertion dans le champ Raccourci, appuyez sur les touches Ctrl+9 [du pavé numérique] (Windows) ou Cmd+9 [du pavé numérique] (Mac OS). (Il est obligatoire d'utiliser une touche de modification pour créer un raccourci de style dans InDesign.)

11. Cochez la case Appliquer le style à la sélection afin d'appliquer le style que vous venez de créer au paragraphe que vous avez mis en forme. Dans le cas contraire, le style s'affiche dans le panneau Styles de paragraphe mais il n'est pas automatiquement appliqué au texte que vous avez mis en forme. Si par la suite vous modifiez le style Head2, le paragraphe ne sera pas automatiquement modifié.

12. Vous venez de créer votre premier style de paragraphe. Cliquez sur OK pour fermer la fenêtre Nouveau style de paragraphe. Le nouveau style Head2 apparaît dans le panneau Styles de paragraphe.

Appliquer un style de paragraphe

Vous allez appliquer le style de paragraphe que vous venez de créer à du texte se trouvant dans d'autres sections du document.

1. Dans le panneau Pages, double-cliquez sur la page 1 pour la centrer dans le document.

2. À l'aide de l'outil Texte (T), cliquez pour placer le point d'insertion dans "Tea Gift Collections".

3. Cliquez une fois sur le style Head2 dans le panneau Styles de paragraphe pour l'appliquer au texte. Vous devez voir les attributs du texte changer et adopter le style que vous venez de créer.

4. Répétez les étapes 2 et 3 pour appliquer le style Head2 à "Teapots and Tea Accessories" dans la seconde colonne.

5. Répétez les étapes 2 et 3 pour appliquer le style Head2 à "Premium Loose Leaf Tea Selection" sur la page 2, puis à "About Tea and Training" sur la page 3.

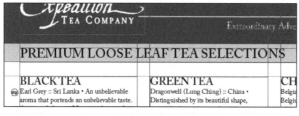

Note : Vous pouvez également utiliser le raccourci clavier que vous avez défini précédemment (Ctrl/Cmd+9) pour appliquer le style Head2.

6. Choisissez Fichier > Enregistrer.

Création et application d'un style de caractère

Nous venons de voir comment un style de paragraphe peut, en une seule étape, conférer une mise en forme spécifique à un texte. De la même façon, les styles de caractère sont un bon moyen d'appliquer simultanément de multiples attributs à du texte. En effet, ils affectent une mise en forme à des portions de texte plus réduites qu'un paragraphe (c'est-à-dire à un caractère, un mot ou un groupe de mots). Pour cette raison, les styles de caractère sont très pratiques dans le cas de mises en forme de caractères devant être employées de multiples fois lors de la création d'un document.

Créer un style de caractère

Le texte du document Expedition Tea Company a été créé dans un programme de traitement de texte, puis importé. L'objectif de l'exercice qui suit est de créer un style de caractère et de l'appliquer à du texte sélectionné dans le document. Vous pourrez ainsi constater les avantages présentés par les styles de caractère en termes d'efficacité et de cohérence.

1. Le document 07_etc.indd étant ouvert, double-cliquez sur la page 1 dans le panneau Pages pour la centrer dans la fenêtre du document.

2. S'il n'est pas déjà visible, ouvrez le panneau Styles de caractère en choisissant Fenêtre > Texte et tableaux > Styles de caractère. Notez que le seul style répertorié dans ce panneau est le style par défaut, nommé [Sans].

Comme vous l'avez fait auparavant avec les styles de paragraphe, vous construirez votre style de caractère à partir d'une mise en forme de texte existante. Cette pratique permet de "visualiser" le style avant de le créer. Ici, vous allez mettre en forme le texte "Expedition Tea Company" et vous affecterez cette mise en forme au style de caractère afin de pouvoir la réutiliser facilement dans le document.

3. Choisissez l'outil Texte (T) dans le panneau Outils. Cliquez puis faites glisser le curseur sur les mots "Expedition Tea Company", dans la première colonne de la page 1, pour les sélectionner.

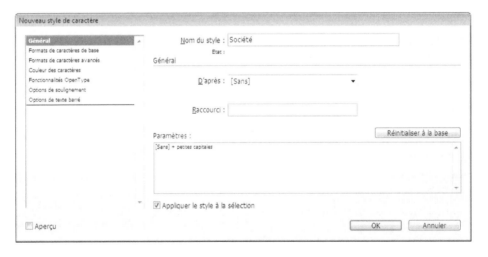

Teapots & Gift Collections

Expedition Tea Company™ carries an extensive array of teas from all the major tea growing regions and tea estates. Choose from our selection of teas, gift collections, teapots, or learn how to make your tea drinking experience more enjoyable from our STI Certified Tea Specialist, T. Elizabeth Atteberry.

4. Dans le panneau Contrôle, cliquez sur le bouton Commande de mise en forme des caractères (A), puis sélectionnez Petites capitales.

5. Maintenant que le texte est mis en forme, vous allez créer un nouveau style de caractère en sélectionnant Nouveau style de caractère dans le menu du panneau Styles de caractère (▾≡). La boîte de dialogue Nouveau style de caractère s'ouvre et indique, dans la partie Paramètres, la mise en forme que vous avez appliquée au texte.

6. Affectez un nom au style dans le champ Nom du style. Appelez-le **Société** pour définir le texte auquel il doit être appliqué.

7. Dans le champ D'après de la section Général, vous pourriez indiquer que le style de caractère est dérivé d'un autre style mais, comme vous en créez un nouveau, laissez le paramètre par défaut [Sans].

8. Affectez un raccourci clavier à votre style pour une application plus rapide. Placez le point d'insertion dans le champ Raccourci, appuyez sur les touches Ctrl+8 [du pavé numérique] (Windows) ou Cmd+8 [du pavé numérique] (Mac OS). (Il est obligatoire d'utiliser une touche de modification pour créer un raccourci de style dans InDesign.)

9. Cochez la case Appliquer le style à la sélection afin d'appliquer ce nouveau style au texte que vous venez de mettre en forme. Si la case est décochée, le style apparaîtra dans le panneau Styles de caractère mais ne sera pas appliqué au texte sélectionné. Si vous modifiez le style par la suite, le texte ne sera pas automatiquement modifié.

10. Vous venez de créer (et de modifier) votre premier style de caractère. Cliquez sur OK pour fermer la boîte de dialogue Nouveau style de caractère. Le style Société doit s'afficher dans le panneau Styles de caractère.

Appliquer un style de caractère

Appliquez à présent votre nouveau style de caractère aux parties de texte sélectionnées dans le document. À l'instar des styles de paragraphe, les styles de caractère évitent d'avoir à appliquer manuellement de multiples attributs à chaque segment de texte individuel.

1. Si la page 3 n'est pas déjà affichée, double-cliquez sur Page 3 dans le panneau Pages pour la centrer dans la fenêtre du document.

Au bas de la troisième colonne, vous voyez les mots "Expedition Tea Company". Pour conserver un aspect cohérent au document, vous allez appliquer le style de caractère Société.

2. Choisissez l'outil Texte (T) dans le panneau Outils, puis cliquez et faites glisser le curseur sur les mots "Expedition Tea Company" pour les sélectionner.

3. Dans le panneau Styles de caractère, cliquez une fois sur le style Société pour l'appliquer à la sélection : la police de caractères est modifiée et adopte le nouveau style.

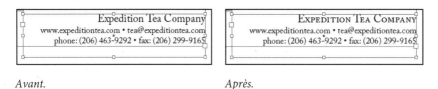

Avant.   *Après.*

Note : Pour appliquer le style Société, vous pouvez également utiliser le raccourci clavier spécifié lors de la création du style, Ctrl/Cmd+8.

4. À l'aide de l'une ou l'autre méthode, appliquez le style de caractère Société aux mots "Expedition Tea Company" qui apparaissent deux fois sur la page 3.

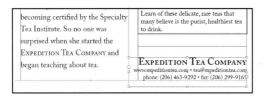

5. Choisissez Fichier > Enregistrer.

Imbrication d'un style de caractère dans un style de paragraphe

Pour une plus grande puissance et une meilleure productivité des styles, InDesign permet l'imbriation de mises en forme de caractères dans les styles de paragraphe. Grâce à ces styles intégrés, vous pouvez appliquer une mise en forme de caractères à des portions de paragraphe, qu'il s'agisse du premier caractère, du deuxième mot ou de la troisième phrase de ce paragraphe. Les styles intégrés sont idéalement applicables aux titres de sections (dans lesquels la première portion d'une ligne ou d'un paragraphe est formatée différemment du reste), aux paragraphes structurés ou aux lettrines.

Créer un style de caractère en vue de l'imbrication

En ce qui concerne l'utilisation des styles imbriqués, vos deux impératifs sont les suivants : vous devez au préalable avoir créé un style de caractère, de même que le style de paragraphe dans lequel vous l'imbriquerez. Vous allez créer deux styles de caractère, puis vous les imbriquerez dans le style de paragraphe existant Tea Body.

1. Le fichier 07_etc.indd étant ouvert, double-cliquez sur Page 2 dans le panneau Pages pour la centrer dans la fenêtre du document.

Si le texte est trop petit pour être lu correctement, zoomez sur le premier paragraphe commençant par "Earl Grey". Dans cet exercice, vous créerez deux nouveaux styles imbriqués afin de distinguer le nom du thé et sa région de production. Vous noterez qu'un séparateur (::) est placé entre le nom du thé et celui de la région de production, et qu'un autre séparateur (•) se trouve après le nom de la région. Vous verrez que leur présence est importante pour créer les styles imbriqués par la suite.

2. Choisissez l'outil Texte (**T**), puis sélectionnez les mots "Earl Grey" dans la première colonne. Dans le panneau Contrôle, mettez en forme ce texte avec le style Bold. Conservez la valeur par défaut des autres paramètres.

3. Le texte que vous venez de mettre en forme peut servir de base pour un nouveau style de caractère. S'il n'est pas déjà visible, ouvrez le panneau Styles de caractère en choisissant Fenêtre > Texte et tableaux > Styles de caractère.

4. Dans le menu du panneau Styles de caractère (▾≡), sélectionnez Nouveau style de caractère. La boîte de dialogue Nouveau style de caractère s'affiche et montre la mise en forme que vous avez appliquée.

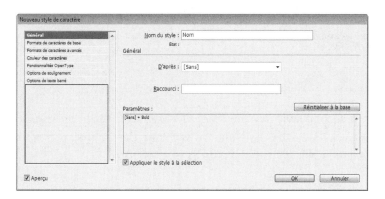

5. Nommez ce style de caractère **Nom** pour indiquer le texte auquel il doit s'appliquer.

6. Pour que le nom du thé soit mis en évidence, délaissez la couleur noire et optez pour une couleur bordeaux.

Dans la partie de droite, cliquez sur Couleur des caractères, puis sélectionnez la couleur bordeaux (C = **43**, M = **100**, Y = **100**, K = **30**).

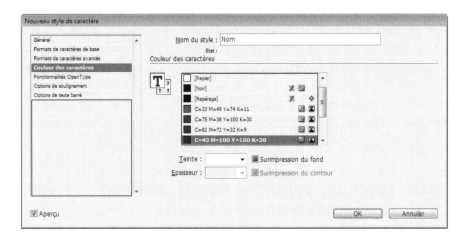

7. Cliquez sur OK pour fermer la boîte de dialogue Nouveau style de caractère. Le style Nom doit s'afficher dans le panneau Styles de caractère.

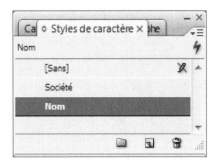

8. Créez maintenant le second style de caractère. Sélectionnez le texte "Sri Lanka" placé immédiatement après "Earl Grey" que vous venez de mettre en forme. Choisissez la police Adobe Caslon Pro Italic pour la mise en forme.

9. Répétez les étapes 3 à 7 pour créer un nouveau style de caractère appelé **Origine**. Lorsque vous avez terminé, cliquez sur OK pour fermer la boîte de dialogue Nouveau style de caractère. Le style Origine doit s'afficher dans le panneau Styles de caractère.

Vous venez de créer deux nouveaux styles de caractère, lesquels, associés au style de paragraphe Tea Body, vous permettront de créer et d'appliquer le style imbriqué.

Créer un style imbriqué

Lorsque vous créez un style imbriqué au sein d'un style de paragraphe existant, vous définissez en fait un ensemble de paramètres secondaires qu'InDesign devra appliquer lors du formatage d'un paragraphe. Vous allez donc construire un style imbriqué dans le style Tea Body en employant les deux styles de caractère créés au cours de l'exercice précédent.

1. Si elle n'est pas déjà centrée dans votre écran, double-cliquez sur la Page 2 dans le panneau Pages.

2. Si le panneau Styles de paragraphe n'est pas visible, sélectionnez Fenêtre > Texte et tableaux > Styles de paragraphe.

3. Dans le panneau Styles de paragraphe, double-cliquez sur le style Tea Body pour ouvrir la boîte de dialogue Options de style de paragraphe.

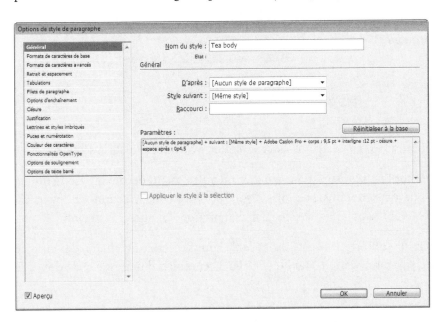

4. Dans la colonne de gauche de la boîte de dialogue, cliquez sur la rubrique Lettrines et styles imbriqués. Les options relatives à cette rubrique apparaissent dans la partie de droite.

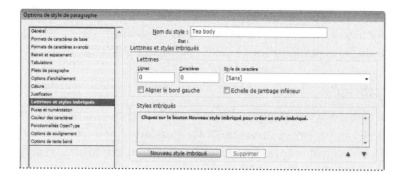

5. Dans la section Styles imbriqués de la fenêtre, cliquez sur le bouton Nouveau style imbriqué.

6. Cliquez sur la flèche située à gauche de l'entrée [Sans] qui s'affiche afin de dérouler le menu des styles de caractère susceptibles d'être imbriqués.

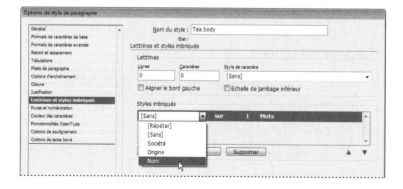

7. Sélectionnez Nom, puisque ce sera le premier style imbriqué de la séquence.

8. Cliquez sur l'entrée "sur" pour afficher un autre menu déroulant. Ce menu ne contient que deux options possibles, "sur" et "jusqu'à". Sélectionnez "jusqu'à", puisque vous allez appliquer le style jusqu'au premier ":" après "Earl Grey".

9. Cliquez sur l'entrée "1" à côté de "jusqu'à" pour afficher un champ de saisie de nombre. Ce nombre définit "sur" ou "jusqu'à" combien d'unités le style doit être appliqué. Même si on trouve deux fois ":", seul le premier nous intéresse, vous pouvez donc conserver le paramètre par défaut "1".

10. Cliquez sur l'entrée "Mots" pour afficher un autre menu. Il propose plusieurs choix d'unités, parmi lesquelles les phrases, les caractères et les espaces auxquels le style pourra être appliqué. Ici, vous ne voulez aucun des éléments listés et vous souhaitez ":". Cliquez dans le champ pour fermer le menu puis saisissez :.

11. Si nécessaire, cochez la case Aperçu, puis déplacez la boîte de dialogue Options de style de paragraphe. Le nom de chaque thé est maintenant en caractères gras de couleur bordeaux jusqu'aux deux-points (:) non inclus. Cliquez sur OK.

Continuez en ajoutant un autre style imbriqué. Mais avant cela, vous devez copier une puce dans la page.

12. Sélectionnez une puce dans la page, puis choisissez Édition > Copier.

13. Dans le panneau Styles de paragraphe, double-cliquez sur le style Tea Body. Dans la partie Lettrines et styles imbriqués, cliquez sur le bouton Nouveau style imbriqué pour créer un autre style imbriqué.

14. Répétez les étapes 7 à 11 pour créer le nouveau style avec la mise en forme suivante :

– Dans le premier menu, sélectionnez Origine.

– Dans le deuxième menu, sélectionnez "jusqu'à".

– Dans le troisième menu, laissez la valeur par défaut, **1**.

– Dans le quatrième menu, collez la puce que vous venez de copier.

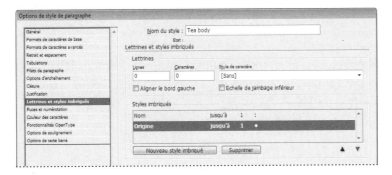

15. Si nécessaire, déplacez la boîte de dialogue Options de style de paragraphe. Vous constatez que le nom de chaque pays d'origine s'affiche en italique de même que les deux-points. Pour régler cela, vous allez ajouter le style imbriqué [Sans] entre les deux autres styles.

16. Cliquez sur le bouton Nouveau style imbriqué pour créer un autre style imbriqué.

17. Répétez les étapes 6 à 11 pour créer le nouveau style avec la mise en forme suivante :

– Dans le premier menu, sélectionnez [Sans].

– Dans le deuxième menu, sélectionnez "jusqu'à".

– Dans le troisième menu, saisissez **2**.

– Dans le quatrième menu, saisissez **:**.

18. Vous avez maintenant un style imbriqué mais qui devrait se trouver entre les styles Nom et Origine, pour être correctement placé dans la séquence. Sélectionnez le style [Sans] puis cliquez une fois sur la flèche vers le haut pour le déplacer entre les deux autres.

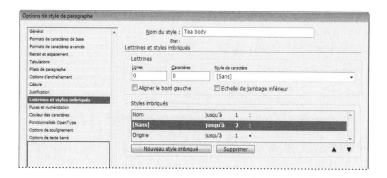

19. Cliquez sur OK pour accepter les modifications. Vous avez terminé la création des styles imbriqués qui appliquent les styles de caractère Nom et Origine à tous les paragraphes utilisant le style Tea Body.

BLACK TEA	GREEN TEA
etp Earl Grey :: *Sri Lanka* • An unbelievable aroma that portends an unbelievable taste. A correct balance of flavoring that results in a refreshing true Earl Grey taste.	Dragonwell (Lung Ching) :: *China* • Distinguished by its beautiful shape, emerald color, and sweet floral character. Full-bodied with a slight heady bouquet.
etp English Breakfast :: *Sri Lanka* • English Breakfast at its finest. Good body with satisfying full tea flavor. Enticing with milk.	Genmaicha (Popcorn Tea) :: *Japan* • Green tea blended with fire-toasted rice with a natural sweetness. During the firing the rice may "pop" not unlike popcorn.
etp Assam, Gingia Estate :: *Bishnauth region, India* • Bright, full-bodied liquor with nutty, walnut-like character. Try with milk and a dash of sweetener.	Sencha Kyoto Cherry Rose :: *China* • Fresh, smooth sencha tea with depth and body. The cherry flavoring and subtle rose

20. Choisissez Fichier > Enregistrer.

Création et application d'un style d'objet

Les styles d'objet permettent de créer, d'appliquer et de mettre à jour une mise en forme tant au niveau d'un objet, d'une image, d'une portion de texte que d'un bloc. Ces attributs de mise en forme, qui incluent les options de fond, de contour, de transparence et d'habillage de texte, génèrent une conception plus cohérente et permettent d'accélérer le fastidieux processus de production.

Créer un style d'objet

Vous allez créer et appliquer un style d'objet au rond noir avec le sigle "etp" (*Ethical Tea Partnership*) sur la page 2.

1. Dans le panneau Pages, double-cliquez sur la page 2 pour la centrer dans la fenêtre.

2. Double-cliquez sur l'outil Zoom (🔍) dans le panneau Outils, puis agrandissez de manière à voir correctement le symbole à côté d'Earl Grey.

Vous appliquerez un biseau interne au rond et le colorerez en bordeaux. Pour faciliter cette tâche, le texte et le cercle de tous les symboles etp se trouvent sur des calques séparés : le cercle sur un calque appelé etp circle et le texte sur un calque appelé etp type.

3. Sélectionnez Fenêtre > Calques pour afficher le panneau Calques. Cliquez sur la case de verrouillage (🔒) à côté d'etp type pour verrouiller le texte placé au centre du cercle.

4. À l'aide de l'outil Sélection, cliquez sur le cercle noir placé à côté d'Earl Grey.

5. Dans le panneau Nuancier, changez le fond et le contour et choisissez la couleur bordeaux (C = **43**, M = **100**, Y = **100**, K = **30**).

6. Choisissez Objet > Effets > Biseau et estampage. Si nécessaire, choisissez Biseau interne dans la liste Style, placée sous Structure. Assurez-vous que la case Aperçu est cochée et déplacez la boîte de dialogue afin de voir le cercle.

7. Dans le champ Taille, saisissez **0p2** (0,7 mm) pour modifier la forme du biseau. Conservez les autres paramètres avec leur valeur par défaut.

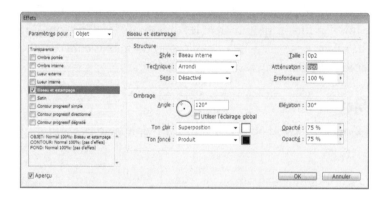

8. Cliquez sur OK. Le symbole doit maintenant être biseauté.

Avant et après l'application de l'effet.

9. Dans le panneau Styles d'objet, créez un nouveau style d'objet en sélectionnant Nouveau style d'objet dans le menu du panneau (▾≡). La boîte de dialogue Nouveau style d'objet s'ouvre et vous permet de modifier les options de mise en forme.

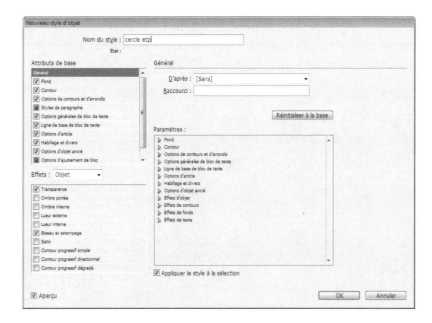

10. Nommez le style dans le champ Nom du style, placé en haut de la boîte de dialogue. Appelez-le **cercle etp**.

11. Cochez la case Appliquer le style à la sélection afin d'appliquer ce nouveau style au texte que vous venez de mettre en forme. Sans cela, le style apparaîtra dans le panneau Styles d'objet mais ne sera pas appliqué au texte sélectionné. Si vous le modifiez par la suite, les modifications n'affecteront pas le cercle que vous venez de mettre en forme.

12. Dans la section Général de cette boîte de dialogue, vous pouvez prendre un style existant pour base. Comme vous créez un premier style, conservez la valeur par défaut [Sans].

13. Si vous aviez créé le style en employant une mise en forme existante dans le document, vous verriez les paramètres s'afficher dans la section Paramètres. Mais, comme vous créez un style de toutes pièces, si vous cliquez sur les triangles à côté de chacun des paramètres, vous obtenez les valeurs par défaut.

14. Les cases à cocher à gauche de cette fenêtre indiquent les attributs qui seront appliqués. Pour ajouter une ombre portée au style, cliquez sur Ombre portée afin d'afficher les paramètres dans la partie de droite de la fenêtre.

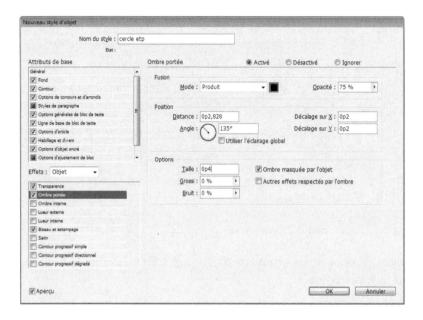

15. Pour les paramètres d'Ombre portée, indiquez les valeurs suivantes :

– Saisissez **0p2** (0,7 mm) pour les valeurs de décalage X et Y.

– Saisissez **0p4** (1,4 mm) pour Taille.

– Conservez la valeur par défaut des autres paramètres et assurez-vous que la couleur de l'ombre est noire.

16. Votre premier style d'objet est créé. Cliquez sur OK pour fermer la boîte de dialogue Nouveau style d'objet, vous devez voir le style cercle etp s'afficher dans le panneau Styles d'objet.

Appliquer un style d'objet

Il vous reste à appliquer le style d'objet que vous venez de créer aux autres cercles de la page 2. Cela vous évite d'avoir à appliquer manuellement l'ombre portée et l'habillage du texte à chacune des images.

1. Dans le panneau Pages, double-cliquez sur la page 2 pour la centrer dans la fenêtre du document.

2. Choisissez l'outil Sélection (⬉) et cliquez sur le deuxième cercle, puis, dans le panneau Styles d'objet, cliquez sur le style cercle etp. Le cercle doit s'afficher de manière identique au premier cercle que vous avez mis en forme.

3. Pour accélérer le processus, appuyez sur la touche Maj, puis cliquez sur chacun des cercles de la page 2. Appliquez ensuite le style cercle etp.

> **BLACK TEA**
>
> (etp) **Earl Grey** :: *Sri Lanka* • An unbelievable aroma that portends an unbelievable taste. A correct balance of flavoring that results in a refreshing true Earl Grey taste.
>
> (etp) **English Breakfast** :: *Sri Lanka* • English Breakfast at its finest. Good body with satisfying full tea flavor. Enticing with milk.
>
> (etp) **Assam, Gingia Estate** :: *Bishnauth region, India* • Bright, full-bodied liquor with nutty, walnut-like character. Try with milk and a dash of sweetener.

4. Choisissez Fichier > Enregistrer.

Création et application de styles de tableau et de cellule

Les tableaux permettent d'organiser facilement un contenu en lignes et en colonnes. Les styles de tableau et de cellule servent à appliquer une mise en forme cohérente avec la même facilité que les styles de caractère ou de paragraphe. Avec un style de tableau, vous contrôlez l'aspect d'un tableau : les bordures, l'espacement avant et après, les contours des lignes et des colonnes ainsi que les couleurs de remplissage. Un style de cellule permet de contrôler le positionnement du texte, la justification verticale, le contour et le remplissage d'une cellule ainsi que les lignes diagonales. Pour plus d'informations sur la création de tableaux, consultez la Leçon 9.

Dans cette section, vous allez créer et appliquer un style de tableau ainsi que deux styles de cellule.

Créer un style de cellule

Vous allez commencer par créer un style de cellule pour la ligne d'en-tête et les lignes de corps du tableau au bas de la page 2. Par la suite, ces deux styles seront imbriqués dans un style de tableau, de la même manière que vous avez imbriqué des styles de caractère à un style de paragraphe.

1. Si la page 2 n'est pas affichée, double-cliquez dessus dans le panneau Pages pour la centrer dans la fenêtre du document. Double-cliquez sur l'outil Zoom (🔍) pour passer à un affichage à 100 %, puis, si nécessaire, faites défiler le contenu de la page pour voir le tableau.

2. À l'aide de l'outil Texte, sélectionnez, dans la ligne d'en-tête, les deux premières cellules contenant les mots "Tea" et "Finished Leaf". Choisissez Tableau > Options de cellule > Contours et fonds. Dans la section Fond de cellule, choisissez la couleur jaune pâle (C = **4**, M = **15**, Y = **48**, K = **0**). Cliquez sur OK.

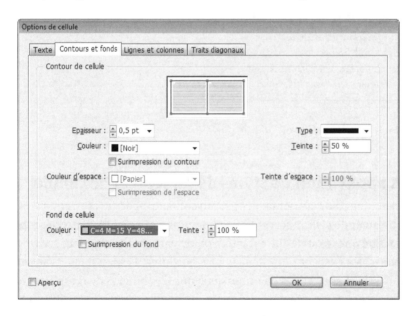

3. Les cellules étant toujours sélectionnées, affichez le panneau Styles de cellule en choisissant Fenêtre > Texte et tableaux > Styles de cellule.

4. Dans le menu du panneau Styles de cellule (▾≡), sélectionnez Nouveau style de cellule. La mise en forme que vous avez appliquée aux cellules apparaît dans la boîte de dialogue. Des options de mise en forme supplémentaires s'affichent dans la partie de gauche de la boîte de dialogue. Toutefois, dans cette section, vous allez simplement configurer le style du paragraphe pour la ligne d'en-tête.

5. Dans le champ Nom du style, saisissez **En-tête tableau**.

6. Dans la liste Style de paragraphe, sélectionnez Head4. Il s'agit d'un style qui a été créé pour vous dans ce document. Cliquez sur OK.

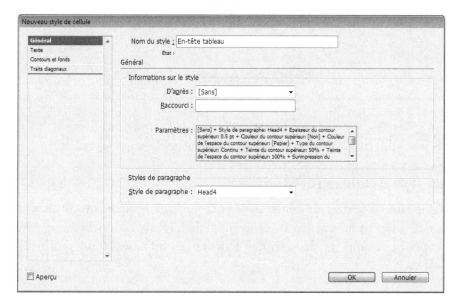

Vous allez maintenant créer un nouveau style de cellule pour les lignes de corps du tableau.

7. Dans la deuxième ligne, sélectionnez les deux premières cellules contenant les mots "White" et "Soft, grayish white".

8. Dans le menu du panneau Styles de cellule (▾≡), sélectionnez Nouveau style de cellule.

9. Dans le champ Nom du style, saisissez **Lignes corps tableau**.

10. Dans la liste Style de paragraphe, sélectionnez Table Body. Il s'agit d'un style qui a été créé pour vous dans ce document. Cliquez sur OK.

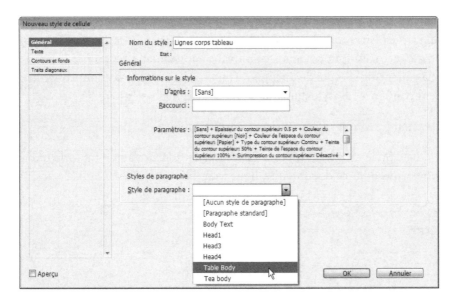

11. Cliquez sur OK. Vous devez maintenant voir deux nouveaux styles dans le panneau Styles de cellule. Vous allez créer un style de tableau qui les utilise.

Créer un style de tableau

Un style de tableau permet de contrôler le style des cellules que vous souhaitez appliquer au tableau ainsi que sa mise en forme globale : les bordures, l'espacement avant et après le tableau, les contours des lignes et des colonnes ou des motifs de fond alternés.

1. Si la page 2 n'est pas affichée, double-cliquez dessus dans le panneau Pages pour la centrer dans la fenêtre du document. Double-cliquez sur l'outil Zoom (🔍) pour passer à un affichage à 100 %, puis, si nécessaire, faites défiler le contenu de la page pour voir le tableau.

2. À l'aide de l'outil Texte, placez le point d'insertion n'importe où dans le tableau.

3. Choisissez Fenêtre > Texte et Tableaux > Styles de tableau. Dans le menu du panneau Styles de tableau (▾☰), sélectionnez Nouveau style de tableau.

4. Dans le champ Nom du style, saisissez **Tableau thé**.

Sélectionnez maintenant les deux styles de cellule que vous avez créés pour mettre en forme l'en-tête et les lignes du corps.

5. Dans la section Styles de cellule, sélectionnez En-tête tableau, dans la liste Rangées d'en-tête.

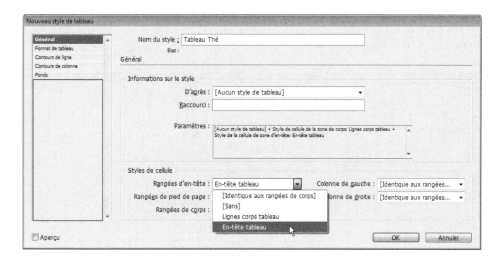

6. Dans la même section, sélectionnez Lignes corps tableau dans la liste Rangées de corps.

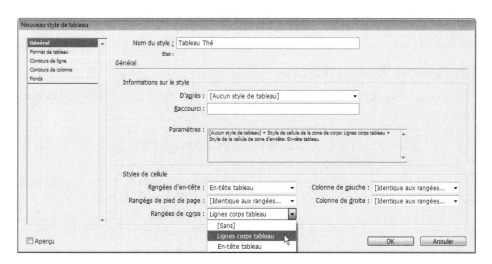

À présent, vous allez mettre en forme le corps du tableau afin d'utiliser des couleurs alternées.

7. Sélectionnez Fonds dans le menu de gauche. Choisissez Une ligne sur deux dans la liste Motif en alternance. Les options pour les lignes en alternance s'affichent.

8. Dans la liste Couleur, choisissez le jaune pâle (C = **4**, M = **15**, Y = **48**, K = **0**).

9. Pour Teinte, saisissez **30 %**.

10. Cliquez sur OK. Le style Tableau thé doit maintenant s'afficher dans le panneau Styles de tableau.

Appliquer un style de tableau

Poursuivez en appliquant le style que vous venez de créer dans les deux tableaux du document.

1. Si la page 2 n'est pas affichée, double-cliquez dessus dans le panneau Pages pour la centrer dans la fenêtre du document. Double-cliquez sur l'outil Zoom (🔍) pour passer à un affichage à 100 %, puis, si nécessaire, faites défiler le contenu de la page pour voir le tableau.

2. À l'aide de l'outil Texte (**T**), placez le point d'insertion n'importe où dans le tableau.

3. Dans le panneau Styles de tableau, cliquez sur le style Tableau thé. Le tableau doit être mis en forme d'après les styles de tableau et de cellule que vous venez de créer.

Tea	Finished Leaf	Liquor	Caffeine
White	Soft, grayish white	Pale yellow or pinkish	15 mg
Green	Dull to brilliant green	Green or yellowish	20 mg
Oolong	Blackish or greenish	Green to brownish	30 mg
Black	Lustrous black	Rich red or brownish	40 mg

4. Double-cliquez sur Page 3 dans le panneau Pages. Cliquez pour placer le point d'insertion n'importe où dans le tableau de la troisième colonne.

5. Dans le panneau Styles de tableau, cliquez sur Tableau thé. Comme à la page 2, le tableau apparaît avec les styles que vous avez créés.

Tea Tasting Overview
An overview and tasting of the white, green, oolong and black, and how each are grown and processed, and how to best prepare each.
Black Tea Tasting
Learn to distinguish the various types of black tea including Assams, Ceylons, Darjeelings, Yunnans and other regional blacks.
Green Tea Tasting
An overview and tasting of Japanese and Chinese greens including Dragonwell, Gyrokuro, Matcha and Genmaicha.
Oolong Tea Tasting
The complexities of oolong teas come alive in this tasting overview, including Ti Kuan Yin, Quangzhou Milk and Phoenix Iron Goddess oolong teas.
White Tea Tasting
Learn of these delicate, rare teas that many believe is the purist, healthiest tea to drink.

Vous remarquerez que ce tableau diffère des précédents puisqu'il ne contient pas d'en-tête; par conséquent le style En-tête tableau est ignoré. Pour plus d'informations sur la création de tableaux, consultez la Leçon 9.

Actualisation d'un style à partir d'une mise en forme locale

Il existe deux façons de mettre à jour les styles d'objet, de paragraphe et de caractère dans InDesign. La première consiste simplement à ouvrir le style concerné et à en modifier les options de mise en forme, comme vous venez de le faire à l'exercice précédent. Puisqu'il existe une relation de type parent/enfant entre le style et les occurrences auxquelles il s'applique, celles-ci sont toutes mises à jour pour refléter les dernières modifications apportées au style.

La seconde façon de mettre à jour un style d'objet, de paragraphe ou de caractère, consiste à appliquer une mise en forme locale à une occurrence, puis à redéfinir le style à partir de cette occurrence. Dans l'exercice qui suit, vous redéfinirez le style d'objet Head3.

1. Le fichier 07_etc.indd étant ouvert, double-cliquez sur la page 2 dans le panneau Pages pour la centrer dans la fenêtre du document. Double-cliquez sur l'outil Zoom (🔍) pour passer à un affichage à 100 %.

2. À l'aide de l'outil Texte (**T**), placez le point d'insertion dans le texte "Black Tea" qui se trouve dans la première colonne.

3. S'il n'est pas déjà visible, choisissez Fenêtre > Texte et tableaux > Paragraphe pour accéder au panneau Paragraphe.

4. Dans le menu du panneau Paragraphe (▾≡), sélectionnez Filets de paragraphe.

5. Choisissez Filet au-dessous dans la liste de la boîte de dialogue Filets de paragraphe, puis cochez la case Filet. Assurez-vous que la case Aperçu est cochée, puis déplacez la boîte de dialogue afin que vous puissiez voir le texte "Black Tea".

6. Créez un filet répondant aux paramètres suivants :

– Graisse : **1 pt**;

– Couleur : C = **4**, M = **15**, Y = **48**, K = **0**;

– Décalage : **0p2** (0,7 mm).

Conservez les valeurs par défaut pour les autres paramètres.

7. Cliquez sur OK. Une ligne jaune s'affiche au-dessous de "Black Tea".

BLACK TEA

Earl Grey :: *Sri Lanka* • An unbelievable aroma that portends an unbelievable taste. A correct balance of flavoring that results in a refreshing true Earl Grey taste.

Note : *Le signe plus (+) apparaît à droite du nom du style dans le panneau Styles d'objet. Il indique qu'une mise en forme locale a été appliquée (en plus des attributs du style Head3 précédemment affecté à l'objet).*

8. Redéfinissez maintenant le style d'objet de sorte que la mise en forme locale que vous venez d'appliquer soit également affectée à toutes les images de plats formatées à l'aide du style Head3. Depuis le menu du panneau Styles d'objet (▾≡), choisissez Redéfinir le style. Le signe plus (+) n'apparaît plus à droite du nom du style dans le panneau. Tous les titres auxquels le style Head3 a été précédemment appliqué sont mis à jour simultanément pour refléter les modifications apportées.

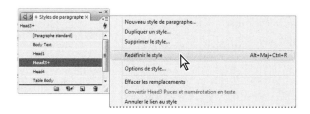

Note : *Cette même procédure peut être utilisée pour redéfinir un style de caractère ou de paragraphe à partir d'une mise en forme de texte locale.*

9. Choisissez Fichier > Enregistrer.

Chargement d'un style à partir d'un autre document

Les styles n'apparaissent que dans le document au sein duquel vous les avez créés. Vous pouvez cependant aisément les partager entre divers documents InDesign en les chargeant (en d'autres termes, en les important) d'un document à l'autre. Dans cet exercice, vous importerez un nouveau style de paragraphe imbriqué depuis le fichier du document final (07_b.indd) et l'appliquerez au premier paragraphe de la page 3 qui contient une lettrine.

1. Le document 07_etc.indd étant ouvert, double-cliquez sur la page 3 dans le panneau Pages pour la centrer dans la fenêtre du document. Double-cliquez sur l'outil Zoom (🔍) pour passer à un affichage à 100 %.

2. Si nécessaire, choisissez Fenêtre > Texte et tableaux > Styles de paragraphe pour afficher le panneau.

3. Cliquez sur le bouton du menu du panneau Styles de paragraphe (▾≣) et choisissez Charger tous les styles de texte. Vous allez pouvoir récupérer tous les styles de texte du document 07_b.indd.

4. Dans la boîte de dialogue Ouvrir un fichier, choisissez le fichier 07_b.indd contenu dans le dossier Lesson_07. La boîte de dialogue Charger les styles apparaît. Cliquez sur Tout désélectionner, pour éviter d'effacer les styles existants lors de l'importation. Cochez la case du style de paragraphe Drop Cap Body. Notez que, plus bas dans la liste, le style de caractère Drop Cap devient actif puisqu'il s'agit d'un style de caractère imbriqué dans le style de paragraphe Drop Cap Body. Les deux styles vont être importés. Cliquez sur OK.

5. À l'aide de l'outil Texte (T), placez un point d'insertion dans le premier paragraphe commençant par "Tea, Tay", puis cliquez sur le nouveau style Drop Cap Body dans le panneau Styles de paragraphe. La lettre T se transforme en lettrine de couleur bordeaux.

Tea, Tay, Thay, Cha, Chai, Chaya, Tsai . . . No matter what you might call it, you are drinking an infusion made from the leaves of a particular camellia bush—the Camellia Sinensis.

6. Choisissez Fichier > Enregistrer.

Félicitations, vous venez de terminer cette leçon.

Révisions

Questions

1. En quoi l'utilisation des styles d'objet permet-elle de travailler plus vite ?

2. Quels éléments doit-on générer avant de pouvoir créer un style imbriqué ?

3. Quelles sont les différentes manières d'actualiser et d'appliquer simultanément un style à de multiples occurrences dans un document InDesign ?

4. Comment importer un style depuis un autre document InDesign ?

Réponses

1. Les styles d'objet procurent un gain de temps considérable, car ils permettent de regrouper divers attributs de mise en forme et de les appliquer simultanément à des images. Si une mise en forme doit par la suite être actualisée, inutile de modifier chacune des images formatées avec le style : il suffit dans ce cas de modifier directement le style.

2. Les deux impératifs en matière d'utilisation de styles imbriqués sont les suivants : il faut en premier lieu avoir créé un style de caractère, puis un style de paragraphe dans lequel l'imbriquer.

3. Dans InDesign, il existe deux façons d'actualiser un style de caractère, d'objet ou de paragraphe. La première consiste à ouvrir directement le style et à modifier ses options de mise en forme ; la seconde, à utiliser une mise en forme locale pour modifier une occurrence, à partir de laquelle on redéfinit le style.

4. L'importation de styles est on ne peut plus facile. Il suffit de choisir l'option de menu Charger les styles appropriée dans les panneaux Objet, Caractère et Paragraphe, puis de spécifier le document InDesign qui les contient. Les styles sont ensuite chargés dans les panneaux respectifs et peuvent être immédiatement utilisés dans le document.

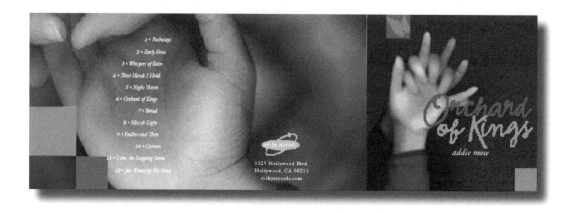

Vous pouvez améliorer l'apparence de vos documents en y ajoutant des photographies et des créations issues d'Adobe Photoshop, Adobe Illustrator et d'autres programmes graphiques. Lorsqu'une nouvelle version d'un graphique est disponible, InDesign l'indique. Il permet aussi de mettre à jour ou de remplacer n'importe quel graphique à tout moment.

Importer et lier des graphiques

Au cours de cette leçon, vous apprendrez à :

• distinguer un graphique vectoriel d'un graphique bitmap ;

• gérer des fichiers importés en utilisant le panneau Liens ;

• créer des masques et importer des masques en même temps que les graphiques ;

• importer des graphiques multicalques Adobe Photoshop et Adobe Illustrator ;

• importer des fichiers au format PDF ;

• créer et utiliser des bibliothèques d'objets ;

• importer des graphiques *via* Adobe Bridge.

Mise en route

Vous allez assembler le livret d'accompagnement d'un CD-ROM, en important et en gérant des graphiques provenant d'Adobe Photoshop, Adobe Illustrator et Adobe Acrobat. Après finalisation, le livret sera plié de manière à entrer dans un boîtier de CD-ROM.

Cette leçon comprend une procédure que vous pouvez réaliser à l'aide d'Adobe Photoshop, si vous disposez de ce logiciel.

Note : *Si vous ne l'avez pas déjà fait, copiez les fichiers de cette leçon – qui se trouvent sur le CD-ROM Adobe InDesign CS3 Classroom in a Book – sur votre disque dur. Reportez-vous à la section "Copie des fichiers d'exercices de Classroom in a Book" de l'Introduction.*

1. Pour vous assurer que le fonctionnement des outils et des panneaux sera exactement tel que décrit au fil de cette leçon, supprimez ou désactivez les fichiers de préférences en suivant la procédure détaillée à la section "Rétablissement des préférences par défaut" de l'Introduction.

2. Lancez Adobe InDesign CS3.

3. Choisissez Fichier > Ouvrir, et ouvrez le fichier 08_a.indd qui se trouve dans les dossiers IDCIB/Lessons/Lesson_08.

4. Une boîte de dialogue apparaît vous informant que la composition contient des liens manquants ou modifiés. Cliquez sur Ne pas réparer. Vous verrez plus loin comment résoudre ce problème.

5. Si nécessaire, déplacez le panneau Liens afin qu'il ne gêne pas la lecture du document. Ce panneau s'affiche automatiquement lorsque vous ouvrez un document InDesign qui contient des liens manquants ou modifiés.

6. Pour voir à quoi ressemblera le document terminé, ouvrez le fichier 08_b.indd qui se trouve dans le même dossier. Vous pouvez le conserver ouvert afin qu'il vous serve de référence dans votre travail. Lorsque vous êtes prêt à ouvrir le document de la leçon, choisissez son nom dans le menu Fenêtre.

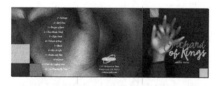

7. Choisissez Fichier > Enregistrer sous, renommez le fichier **08_cdbook.indd** et enregistrez-le dans le dossier Lesson_08.

Note : *À mesure que vous avancerez dans cette leçon, déplacez les panneaux ou modifiez le grossissement pour travailler plus confortablement. Pour plus d'informations, reportez-vous à la Leçon 1, "L'espace de travail d'InDesign", aux sections "Modification de l'affichage d'un document" et "Panneau Navigation".*

Ajout de graphiques provenant d'autres programmes

L'application InDesign supporte la plupart des formats de fichiers graphiques classiques, ce qui lui permet d'utiliser des images créées avec une vaste gamme de programmes. Cependant, c'est avec les autres logiciels graphiques professionnels Adobe, tels que Photoshop, Illustrator et Acrobat, qu'InDesign sera le plus performant.

Par défaut, les graphiques importés sont *liés*. Cela signifie qu'InDesign les affiche dans la mise en page sans les copier intégralement.

Cette méthode évite de consommer trop d'espace, surtout si le même graphique est employé dans plusieurs documents InDesign. Elle permet également de modifier un document lié dans son programme d'origine, puis de mettre simplement à jour le lien dans le panneau Liens. La mise à jour d'un fichier lié actualise son emplacement et ses paramètres, de sorte que vous n'avez pas à l'importer à nouveau.

Tous les fichiers texte et les graphiques liés sont listés dans le panneau Liens, qui comprend des boutons et des commandes pour gérer les liaisons. Lorsque vous créez le document de sortie final en utilisant les formats PostScript® ou PDF, InDesign se sert des liaisons pour obtenir le plus haut niveau de qualité possible à partir des originaux, c'est-à-dire des versions des graphiques stockées en dehors du document lui-même.

Images vectorielles et bitmap

Les outils de dessin d'InDesign et d'Illustrator créent des *graphiques vectoriels*, élaborés à l'aide de formes fondées sur des expressions mathématiques et composés de lignes qui ne s'altèrent pas lorsqu'elles sont agrandies. Ils conviennent par exemple parfaitement aux illustrations, au texte et aux graphiques composant les logos, qui sont susceptibles d'être utilisés dans différentes tailles.

Les *images bitmap*, produites par des applications d'édition d'images telles que Photoshop, sont fondées sur une grille de pixels. Lorsque vous travaillez sur des images bitmap, vous modifiez les pixels individuellement plutôt que les objets ou les formes. Les images bitmap représentent subtilement les dégradés d'ombres et de couleurs et sont donc recommandées pour les illustrations reproduisant des tons continus, telles que les photographies ou les documents générés par les programmes de dessin. Cependant, une fois agrandies, elles perdent en définition et apparaissent pixellisées. De plus, la taille de leurs fichiers est généralement supérieure à celle d'un fichier vectoriel similaire.

Logo dessiné avec des vecteurs (à gauche) et logo constitué de bitmap (à droite).

Vous pouvez créer une composition vectorielle, par exemple un logo utilisé sur une carte de visite ou une affiche, avec les outils de dessin d'InDesign ou ceux du panneau Outils de dessin vectoriel d'Illustrator ; le résultat sera net, quelle que soit la taille de l'illustration. Photoshop, quant à lui, permet d'élaborer des images bitmap présentant une finesse comparable à celle de la peinture ou de la photographie et d'appliquer des effets spéciaux aux images.

Gestion des liaisons avec les fichiers importés

Quand vous ouvrez le document, un message d'alerte exposant les problèmes causés par les fichiers liés apparaît. Vous résoudrez ces problèmes à l'aide du panneau Liens, qui fournit des informations complètes sur l'état des textes et des fichiers graphiques liés au document.

Identifier des images importées

Pour identifier certaines images déjà importées dans le document, vous appliquerez trois techniques différentes impliquant le panneau Liens. Plus loin, ce panneau vous sera utile pour modifier et mettre à jour les graphiques importés.

1. Si nécessaire, zoomez ou faites défiler la fenêtre du document pour que les deux parties du document soient visibles. Vous pouvez également choisir Affichage > Table de montage.

2. Si le panneau Liens n'est pas visible, choisissez Fenêtre > Liens.

3. Avec l'outil Sélection (↖), sélectionnez le logo "Orchard of Kings" de la page 4, la page la plus à droite de la première bande. Vous voyez que le nom de fichier du graphique, 08_i.ai, est alors sélectionné dans le panneau Liens.

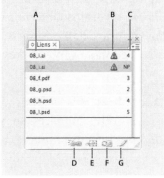

A. Nom du fichier lié. B. Icône d'alerte. C. Page contenant un élément lié.
D. Bouton Rééditer un lien. E. Bouton Atteindre le lien.
F. Bouton Mettre à jour le lien. G. Bouton Éditer l'original.

Vous allez maintenant importer un graphique à l'aide du panneau Liens.

4. Dans le panneau Liens, sélectionnez 08_h.psd et cliquez sur le bouton Atteindre le lien (↙). L'image est sélectionnée et centrée à l'écran. Ce moyen permet d'accéder rapidement à une image ayant un nom de fichier connu.

Si le panneau Liens est toujours au centre de la fenêtre du document, déplacez-le pour qu'il ne vous gêne pas lorsque vous travaillez.

Ces techniques seront utiles pour identifier ou pour localiser des graphiques liés et pour travailler avec un grand nombre de fichiers importés.

Visualiser des informations relatives aux fichiers liés

Grâce au panneau Liens, vous pouvez gérer des fichiers texte ou des graphiques importés de plusieurs autres manières, par exemple en effectuant des mises à jour ou des remplacements de texte ou d'images. Toutes les techniques de gestion des fichiers liés que vous apprendrez ici s'appliqueront aux fichiers graphiques et aux fichiers texte que vous importerez dans votre document :

1. Si le panneau Liens n'est pas visible, choisissez Fenêtre > Liens pour l'afficher. Faites glisser son coin inférieur droit pour l'agrandir, de manière à voir le plus de noms de fichiers possible.

2. Double-cliquez sur la liaison 08_g.psd. La boîte de dialogue Informations sur les liens s'ouvre. Elle décrit le fichier auquel la liaison se réfère.

3. Cliquez sur Suiv. pour accéder aux informations relatives au fichier suivant, 08_h.psd. Vous pouvez de cette manière découvrir rapidement toutes les liaisons du document. Une ou plusieurs liaisons peuvent afficher des icônes d'alerte (⚠) qui indiquent un problème dont le détail est précisé dans le champ État du contenu. Il en sera question à la section suivante. Après avoir examiné les informations, cliquez sur Terminé.

Par défaut, les fichiers sont triés dans le panneau Liens de sorte que ceux qui sont répertoriés en premier sont ceux qui nécessitent parfois une mise à jour ou dont le lien doit être réédité. Vous pouvez utiliser les commandes du menu du panneau Liens pour trier la liste des fichiers de différentes manières.

4. À partir du menu du panneau Liens (▾☰), choisissez Trier par page. Cette commande place les fichiers de la première page dans la partie supérieure du panneau Liens, les fichiers des pages suivantes étant listés à la suite.

Visualiser l'état d'une liaison dans le panneau Liens

Un graphique lié peut apparaître dans le panneau Liens de différentes façons :

- Un graphique à jour affiche seulement le nom de fichier du graphique et son numéro de page dans le document.

- Un graphique modifié affiche un triangle jaune avec un point d'exclamation (⚠). Cette icône signifie que la version du graphique qui se trouve sur le disque est plus récente que celle affichée dans votre document. Elle apparaît, par exemple, si vous avez importé une image Photoshop dans InDesign et que le graphique d'origine ait ensuite été modifié dans Photoshop.

- Un graphique manquant affiche un hexagone rouge avec un point d'interrogation (❓). Cette icône signifie que le graphique ne se trouve plus à l'emplacement à partir duquel il a été importé à l'origine, même s'il existe encore quelque part. Cela peut arriver si le fichier a été déplacé vers un dossier ou un serveur différents après son importation dans un document InDesign. Vous ne pouvez pas savoir si un graphique manquant a été mis à jour tant que l'original n'a pas été localisé. Si vous imprimez ou exportez un document lorsque cette icône est affichée, il se peut que l'image ne soit pas imprimée ou exportée en pleine résolution.

Afficher des fichiers dans l'Explorateur (Windows) ou le Finder (Mac OS)

Le panneau Liens fournit toutes les informations relatives aux attributs et à l'emplacement d'un fichier donné. Elle ne permet cependant pas d'accéder au fichier lui-même depuis le disque dur. Pour cela, vous devez utiliser l'option Faire apparaître dans l'Explorateur/le Finder.

1. S'il n'est pas déjà ouvert, sélectionnez le graphique 08_g.psd. Cliquez du bouton droit (Windows) ou cliquez en appuyant sur Ctrl (Max OS) sur le graphique et choisissez Images > Faire apparaître dans l'Explorateur (Windows) ou Images > Faire apparaître dans le Finder (Mac OS). Vous ouvrez ainsi la fenêtre de stockage du fichier lié. Cette fonctionnalité est très utile, principalement pour localiser des documents sur votre disque dur et, si besoin, les renommer.

2. Fermez la fenêtre et, si nécessaire, cliquez sur le document pour retourner dans InDesign.

Mise à jour d'une image

Même après avoir importé des fichiers de texte ou d'image dans votre document, vous pouvez utiliser d'autres programmes pour les modifier. Le panneau Liens indique que ces fichiers ont été modifiés en dehors d'InDesign. Vous pouvez alors mettre à jour votre document en y intégrant les dernières versions de ces fichiers.

Dans le panneau Liens, le fichier 08_i.ai possède l'icône (⚠) indiquant que l'original a été mis à jour récemment. Il s'agit du fichier qui a provoqué le message d'alerte lorsque vous avez ouvert ce document. Vous allez mettre à jour sa liaison de manière que le document InDesign intègre la version la plus récente.

Procédez comme suit :

1. Dans le panneau Liens, sélectionnez la deuxième occurrence du fichier 08_i.ai (page 4) et cliquez sur le bouton Atteindre le lien (⊷). Cette étape n'est pas obligatoire dans la mise à jour d'une liaison, mais elle permet de repérer rapidement le fichier importé que vous devez mettre à jour.

2. Cliquez sur le bouton Mettre à jour le lien (⊡). L'image dans le document change pour refléter la dernière version. Toutefois, la nouvelle image est plus grande que la précédente, ce qui entraîne son rognage par le bloc de l'image précédente (vous rectifierez cela au cours de la prochaine étape). Sélectionnez les autres fichiers qui affichent l'icône d'alerte (⚠) et cliquez sur le bouton Mettre à jour le lien. Pour sélectionner simultanément plusieurs fichiers consécutifs nécessitant une mise à jour, cliquez sur le premier puis, tout en appuyant sur Maj, cliquez sur le dernier. Pour sélectionner des fichiers non consécutifs, cliquez sur chacun d'eux tout en appuyant sur Ctrl (Windows) ou sur Cmd (Mac OS).

Tous les boutons situés dans la partie inférieure du panneau Liens sont également disponibles sous forme de commandes dans le menu de ce panneau.

3. Sélectionnez l'image 08_i.ai sur la page et choisissez Objet > Ajustement > Ajuster le contenu proportionnellement. La plus grande image est maintenant visible.

Vous allez remplacer l'image des mains qui s'étend sur la première bande (pages 2-4) par une image modifiée. Vous utiliserez le bouton Rééditer un lien pour assigner la liaison à la nouvelle image.

4. Allez aux pages 2-4 (première bande) et choisissez Affichage > Ajuster la planche à la fenêtre.

5. Sélectionnez l'image 08_h.psd sur la page 4. Le nom de fichier de l'image est sélectionné dans le panneau Liens.

6. Cliquez sur le bouton Rééditer un lien (⬚⬚) du panneau Liens.

7. Cliquez sur Parcourir, localisez le fichier 08_j.psd qui se trouve dans le dossier Lesson_08, et cliquez sur Ouvrir. L'ancienne image est remplacée par celle que vous venez de sélectionner et dont l'arrière-plan est différent ; le panneau Liens est mis à jour.

8. Cliquez dans une zone vide de la table de montage pour désélectionner les éléments.

9. Sélectionnez Fichier > Enregistrer pour sauvegarder votre travail.

Réglage de la qualité d'affichage

Maintenant que vous avez résolu tous les problèmes de liaison de fichiers, vous pouvez ajouter des images. Vous commencerez cependant par régler la qualité d'affichage du fichier Illustrator 08_i.ai mis à jour lors de la précédente procédure.

Lorsque vous importez une image, InDesign crée automatiquement une "doublure" (copie à faible résolution) correspondant aux réglages actuels de la boîte de dialogue Préférences. InDesign affiche toutes les images du document dans cette version à faible résolution ; c'est pourquoi l'image est crénelée. Vous allez contrôler le degré de détail qu'InDesign applique aux images importées. Le fait de réduire la qualité des graphiques importés à l'écran permet d'afficher les pages plus rapidement et n'affecte pas la qualité de la sortie finale. Procédez comme suit :

1. Dans la fenêtre Liens, sélectionnez l'image 08_i.ai que vous avez mise à jour au cours de l'exercice précédent. Cliquez sur le bouton Atteindre le lien pour afficher le document grossi.

2. Cliquez du bouton droit (Windows) ou cliquez en appuyant sur Ctrl (Mac OS) sur l'image "Orchard of Kings", puis choisissez Performances d'affichage > Affichage de qualité supérieure dans le menu contextuel qui apparaît. L'image est affichée en haute résolution. Vous pouvez suivre cette procédure pour confirmer la clarté, l'aspect et la position de tout graphique importé.

Affichage à l'écran en mode Affichage standard (à gauche)
et en mode Affichage de qualité supérieure (à droite).

3. Choisissez Affichage > Performances d'affichage > Affichage de qualité supérieure. Cette commande modifie les performances d'affichage par défaut du document. Tous les graphiques qu'il contient seront donc désormais affichés en haute résolution. Sur les ordinateurs plus anciens ou dans le cas de présentations contenant un grand nombre d'images, cette fonction peut considérablement freiner les performances d'affichage à l'écran. En règle générale, il est préférable d'opter pour un affichage standard, puis de modifier si nécessaire cette option pour certaines images individuellement.

4. Choisissez Fichier > Enregistrer.

Les masques

InDesign permet de supprimer les arrière-plans indésirables de certaines images, ce que nous allons voir dans cet exercice. En plus de la suppression de l'arrière-plan dans InDesign, vous pouvez également créer des masques ou des couches alpha dans Photoshop, et les utiliser ensuite pour silhouetter une image dans une mise en forme InDesign.

L'image que vous allez importer possède un arrière-plan rectangulaire uni qui cache la zone se trouvant derrière. Vous pouvez masquer des parties d'une image en utilisant un *masque*, c'est-à-dire un tracé vectoriel qui agit comme un masque. InDesign permet de créer des masques à partir de nombreux types d'images :

• Si vous avez dessiné un tracé dans Photoshop et que vous l'ayez enregistré avec l'image, InDesign peut créer un masque à partir de celui-ci.

• Si vous avez coloré une couche alpha dans Photoshop et que vous l'ayez enregistrée avec l'image, InDesign peut créer un masque à partir de celle-ci. Une couche alpha transporte des zones transparentes et opaques et est généralement créée avec des images utilisées pour la composition des photos ou de la vidéo.

• Si l'image dispose d'un fond clair ou blanc, InDesign peut automatiquement détecter ses bords et créer un masque.

L'image de la poire que vous allez importer ne dispose pas de masque ou de couche alpha, mais d'un fond blanc plein qu'InDesign peut supprimer.

Supprimer un fond blanc

Vous allez utiliser l'option Détection des contours de la commande Masque pour supprimer l'arrière-plan blanc uni dans une image. Cette option masque les zones d'une image en changeant la forme du cadre contenant l'image et en ajoutant des points d'ancrage si nécessaire.

1. Placez-vous directement sur la page 7 de votre document en double-cliquant sur son icône dans le panneau Pages. Allez dans Fichier > Importer et choisissez le fichier 08_c.psd, contenu dans le dossier Lesson_08.

2. Dans le panneau Calques, assurez-vous que le calque Photos est sélectionné afin que l'image s'affiche sur cette couche.

3. Positionnez l'icône des graphiques chargés à l'extérieur du carré bleu, vers la gauche et légèrement en dessous du bord supérieur (veillez à ne pas placer le curseur à l'intérieur du carré), puis cliquez afin d'ajouter l'image d'une poire sur un fond blanc. Repositionnez l'image si cela vous semble nécessaire.

4. Choisissez Objet > Masque > Options. S'il le faut, faites glisser la boîte de dialogue Masque pour voir l'image de la poire.

5. Choisissez Détection des contours dans le menu Type. Aperçu étant sélectionné, vous voyez que le fond blanc est presque totalement éliminé de l'image.

6. Faites glisser le curseur Seuil pour masquer autant de blanc que possible sans masquer des parties de l'objet (zones plus sombres). Nous avons utilisé la valeur 20.

Note : Si vous ne parvenez pas à trouver un paramètre permettant de supprimer la totalité du blanc de l'arrière-plan sans affecter l'objet, choisissez une valeur qui préserve l'objet, même si des petits points blancs de l'arrière-plan restent visibles. Vous éliminerez le reste en ajustant le masque dans les étapes suivantes.

Le paramètre Seuil fonctionne en masquant les zones claires de l'image, en commençant par le blanc. Lorsque vous faites glisser le curseur vers la droite, des tons de plus en plus sombres sont inclus dans la plage des tons que vous masquez. Ne cherchez pas à obtenir un résultat parfait, vous vous améliorerez dans les étapes suivantes.

7. Pour l'option Tolérance, faites glisser le curseur vers la gauche jusqu'à ce que la valeur soit comprise entre **1** et **1,8**.

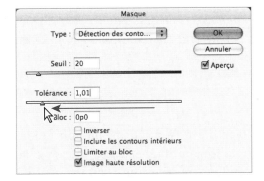

L'option Tolérance détermine le nombre de points qui définissent le cadre automatiquement généré. Lorsque vous faites glisser le curseur vers la droite, le nombre de points diminue, de manière que le masque s'ajuste à l'image de façon plus souple (tolérance plus élevée). L'utilisation d'un plus petit nombre de points sur le tracé peut accélérer l'impression du document, mais le rendu est moins précis.

8. Dans la zone Bloc, entrez une valeur pour spécifier le degré de rétrécissement du bloc obtenu. Nous avons spécifié une valeur de **0p1** (0 pica 1 point). Cette option réduit uniformément la forme du masque, sans tenir compte des valeurs claires de l'image. Cliquez ensuite sur OK pour fermer la boîte de dialogue.

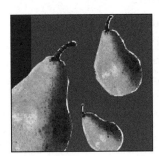

Avant et après l'application d'un encart de 1 point.

9. (Facultatif) Il est également possible d'affiner le masque manuellement. Dans le panneau Outils, activez l'outil Sélection directe (⟲). Faites ensuite glisser des points d'ancrage individuels et modifiez le masque autour des poires aves les outils de dessin. Dans le cas d'images aux bords plus complexes, il est préférable de choisir un niveau de grossissement supérieur afin de travailler avec plus de précision.

10. Enregistrez le fichier.

Vous pouvez également utiliser la fonction Détection des contours pour supprimer un fond noir plein. Sélectionnez simplement l'option Inverser et spécifiez une valeur de seuil élevée.

Les couches alpha

Lorsqu'une image comprend un arrière-plan qui n'est pas blanc ou noir uni, la fonction Détection des contours ne peut pas le supprimer efficacement. Avec de telles images, masquer les valeurs claires de l'arrière-plan peut aussi masquer les parties de l'objet dotées de ces mêmes valeurs claires. À la place, vous pouvez recourir aux outils de suppression d'arrière-plan avancés de Photoshop pour désigner des zones transparentes à l'aide de tracés ou de couches alpha et laisser InDesign réaliser un masque à partir de ces zones.

Note : Si vous importez un fichier Photoshop (.psd) constitué d'une image placée sur un fond transparent, InDesign considère la transparence sans dépendance envers les masques ou les couches alpha. Cela peut être particulièrement utile lorsque vous importez une image avec des bords clairs ou inégaux.

Importer un fichier Photoshop et des couches alpha

Vous avez importé l'image précédente avec la commande Importer. Cette fois, vous ferez directement glisser une image Photoshop vers un document InDesign. InDesign peut directement exploiter les tracés et les couches alpha Photoshop, vous n'avez donc pas besoin d'enregistrer le fichier Photoshop sous un format différent. Pour plus d'informations, recherchez "glisser-déposer des graphiques" dans l'Aide d'InDesign. Procédez comme suit :

1. Dans le panneau Calques, vérifiez que le calque Photos est sélectionné afin que l'image apparaisse sur ce calque.

2. Accédez à la page 2 de votre document. Redimensionnez et arrangez la fenêtre de l'Explorateur (Windows) ou du Finder (Mac OS) ainsi que votre fenêtre InDesign pour voir simultanément les listes de fichiers sur le Bureau et la fenêtre du document InDesign. Assurez-vous que le quart inférieur gauche de la page 2 est visible dans la fenêtre de document.

3. Dans l'Explorateur/le Finder, ouvrez le dossier Lesson_08 qui contient le fichier 08_d.psd.

4. Faites glisser ce fichier vers la page 2 du document InDesign et placez-le sur la table de montage. Utilisez l'outil Sélection (⬉) pour repositionner le graphique dans l'angle inférieur gauche de la page.

Note : *Lors du positionnement du fichier, prenez garde à le déposer sur la table de montage. Si vous le déposez dans un objet créé à l'aide d'InDesign, il sera placé à l'intérieur de celui-ci. Dans ce cas, choisissez Édition > Annuler, puis recommencez.*

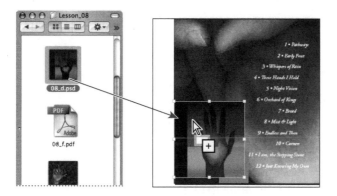

5. Si nécessaire, ramenez la fenêtre InDesign à sa taille précédente, puisque vous avez terminé l'importation du fichier.

Examiner les tracés et les couches alpha de Photoshop

Dans cette image, la main et l'arrière-plan partagent les mêmes valeurs claires. Par conséquent, l'arrière-plan ne peut pas être facilement isolé à l'aide de l'option Détection des contours de la commande Masque.

Vous configurerez InDesign de sorte qu'il utilise un tracé ou une couche alpha de Photoshop. Tout d'abord, par le biais du panneau Liens, vous ouvrirez l'image dans Photoshop, afin de voir les tracés ou les couches alpha qu'elle inclut déjà.

La procédure de cette section nécessite une version complète de Photoshop 4.0 ou version ultérieure et une RAM suffisante pour exécuter InDesign et Photoshop simultanément. Si votre configuration ne répond pas à ces exigences, lisez simplement les étapes qui viennent pour comprendre le fonctionnement des couches alpha de Photoshop.

1. Si nécessaire, utilisez l'outil Sélection (⬆) pour sélectionner l'image 08_d.psd dans InDesign.

2. Si le panneau Liens n'est pas déjà ouvert, choisissez Fenêtre > Liens. Le nom de fichier de l'image y est automatiquement sélectionné.

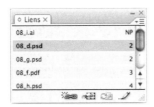

3. Dans le panneau Liens, cliquez sur le bouton Éditer l'original (✎). Cela ouvre l'image dans un programme qui permet de la visualiser ou de la modifier. Cette image a été enregistrée à partir de Photoshop ; si Photoshop est installé sur votre ordinateur, InDesign le démarre automatiquement.

Note : Parfois, le bouton Éditer l'original ouvre une image dans un programme autre que Photoshop ou celui dans lequel elle a été créée. Lors de l'installation du logiciel, certains utilitaires d'installation modifient les paramètres de votre système d'exploitation pour associer les fichiers aux programmes. Ce sont ces paramètres que le bouton Éditer l'original utilise pour associer les fichiers aux programmes. Reportez-vous à la documentation de votre système d'exploitation pour modifier ces paramètres.

4. Si une boîte de dialogue Non concordance de profils CMS apparaît lorsque l'image s'ouvre dans Photoshop, procédez comme suit :

– Si vous n'utilisez pas la gestion des couleurs, cliquez sur Utiliser le profil incorporé (à la place de l'espace de travail).

– Si vous avez correctement configuré tous les paramètres de gestion des couleurs dans Photoshop et dans InDesign pour votre flux de travail, et ce à l'aide de profils ICC corrects, sélectionnez Convertir les couleurs du document à l'espace de travail pour reproduire correctement l'image dans Photoshop.

5. Dans Photoshop, choisissez Fenêtre > Couches pour afficher le panneau Couches, ou cliquez sur l'onglet du panneau Couches.

Faites si nécessaire défiler le panneau Couches pour visualiser les trois couches alpha en plus des couches RVB standard. Ces couches ont été dessinées à l'aide des outils de masque et de dessin dans Photoshop.

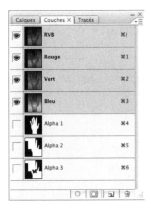

Un fichier Photoshop enregistré avec trois couches alpha.

6. Dans le panneau Couches, cliquez sur Alpha 1 pour étudier son aspect, puis sur Alpha 2 et Alpha 3 pour les comparer.

7. Choisissez Fenêtre > Afficher tracés pour ouvrir le panneau Tracés, ou cliquez sur l'onglet du panneau Tracés.

Le panneau Tracés contient deux tracés nommés Shapes et Circle. Ils ont été dessinés à l'aide de l'outil Plume (✿) et d'autres outils de tracé dans Photoshop, mais ils auraient aussi pu être dessinés dans Illustrator et copiés dans Photoshop.

8. Dans le panneau Tracés, cliquez sur Shapes pour voir ce tracé. Puis cliquez sur Circle.

Vous en avez terminé avec Photoshop, vous pouvez donc fermer ce programme.

Employer des couches alpha de Photoshop dans InDesign

Retournez dans InDesign pour y créer différents masques à partir des tracés et des couches alpha de Photoshop :

1. Basculez vers InDesign. Si le fichier Photoshop 08_d.psd n'est pas sélectionné sur la page, faites-le avec l'outil Sélection (➤).

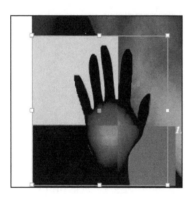

2. (Facultatif) Cliquez du bouton droit (Windows) ou cliquez tout en appuyant sur Ctrl (Mac OS) sur l'image de la main et choisissez Performances d'affichage > Affichage de qualité supérieure dans le menu contextuel qui apparaît. Cette étape n'est pas nécessaire, mais elle permet de voir précisément les étapes suivantes.

3. L'image de la main étant toujours sélectionnée, choisissez Objet > Masque > Options pour ouvrir la boîte de dialogue Masque. Si nécessaire, déplacez-la pour voir l'image.

4. Vérifiez que l'option Aperçu est sélectionnée, et choisissez Couche Alpha dans le menu Type, ce qui fait apparaître le menu Alpha qui comprend les trois couches de Photoshop.

5. Choisissez Alpha 1 dans le menu Alpha. InDesign crée un masque dans la couche alpha. Choisissez ensuite Alpha 2 dans le même menu et comparez les résultats.

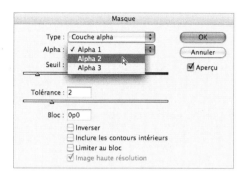

💡 *Le premier masque que vous voyez représente les paramètres par défaut qui définiront les bords d'une couche alpha. Vous pouvez affiner le masque créé par InDesign à partir d'une couche alpha en ajustant les options de Seuil et de Tolérance, comme vous l'avez fait précédemment pour la fonction Détection des contours. Pour les couches alpha, commencez par une valeur de Seuil faible, par exemple 1.*

6. Choisissez Alpha 3 dans le menu Alpha et sélectionnez l'option Inclure les contours intérieurs. Remarquez les changements.

La sélection de l'option Inclure les contours intérieurs permet à InDesign de reconnaître un trou en forme de papillon dessiné dans la couche Alpha 3 et de l'ajouter au masque.

💡 *Vous pouvez voir l'aspect du trou en forme de papillon en consultant la couche Alpha 3 dans le fichier Photoshop d'origine. Pour voir le papillon, il peut être nécessaire de sélectionner Inclure les contours intérieurs dans la boîte de dialogue Masque.*

7. Choisissez Tracé Photoshop dans le menu Type, puis sélectionnez Shapes dans le menu Tracé. InDesign reforme le bloc de l'image pour le faire correspondre au tracé Photoshop.

8. Choisissez Circle dans le menu Tracé. Puisqu'il s'agit de l'effet souhaité, cliquez sur OK.

Importation de fichiers natifs

InDesign prend en charge les fichiers Adobe natifs, tels que Photoshop, Illustrator et Acrobat, et traite chacun de façon unique. Certains documents incluent en effet parfois des exigences spécifiques aux images. De plus, InDesign permet d'importer différents types de fichiers et propose diverses options de contrôle de l'importation. Ainsi, un fichier Photoshop composé de calques peut être importé intégralement, mais un ou plusieurs de ses calques peuvent également être importés séparément.

Importer un fichier Photoshop constitué de calques et de compositions de calques

Au cours de l'exercice précédent, vous avez travaillé avec un fichier Photoshop enregistré avec des tracés et des couches alpha. Toutefois, ce fichier ne contenait qu'un seul calque d'arrière-plan. Il est possible de régler la visibilité de chaque calque d'un fichier Photoshop lorsque ce dernier en contient plusieurs. Vous pouvez également visualiser différentes compositions de calques.

Les compositions de calques ont été introduites avec Photoshop CS et sont souvent utilisées pour concevoir de multiples versions d'une même image, afin de comparer différents styles ou illustrations. Les compositions de calques sont créées dans Photoshop et enregistrées comme partie intégrante d'un fichier. Lors de l'importation d'un fichier dans Photoshop, vous avez la possibilité de visualiser chacune des différentes compositions.

1. Dans le panneau Liens, cliquez sur le lien 08_j.psd, puis sur Atteindre le lien (⬅🖼) pour sélectionner ce fichier et le centrer sur votre écran. Ce fichier, qui a été relié au cours d'un précédent exercice, est composé de quatre calques et de trois compositions.

2. Choisissez Objet > Options de calque d'objet pour ouvrir la fenêtre du même nom. Cette fenêtre permet d'activer et de désactiver les calques, de même que passer d'une composition de calques à une autre.

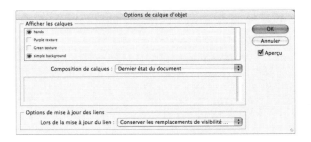

3. Déplacez la fenêtre Options de calque d'objet, puis faites-la glisser jusqu'au bas de l'écran afin de mieux voir l'image sélectionnée. Cochez la case Aperçu. Vous pourrez ainsi visualiser les modifications apportées tout en gardant la fenêtre Options de calque d'objet ouverte.

4. Cliquez sur l'icône de l'œil (👁) à gauche du calque Hands. Ce calque est ainsi désactivé ; seul le calque Simple background est désormais visible. Dans le panneau Liens, une icône d'œil est apparue près du lien vers l'image en cours (08_j.psd). Cette icône apparaît lorsque la visibilité d'un document multicalque est modifiée par l'utilisateur. Cet indice visuel informe que l'état par défaut de l'image a changé.

5. Cliquez sur la case qui jouxte le calque Hands pour activer de nouveau sa visibilité. L'icône de l'œil disparaît dans le panneau Liens car l'état original de l'image est restauré.

6. Dans la section Composition de calques, cliquez sur le menu déroulant et choisissez l'option Green Glow. Cette composition a un arrière-plan différent et une lueur verte est ajoutée au calque Hands. Cette lueur a été ajoutée en tant que style de calque à la composition Green texture dans Photoshop.

7. Choisissez ensuite l'option de menu Purple Opacity : elle contient un autre arrière-plan et le calque Hands est en partie transparent. Les compositions de calques ne sont pas simplement l'organisation de plusieurs calques ; elles permettent d'enregistrer les styles de calque de Photoshop, la visibilité et les valeurs de position.

8. Choisissez enfin l'option de menu Blue Plain. Cette composition de calques correspond en fait à la version originale du document. Cliquez sur OK.

Importer un graphique en ligne

Les graphiques en ligne sont des graphiques qui s'insèrent dans le texte lors de leur importation. Dans l'exercice qui suit, vous importerez un logo dans un paragraphe du document.

1. Dans le panneau Pages, double-cliquez sur la deuxième planche et choisissez Affichage > Ajuster la planche à la fenêtre. Si nécessaire, servez-vous des barres de défilement. Dans la partie inférieure de la table de montage se trouve un bloc de texte avec le logo "Orchard of Kings". Vous insérerez cette image dans le paragraphe au-dessus.

2. À l'aide de l'outil Sélection (↖), cliquez sur le logo "Orchard of Kings" et choisissez Édition > Couper pour le placer dans le Presse-papiers.

3. Avec l'outil Zoom (🔍), cliquez sur le bloc de texte de la page 6 pour augmenter le grossissement ; nous avons choisi 150 %. Sélectionnez Texte > Afficher les caractères masqués pour visualiser les espaces et retours à la ligne dans le texte. Vous pourrez ainsi plus aisément localiser l'emplacement idéal où coller le logo.

Note : L'activation de l'option Afficher les caractères masqués n'est pas une étape obligatoire du processus d'ajout de graphiques en ligne ; cette option est ici utilisée pour vous aider à mieux identifier la structure du texte.

4. À l'aide de l'outil Texte (T), cliquez sur le second retour à la ligne qui suit les mots "Athens, Georgia". Un point d'insertion de texte clignotant est alors ajouté à cet emplacement. Choisissez Édition > Coller pour insérer le graphique entre ces deux paragraphes. Notez que le texte qui suit le graphique se répartit une fois l'image ajoutée.

5. Vous allez maintenant générer de l'espace entre le graphique et le texte qui l'entoure à l'aide de la fonctionnalité Espace avant. Dans le panneau Contrôle, dans la partie supérieure de l'écran, cliquez sur le bouton Commandes de mise en forme des paragraphes (¶). Dans la zone Espace avant (⁼▤), cliquez sur la flèche montante pour augmenter la valeur à **0p4**. Le graphique en ligne et le texte qui le suit se décalent légèrement vers le bas à mesure que vous augmentez cette valeur.

Ajouter un habillage à un graphique en ligne

Il est très facile d'ajouter un habillage de texte à un graphique en ligne. Cette fonctionnalité permet à tout concepteur de tester plusieurs mises en page et d'en voir aussitôt les résultats.

1. L'outil Sélection (↖) activé, cliquez sur le logo "Orchard of Kings" ajouté au cours de l'exercice précédent. Tout en maintenant les touches Ctrl+Maj (Windows) ou Cmd+Maj (Mac OS) enfoncées, cliquez sur la poignée d'ancrage placée en haut à droite du bloc et faites-la glisser vers le haut et la droite. Cette combinaison de touches permet de redimensionner l'image et le bloc à la fois proportionnellement et simultanément. Redimensionnez l'image jusqu'à ce qu'elle occupe environ 25 % de la seconde colonne.

2. Choisissez Fenêtre > Habillage pour accéder aux options d'habillage. Même si le graphique est en ligne, il est placé sous le texte existant.

3. Dans le panneau Habillage, cliquez sur la troisième option en partant de la gauche, Habiller la forme de l'objet (⬚).

4. Pour augmenter l'espace qui entoure le cadre de sélection du graphique, cliquez sur la flèche montante de l'option Décalage en haut dans le panneau Habillage et définissez une valeur de **1p0**.

5. Le texte peut également entourer le logo et non plus le cadre de sélection de ce dernier. Pour avoir un aperçu de cela, cliquez dans la zone blanche de la table de montage pour désélectionner le bloc, cliquez de nouveau sur le logo "Orchard of Kings" et appuyez sur la touche barre oblique (/) du clavier pour n'appliquer aucune couleur de fond.

6. Dans la section Options de contour du panneau Habillage, choisissez l'option de menu Détection des contours. Cette image étant un graphique vectoriel, l'habillage respecte les contours du texte. Pour obtenir un meilleur aperçu du document, cliquez sur l'arrière-plan pour désélectionner l'image et choisissez Texte > Masquer les caractères masqués afin de masquer les retours à la ligne et les espaces.

7. À l'aide de l'outil Sélection (✸), sélectionnez de nouveau le logo "Orchard of Kings". Dans le menu Habiller, choisissez Côté droit. Le texte se déplace à droite de l'image et évite la zone placée au-dessous de l'image, même s'il y a suffisamment d'espace.

8. Maintenant, sélectionnez Côtés gauche et droit. Le texte se déplace dans toutes les zones disponibles autour de l'image.

9. (Facultatif) À l'aide de l'outil Sélection directe (✸), cliquez sur le graphique pour afficher les points d'ancrage utilisés pour l'habillage. L'option Détection des contours permet de les régler manuellement. Cliquez sur chacun des points d'ancrage concernés par un nouveau réglage et faites-les glisser pour obtenir l'effet souhaité.

10. Fermez le panneau Habillage.

Importer un fichier Illustrator

InDesign permet de tirer parti de la finesse de lignes fournie par les images vecto-rielles EPS (*Encapsulated PostScript*), comme celles qui proviennent d'Illustrator. Lorsque vous activez l'affichage écran pleine résolution d'InDesign, l'apparence du texte et des images vectorielles EPS est nette quel que soit le facteur d'agrandisse-ment. La majorité des images vectorielles EPS ne requièrent pas de masque, car la plupart des programmes les enregistrent avec des arrière-plans transparents. Vous allez importer une image Illustrator dans votre document InDesign :

1. Dans le panneau Calques, activez le calque Graphics. Choisissez Édition > Tout désélectionner, puis Fichier > Importer, et sélectionnez le fichier Illustrator 08_e.ai dans le dossier Lesson_08. Assurez-vous que la case Afficher les options d'impor-tation est décochée. Cliquez sur Ouvrir.

2. Placez le curseur chargé dans le coin supérieur gauche de la page 5 et cliquez pour ajouter le fichier Illustrator à votre document. Positionnez-le comme indi-qué ci-après. Les images générées dans Illustrator sont transparentes au niveau des zones qui ne contiennent pas d'illustrations.

3. Si vous le souhaitez, redimensionnez la fenêtre InDesign une fois que vous avez terminé l'importation du fichier.

Importer un fichier Illustrator multicalque

Pour importer un fichier Illustrator multicalque, vous devez au préalable l'enre-gistrer au format PDF multicalque. Vous pourrez ainsi contrôler la visibilité des calques et repositionner les images ; vous ne pourrez cependant modifier ni les tracés, ni les objets, ni le texte.

1. Assurez-vous qu'aucun élément n'est sélectionné en cliquant dans une zone blanche de votre document. Choisissez Fichier > Importer. Dans la partie inférieure de la fenêtre Importer, cochez la case Afficher les options d'importation. Sélectionnez le fichier 08_n.pdf et cliquez sur le bouton Ouvrir. La fenêtre Importation PDF apparaît lorsque l'option Afficher les options d'importation est activée.

2. Dans la fenêtre Importer un fichier PDF, assurez-vous que la case Afficher l'aperçu de la page est cochée. Dans la section Options, il faut que l'option Recadrer selon ait pour valeur Cadre de sélection et que la case Arrière-plan transparent soit cochée.

3. Cliquez sur l'onglet Calques pour afficher les calques. Ce fichier en contient trois : une image d'arbres en arrière-plan (Layer 3), un calque de texte en anglais (English Title) et un calque de texte en espagnol (Spanish Title). Vous pouvez bien sûr dès maintenant choisir quel(s) calque(s) vous souhaitez importer. Seulement, la zone d'Aperçu réduite de la fenêtre ne donne pas une idée très précise des conséquences de vos choix. Vous définirez donc vos choix d'importation dans le document lui-même. Cliquez sur OK.

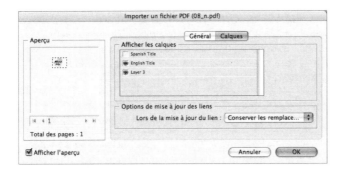

4. Le curseur ayant l'apparence de l'icône de graphique chargé (🖼️), placez-le à gauche du gros carré bleu sur la page 5. Ne le placez pas à l'intérieur de ce carré, sinon vous y insérerez directement l'image. Cliquez une fois pour importer l'image, puis repositionnez-la de sorte à la centrer dans le carré bleu.

5. L'image étant toujours sélectionnée, choisissez Objet > Options de calque d'objet. Si nécessaire, déplacez la fenêtre afin de visualiser l'image dans le document. Cochez la case Aperçu, puis cliquez sur l'icône de l'œil (👁️) qui précède le nom du calque English Title afin de le désactiver. Cliquez maintenant sur la case vide qui précède le nom du calque Spanish Title pour l'activer. Cliquez sur OK et désélectionnez l'image en cliquant dans une zone blanche de la table de montage.

L'emploi de fichiers Illustrator multicalques permet de concevoir différentes illustrations d'un même document sans avoir à créer plusieurs versions de ce dernier.

Créer un fichier Adobe PDF comprenant des calques

Adobe InDesign et Adobe Acrobat offrent des fonctions qui permettent de modifier la visibilité des calques dans un fichier Adobe PDF. L'enregistrement d'un fichier PDF comprenant des calques dans Illustrator permet d'utiliser une illustration dans différents contextes. Par exemple, plutôt que de créer plusieurs versions de la même illustration pour une publication multilingue, vous pouvez créer un seul fichier PDF incluant le texte dans chaque langue.

Note : Conservez les calques à ajuster dans InDesign au niveau supérieur ou dans un ensemble de calques défini au niveau supérieur. Ne les placez pas dans des ensembles de calques imbriqués.

1. Organisez votre illustration de sorte que les éléments ajustables (ceux que vous souhaitez afficher et masquer) se trouvent dans des calques de niveau supérieur distincts et ne soient pas imbriqués dans des sous-calques. Par exemple, si vous créez une illustration qui sera réutilisée pour plusieurs langues, placez le texte de chaque langue dans un calque de niveau supérieur distinct.

2. Enregistrez le fichier au format Adobe PDF.

3. Dans la boîte de dialogue Enregistrer le fichier Adobe PDF, choisissez l'option Acrobat 8 (1.7) ou Acrobat 7 (1.6) dans le menu déroulant Compatibilité.

4. Cochez la case Créer des calques Acrobat d'après des calques de niveau supérieur, définissez d'autres options PDF, puis cliquez sur le bouton Enregistrer en PDF.

Extrait de l'Aide en ligne d'Adobe InDesign CS3.

Gestion d'objets au moyen d'une bibliothèque

Les bibliothèques d'objets servent à stocker et à organiser des images, du texte et des pages fréquemment utilisés. Vous pouvez également y ranger des repères, des grilles, des formes dessinées et des images groupées. Chaque bibliothèque apparaît sous la forme d'un panneau séparé qui peut être groupé avec d'autres panneaux. Vous pouvez créer autant de bibliothèques que vous le souhaitez, par exemple une pour chaque projet ou pour chaque client. Vous allez importer une image stockée dans une bibliothèque, puis vous créerez votre propre bibliothèque :

1. Si vous n'êtes pas déjà positionné sur la page 5, saisissez **5** dans le menu Pages, dans la partie inférieure de la fenêtre du document InDesign, pour accéder directement à cette page. Appuyez sur Entrée (Windows) ou Retour (Mac OS).

2. Choisissez Fichier > Ouvrir, sélectionnez le fichier 08_k.indl qui se trouve dans le dossier Lesson_08, et cliquez sur Ouvrir. Faites glisser le coin inférieur droit du panneau pour laisser apparaître davantage d'éléments.

3. Dans le panneau de la bibliothèque 08_k.indl, cliquez sur le bouton Afficher le sous-ensemble d'éléments de bibliothèque (⚙). Dans la dernière zone de la section Paramètres, saisissez **tree** (arbre) et cliquez sur OK.

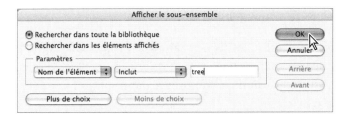

4. Assurez-vous que le panneau Liens est visible. Dans le panneau Calques, vérifiez que le calque Graphics est activé.

5. Depuis le panneau de la bibliothèque 08_k.indl, faites glisser Tree.psd vers la page 5. Le fichier est ajouté à la page et son nom apparaît dans le panneau Liens.

Note : Étant donné que vous avez copié Tree.psd de son emplacement d'origine vers votre disque dur, InDesign vous alertera peut-être sur le fait que ce fichier se trouve à un nouvel emplacement en affichant une icône d'alerte (⚠) dans le panneau Liens. Vous pouvez supprimer cet avertissement en choisissant la commande Mettre à jour le lien du menu du panneau Liens.

6. Avec l'outil Sélection (⬉), positionnez l'image Tree.psd comme indiqué ci-après.

Créer une bibliothèque

Maintenant, vous allez créer votre propre bibliothèque :

1. Choisissez Fichier > Nouveau > Bibliothèque. Saisissez **Projets CD** comme nom de fichier de la bibliothèque, naviguez jusqu'au dossier Lesson_08 et cliquez sur Enregistrer. La bibliothèque apparaît dans son propre panneau flottant, dotée du nom de fichier que vous avez spécifié.

2. Allez à la page 3. Activez l'outil Sélection (⬉) et faites glisser le logo "ricky records" vers la bibliothèque que vous avez créée. Il y est maintenant enregistré et peut être utilisé dans d'autres documents InDesign.

3. Dans la bibliothèque Projets CD, double-cliquez sur le logo "ricky records". Comme Nom de l'élément, saisissez **Logo**, puis cliquez sur OK.

4. À l'aide de l'outil Sélection, faites glisser l'adresse vers la bibliothèque que vous avez créée. Elle apparaît dans le panneau de la bibliothèque Projets CD.

5. Dans la bibliothèque Projets CD, double-cliquez sur l'adresse. Comme Nom de l'élément, entrez **Adresse** et cliquez sur OK. Votre bibliothèque contient du texte et des graphiques. Lorsque vous réaliserez des modifications dans votre bibliothèque, InDesign les enregistrera.

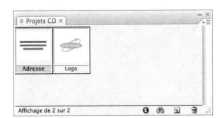

Note : *Les graphiques stockés dans une bibliothèque InDesign nécessitent néanmoins le fichier haute résolution original pour être imprimés. L'intégralité du fichier du graphique n'est pas copiée dans la bibliothèque mais cette dernière contient un lien vers le fichier source original.*

6. Fermez la bibliothèque.

Importation d'images avec Adobe Bridge

Adobe Bridge est une application à part intégrée à Adobe InDesign CS3. Elle permet de parcourir vos ordinateurs locaux ou distants et de rechercher des images à importer dans InDesign.

1. Choisissez Fichier > Parcourir pour lancer Adobe Bridge.

2. Dans le coin supérieur gauche de la fenêtre se trouve la section Favoris. Cette dernière contient la liste des différents emplacements qu'il vous est possible de parcourir pour rechercher des documents dans Adobe Bridge. Localisez le dossier Lesson_08 et double-cliquez dessus pour en afficher le contenu.

3. Adobe Bridge affiche les images contenues dans le dossier sous forme de vignettes. Cliquez une fois sur l'image nommée Leaf.psd pour la sélectionner. Cliquez ensuite une fois sur le nom du fichier et renommez-le **08_o.psd**. Appuyez sur la touche Entrée (Windows) ou Retour (Mac OS) pour valider votre modification. Il est parfois très utile de renommer des fichiers directement dans Adobe Bridge.

4. Si nécessaire, redimensionnez la fenêtre Adobe Bridge de sorte que le document InDesign soit visible à l'arrière-plan. Cliquez ensuite sur le fichier 08_o.psd et faites-le glisser jusqu'à la zone blanche de la table de montage, dans le document. Cliquez une fois dans le document pour retourner dans InDesign.

5. Positionnez l'image de la feuille dans le coin supérieur droit de la page 3, sur le dessus du cadre mauve.

6. Dans le panneau Liens, cliquez sur le fichier 08_j.psd pour le sélectionner, puis sur le bouton Atteindre le lien (). Cliquez du bouton droit (Windows) ou cliquez en appuyant sur Ctrl (Mac OS) sur l'image dans le document et choisissez Images > Faire apparaître dans Adobe Bridge. Vous passez ainsi d'InDesign à Bridge, où le fichier 08_j.psd est sélectionné.

7. Revenez dans InDesign puis enregistrez le fichier.

Félicitations ! Vous avez créé un livret de CD-ROM en important, en mettant à jour et en gérant des images à partir de différents formats de fichiers graphiques.

À vous de jouer

À présent que vous n'ignorez plus rien de l'importation de graphiques, testez vos connaissances :

1. Importez différents formats de fichiers en activant l'option Afficher les options d'importation de la boîte de dialogue Importer, et observez les options qui apparaissent pour chaque format. Pour une description complète de toutes les options disponibles pour chaque format, reportez-vous à l'Aide en ligne d'InDesign CS3.

2. Importez un fichier PDF de plusieurs pages en activant l'option Afficher les options d'importation, puis importez différentes pages de ce fichier une par une.

3. Créez des bibliothèques de texte et de graphiques pour votre projet.

Révisions

Questions

1. Comment peut-on déterminer le nom de fichier d'un graphique importé dans un document ?

2. Quelles sont les trois options de la fenêtre Masque, et que doit contenir un graphique importé pour que chaque option fonctionne ?

3. Quelle est la différence entre mettre à jour un lien de fichier et remplacer un fichier ?

4. Lorsqu'un graphique fait l'objet d'une mise à jour, comment peut-on s'assurer que cette dernière a été répercutée dans un document InDesign ?

Réponses

1. Il suffit de sélectionner le graphique et de choisir Fenêtre > Liens pour voir si le nom de fichier du graphique est mis en surbrillance dans le panneau Liens. Le graphique apparaît dans le panneau Liens s'il fait plus de 48 Ko sur le disque et s'il a été importé ou glissé-déposé depuis le Bureau.

2. La fenêtre Masque dans InDesign permet de créer un masque à partir d'un graphique importé en utilisant :

- l'option Détection des contours lorsqu'un graphique contient un fond noir ou blanc plein ;

- l'option de tracé Photoshop lorsqu'un fichier Photoshop contient un ou plusieurs tracés ;

- l'option de couche alpha lorsqu'un graphique contient une ou plusieurs couches alpha.

3. La mise à jour d'un lien requiert simplement l'utilisation du panneau Liens et agit sur la représentation du graphique sur écran afin qu'il s'affiche dans sa version la plus récente. Le remplacement d'un graphique sélectionné nécessite l'emploi de la commande Importer, afin d'insérer un autre graphique à la place. Si on veut modifier les options d'importation d'un graphique importé, on doit le remplacer.

4. Il faut vérifier le panneau Liens et s'assurer qu'aucune icône d'alerte n'est affichée pour le fichier. Si une icône d'alerte apparaît, on peut simplement sélectionner le lien et cliquer sur le bouton Mettre à jour le lien. Si le fichier a changé de place, on le localise grâce au bouton Créer un nouveau lien.

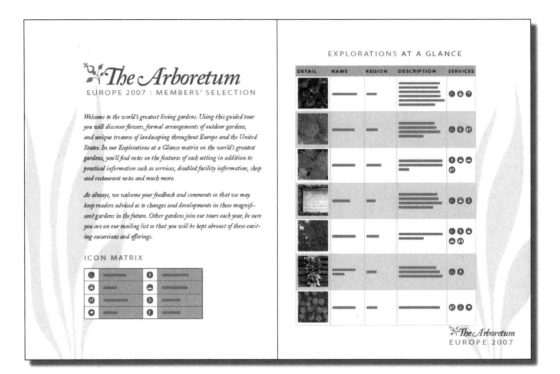

Les tableaux permettent de regrouper de grandes quantités d'informations de façon efficace. Avec InDesign, vous pouvez facilement créer des tableaux très élaborés. Vous pouvez soit définir vos propres tableaux, soit en importer à partir d'autres applications.

Créer des tableaux

Au cours de cette leçon, vous apprendrez à :

• importer des tableaux mis en forme à partir d'autres applications, comme Microsoft Word et Microsoft Excel ;

• mettre en forme des tableaux avec des lignes de couleurs alternées ;

• mettre en forme des cellules et des contours ;

• appliquer des couleurs à des lignes individuelles ;

• supprimer et redimensionner des colonnes ;

• définir des dimensions précises pour les colonnes ;

• placer un ou plusieurs graphiques dans une cellule ;

• mettre en forme le texte des tableaux, par colonnes et par lignes.

Mise en route

Vous travaillerez ici sur la double page d'un magazine fictif, composée avec des tableaux d'informations que vous allez mettre en forme. Vous les développerez à l'aide du panneau Tableau qui autorise un contrôle complet sur divers tableaux.

Note : *Si vous ne l'avez pas déjà fait, copiez les fichiers de cette leçon – qui se trouvent sur le CD-ROM* Adobe InDesign CS3 Classroom in a Book – *sur votre disque dur. Reportez-vous à la section "Copie des fichiers d'exercices de* Classroom in a Book" *de l'Introduction.*

1. Pour vous assurer que le fonctionnement des outils et des panneaux sera exactement tel que décrit au fil de cette leçon, supprimez ou désactivez les fichiers de préférences en suivant la procédure détaillée à la section "Rétablissement des préférences par défaut" de l'Introduction.

2. Lancez Adobe InDesign CS3.

3. Allez dans Fichier > Ouvrir. Choisissez le fichier 9_a.indd qui se trouve dans les dossiers IDCIB/Lessons/Lesson_09.

4. Choisissez Fichier > Enregistrer sous, renommez le fichier **9_jardins.indd** et enregistrez-le dans le dossier Lesson_09.

5. Pour voir à quoi ressemblera le document terminé, ouvrez le fichier 9_b.indd qui se trouve dans le même dossier. Vous pouvez le conserver ouvert afin qu'il vous serve de guide pendant que vous travaillez. Lorsque vous êtes prêt à ouvrir le document de la leçon, choisissez son nom dans le menu Fenêtre.

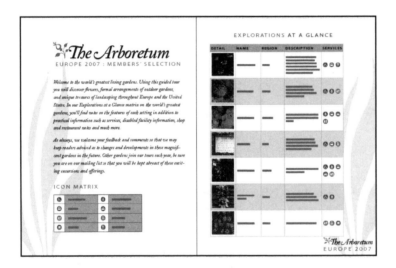

Dans le panneau Pages du document 9_jardins.indd, vous remarquerez que les pages 1 et 2 se trouvent sur des doubles pages différentes. Par la suite, vous les placerez en vis-à-vis dans une même double page, afin qu'elles soient numérotées 2 et 3.

6. Dans le panneau Pages, double-cliquez pour sélectionner la page 1. Depuis le menu de ce panneau (▾≣), choisissez Options de numérotation et de section, puis cochez l'option Début de numérotation des pages, et saisissez **2**. Cliquez sur OK pour fermer la boîte de dialogue.

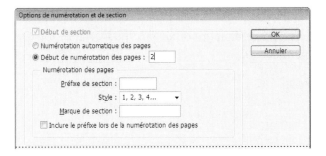

7. Dans le menu du panneau Pages, désélectionnez Autoriser la réorganisation de la planche sélectionnée. Cette option permet d'éviter que ces deux pages soient séparées au cas où vous devriez ajouter ou supprimer des pages.

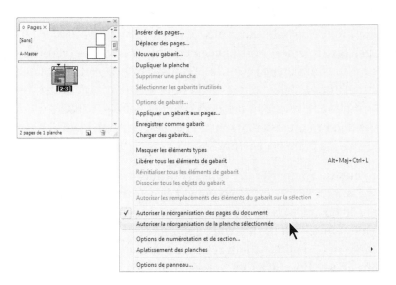

8. Ouvrez le panneau Calques et procédez aux réglages suivants :

– (Facultatif) Cliquez sur l'icône de l'œil (👁) du calque Leaves (Feuilles) afin de le masquer. Cela vous évitera de cliquer accidentellement sur les feuilles de l'arrière-plan.

– Sélectionnez le calque Table (Tableau) pour l'activer.

– Verrouillez le calque Text pour éviter de le modifier par inadvertance lorsque vous travaillerez sur le premier tableau.

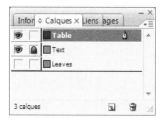

Importation et mise en forme d'un tableau

Comme vous avez déjà utilisé des tableaux, vous savez qu'il s'agit de grilles de cellules individuelles placées en lignes (horizontalement) et en colonnes (verticalement). La bordure est un contour placé sur le périmètre extérieur de la totalité du tableau. Les contours des cellules sont les lignes qui séparent ces cellules. En outre, de nombreux tableaux présentent des lignes ou des colonnes spéciales qui décrivent la catégorie d'informations qui y sont contenues. Généralement, il s'agit de la première ligne ou de la première colonne.

InDesign CS3 est en mesure d'importer des tableaux depuis d'autres applications, dont Microsoft Word et Microsoft Excel. Vous pouvez également créer un lien vers ces fichiers externes afin que, si vous les modifiez, les informations dans InDesign soient automatiquement mises à jour. Ici, vous importerez un tableau créé dans Word et qui contient toutes les informations relatives à la visite d'un jardin. Vous le placerez dans votre illustration InDesign, informations organisées en lignes et en colonnes.

1. Dans le panneau Pages, double-cliquez sur la page 3 pour la centrer dans la fenêtre du document.

2. Choisissez Affichage > Grilles et repères et vérifiez que la commande Magnétisme de la grille est activée. Si la commande Afficher les repères est disponible dans ce menu, sélectionnez-la.

Pour créer un lien vers un document Microsoft Word, afin de pouvoir mettre à jour le fichier par la suite, vous devez modifier vos préférences.

3. Choisissez Édition > Préférences > Texte (Windows) ou InDesign > Préférences > Texte (Mac OS). Dans la section Liens, cochez la case Créer des liens avec les fichiers de texte et de feuilles de calcul importés, puis cliquez sur OK.

4. À l'aide de l'outil Texte (T), cliquez pour placer le point d'insertion dans le bloc de texte bordeaux de la page 3. Vous allez y placer le fichier.

5. Choisissez Fichier > Importer, puis naviguez jusqu'au dossier Lesson_09 et double-cliquez sur le fichier 9_c.doc. Cliquez sur OK dans la boîte de dialogue Options d'importation Microsoft Word si celle-ci apparaît. Si une boîte de dialogue indiquant qu'il manque des polices de caractères s'affiche, cliquez sur OK.

6. Le texte se répartit dans le bloc. Comme il s'agit d'un tableau, le texte va automatiquement à la ligne dans les cellules et s'adapte aux cellules. Vous pouvez réaliser des sélections aux niveaux des lignes et des colonnes, ou même sélectionner la totalité du tableau.

EXPLORATIONS AT A GLANCE

Garden name	Location	Description	Services	1999 Tour
Anreuten-Wynne	Looten	Small gardens; outbuildings and historical ornament of note; guided tours provided Tues–Sat at noon; bookstore with publications on gardening and on Anreuten-Wynne.	disabled, bus, dining	Yes
Bilsettre Manor	Mornay	Mansion estate; unusual collection of rare peonies and topiary; open only April through October.	Disabled, baby, retail	Yes
Caledonia Place	Caledonia	Former college; five buildings and reflecting pool, sculpture garden.	Baby, bus, taxi, retail	No
Ducca D'oro	Arepa	Garden reflects designs of original owners, landscape designers with French formal gardening background.	Disabled, bus, lockers	Yes
Dveenoide Pilke	Denham	Unusual greenhouse and rare blooming plants.	Disabled, baby, bus, taxi, retail	No
Filbenne Grand Gardens	Sutton	Very grand garden estate currently undergoing major renovations; most areas open.	Disabled, baby	Yes
G'honoré-Wyatt	Limson	Mansion, extensive gardens.	Retail, lockers, coffee	No

Il est possible que vous voyiez un point rouge dans l'une des colonnes. Il indique que la colonne n'est pas assez large pour le texte qu'elle contient.

7. Si c'est le cas, modifiez la largeur de la colonne en plaçant le pointeur Texte sur sa bordure et, lorsque vous voyez une icône en forme de double flèche horizontale, faites glisser la colonne pour l'élargir.

Vous êtes prêt maintenant pour mettre en forme votre tableau.

Mettre en forme les bordures et alterner les couleurs des lignes

InDesign CS3 inclut de nombreuses options de mise en forme faciles à utiliser pour les tableaux. Vous rendrez ainsi vos tableaux à la fois attractifs et simples à comprendre pour vos lecteurs, afin qu'ils retrouvent les informations dont ils ont besoin, rapidement et simplement.

1. À l'aide de l'outil Zoom (⚲), cliquez dans la zone supérieure gauche de la page 3 pour augmenter le grossissement à 100 % ou plus. Sélectionnez l'outil Texte (**T**).

2. Déplacez le pointeur vers l'angle supérieur gauche du tableau importé (il se transforme en flèche diagonale épaisse), et cliquez pour sélectionner la totalité du tableau.

Augmentez l'agrandissement si vous éprouvez des difficultés à obtenir la flèche diagonale. Autre méthode pour sélectionner la totalité du tableau : cliquez avec l'outil Texte n'importe où dans le tableau, puis choisissez Tableau > Sélectionner > Tableau. Si vous n'avez pas sélectionné l'outil Texte, cette commande ne sera pas disponible.

3. Choisissez Tableau > Options de tableau > Format de tableau, ou sélectionnez la même commande dans le menu du panneau Tableau ( ). La boîte de dialogue Options de tableau s'ouvre sur l'onglet Format de tableau.

4. Sous la section Bordure du tableau, réglez les options suivantes :

– Épaisseur : **1 pt** ;

– Type : Plein ;

– Couleur : [Noir] ;

– Teinte : **50 %**.

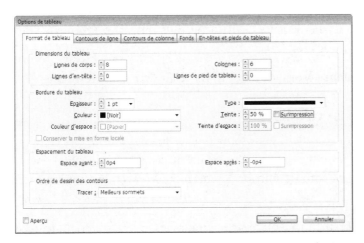

5. Cliquez ensuite sur l'onglet Fonds et réglez les options suivantes :

– Pour le champ Motif en alternance, sélectionnez Une ligne sur deux.

– À gauche, sélectionnez les valeurs de la couleur : C = **43**, M = **0**, Y = **100**, K = **56**, puis choisissez une Teinte de **20 %**.

– À droite, sélectionnez la couleur [Papier].

– Dans Ignorer premières, saisissez **1** afin que les couleurs alternatives commencent à la ligne 2 (la ligne sous les titres).

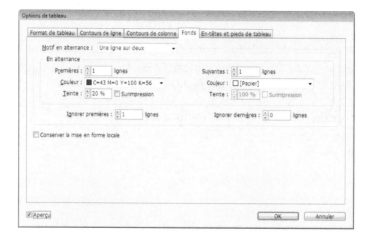

6. Cliquez sur OK pour fermer la boîte de dialogue, puis choisissez Édition > Tout désélectionner afin de voir les résultats.

Les lignes paires présentent désormais un fond vert clair derrière le texte noir.

Modifier le contour des cellules

Les contours des cellules sont des lignes individuelles placées autour des cellules. Vous pouvez modifier les lignes noires par défaut ou les supprimer totalement. Vous allez modifier ces contours afin de les harmoniser avec les bordures du tableau.

1. Sélectionnez l'outil Texte (T). Déplacez le pointeur vers le coin supérieur gauche du tableau jusqu'à ce qu'il se transforme en flèche diagonale, puis cliquez pour sélectionner la totalité du tableau.

2. Choisissez Tableau > Options de cellule > Contours et fonds ou choisissez cette même commande à partir du menu Tableau (▼≡).

3. Dans la zone Contour de cellule, sélectionnez les options suivantes :

– Épaisseur : **1 pt** ;

– Texte : Plein ;

– Couleur : [Noir] ;

– Teinte : **50 %**.

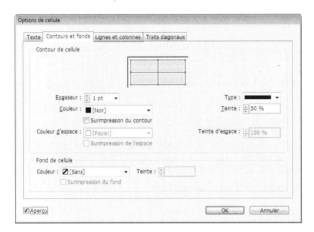

4. Cliquez sur OK, puis choisissez Édition > Tout désélectionner pour voir les résultats de votre mise en forme.

Mettre en forme les cellules du titre

Une autre manière de faciliter la lecture du tableau est de présenter les catégories différemment des données. En distinguant les catégories, vos lecteurs retrouveront plus facilement les informations dont ils ont besoin. Vous allez donc créer des encarts, de sorte que le texte ne colle pas aux contours des cellules, puis vous attribuerez aux lignes du titre un fond coloré différent.

1. À l'aide de l'outil Texte (T), déplacez le pointeur sur le bord gauche de la première ligne jusqu'à ce qu'il apparaisse sous forme de flèche horizontale épaisse (→). Cliquez ensuite pour sélectionner entièrement la première ligne.

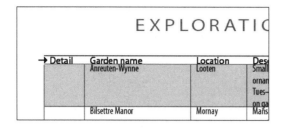

2. Choisissez Tableau > Options de cellule > Texte.

3. Sous l'onglet Texte, réglez les options suivantes :

– Sous Marges de cellules, saisissez **0p3,6** dans le champ De tête, puis cliquez sur le bouton Uniformiser tous les paramètres (🕷) pour remplir automatiquement les champs De pied, Gauche et Droite avec les mêmes valeurs.

– Sous Justification verticale, dans le champ Alignement, sélectionnez Centrer.

– Pour le champ Première ligne de base, vérifiez que l'option Décalage est réglée sur Ascendante. Laissez la boîte de dialogue ouverte.

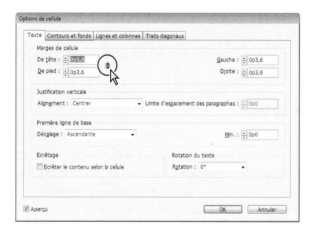

4. Cliquez sur l'onglet Contours et Fonds, laissez les valeurs Contour de cellule telles quelles (1 pt, Plein, [Noir], 50 %). Pour l'option Couleur, sous Fond de cellule, sélectionnez C = **43**, M = **0**, Y = **100**, K = **56**. Configurez une teinte de **40 %**, et laissez la boîte de dialogue ouverte.

5. Cliquez sur l'onglet Lignes et colonnes et, pour Hauteur de la ligne, sélectionnez Égale à dans le menu déroulant, puis saisissez **2p0**.

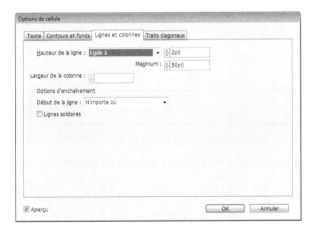

6. Cliquez sur OK pour fermer la boîte de dialogue, puis désélectionnez le tout pour voir le résultat de votre travail.

La ligne de titre du tableau est maintenant mise en forme : texte blanc sur fond vert foncé.

Effacer une colonne

Après avoir créé ou importé un tableau, vous pouvez ajouter ou supprimer des lignes ou des colonnes entières. Il est possible de supprimer simplement le contenu d'une cellule, d'une ligne ou d'une colonne, mais également la cellule, la ligne ou la colonne elles-mêmes. Ces deux techniques diffèrent légèrement, vous allez donc les appliquer toutes les deux.

Les informations de la colonne droite de ce tableau étant obsolètes, vous allez la supprimer :

1. Avec l'outil Texte (T), déplacez le pointeur vers le bord supérieur de la colonne 6 (la dernière colonne à droite) jusqu'à ce qu'il se transforme en flèche pointant vers le bas (↓). Cliquez ensuite pour sélectionner la totalité de la colonne.

2. Choisissez Tableau > Supprimer > Colonne. Toute la colonne disparaît.

Note : Pour supprimer uniquement le contenu d'une colonne, sélectionnez-la et appuyez sur la touche Suppr.

💡 *Vous trouverez d'autres commandes dans le menu Tableau et dans le menu du panneau Tableau pour insérer d'autres colonnes et d'autres lignes, pour effacer des lignes ou des tableaux et pour sélectionner des lignes, des colonnes, des cellules et des tableaux complets.*

Insertion de graphiques dans des tableaux

Vous pouvez utiliser les tableaux InDesign pour associer du texte, des photographies et des illustrations. Les techniques employées sont aussi simples que lorsqu'il s'agit de travailler avec du texte.

Vous allez ajuster la mise en forme de votre tableau afin que les cellules aient la taille correcte pour contenir les graphiques que vous y placerez.

Définir des dimensions fixes pour les lignes et les colonnes

Vous pouvez définir les formats des cellules, des colonnes ou des lignes avec des mesures précises. Ici, vous ajusterez le format de la première colonne afin que des images entrent joliment dans les cellules :

1. À l'aide de l'outil Texte (T), sélectionnez la première colonne, soit en faisant glisser le curseur de haut en bas, soit en cliquant sur le bord supérieur de la colonne lorsque la flèche pointant vers le bas apparaît (↓). Vous pouvez aussi cliquer dans n'importe quelle cellule de la colonne et choisir Tableau > Sélectionner > Colonne.

2. Choisissez Fenêtre > Texte et tableaux > Tableau pour afficher le panneau. Dans l'option Largeur de la colonne (⊞), saisissez **6p10,8** puis appuyez sur Entrée (Windows) ou Retour (Mac OS). Cliquez ensuite n'importe où dans le tableau pour annuler la sélection de la colonne.

3. L'outil Texte toujours activé, faites glisser le curseur vers le bas, depuis la deuxième cellule de la première colonne. Sélectionnez toutes les cellules *à l'exception* de la cellule de titre en haut de la colonne.

4. Dans le panneau Tableau, définissez l'option Hauteur de la ligne sur Égale à, et saisissez **6p10,8**. Appuyez sur Entrée/Retour.

Importer des images dans les cellules d'un tableau

Pour vous épargner une perte de temps, la plupart des images que vous placerez dans le tableau sont déjà situées sur la table de montage de ce document. Il vous suffira de couper puis de coller ces images dans les cellules de la première colonne du tableau. Pour commencer, vous allez importer une image qui ne fait pas encore partie du fichier InDesign :

1. Avec l'outil Texte (**T**), cliquez dans la première cellule de la deuxième ligne pour créer un point d'insertion (juste sous la cellule "Detail").

2. Choisissez Fichier > Importer et recherchez le fichier 9_d.tif dans le dossier Lesson_9. Si la boîte de dialogue Options d'importation d'image apparaît, cliquez sur OK. Ouvrez le fichier. L'image apparaît dans la première cellule.

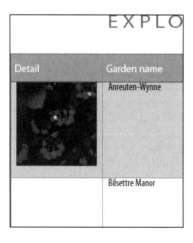

3. Double-cliquez sur l'icône de la page 3 dans le panneau Pages pour centrer la page dans la fenêtre du document. Rendez le calque des feuilles visible si vous l'aviez masqué précédemment.

4. À l'aide de l'outil Sélection (⬉), sélectionnez la photo du haut sur la table de montage, puis choisissez Édition > Couper.

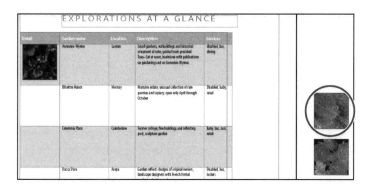

5. Double-cliquez pour placer un point d'insertion dans la cellule suivante, sous la photo placée à l'étape 2 (dans la troisième ligne de la première colonne).

6. Choisissez Édition > Coller.

7. Continuez de couper puis de coller chacune des images restantes dans les cellules vides de la colonne 1, de haut en bas.

💡 *Vous pouvez temporairement passer de l'outil Sélection à l'outil Texte en appuyant sur la touche Ctrl (Windows) ou Cmd (Mac OS).*

Note : Il est impossible de faire glisser des éléments dans les cellules des tableaux. Cette opération reviendrait simplement à positionner l'élément au-dessus ou au-dessous du tableau, dans l'ordre d'empilage, et non à placer l'élément dans une cellule. Les tableaux imposent d'employer l'outil Texte pour placer un contenu dans les cellules.

Placer plusieurs images dans une cellule

Pour l'essentiel, les images placées dans les cellules de tableau sont intégrées dans le texte. De ce fait, il est possible d'ajouter autant d'images que nécessaire dans une cellule. La seule limite est la taille de la cellule.

1. À l'aide de l'outil Zoom (🔍), cliquez et faites glisser le curseur pour isoler le coin supérieur droit de la page 3, y compris les icônes situées sur la table de montage.

2. Masquez les panneaux en cliquant sur leur onglet afin de ne pas gêner la visibilité des graphiques situés sur la table de montage. À l'aide de l'outil Sélection (➤), sélectionnez l'icône de la chaise roulante, sur la table de montage.

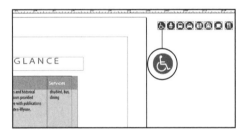

3. Choisissez Édition > Copier.

4. Basculez sur l'outil Texte (T) et recherchez, dans la colonne 5, la première apparition du mot *Disabled* (handicapé). Sélectionnez-le ainsi que la virgule. Il est probablement plus simple de sélectionner également l'espace entre ce mot et le suivant.

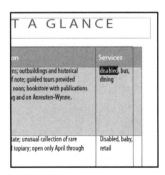

5. Choisissez Édition > Coller. Si vous avez sélectionné l'espace après la virgule, appuyez sur la barre d'espacement pour ajouter un espace après l'icône.

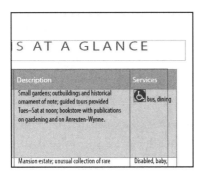

6. Recherchez les autres instances du mot *Disabled* dans les autres cellules de cette colonne, sélectionnez-les et collez l'icône pour remplacer le texte.

7. Répétez la totalité de la procédure pour chacun des mots et des icônes restants : Baby (bébé), Bus, Taxi, Lockers (Cadenas), Retail (Magasin), Coffee (Café) et Dining (Restauration).

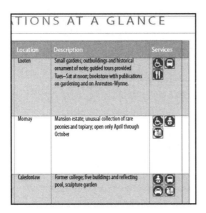

Note : Si vous n'êtes pas certain de la signification des icônes, sélectionnez-les avec l'outil Sélection, puis regardez le panneau Liens pour découvrir les fichiers correspondants. Les fichiers d'icônes ont des noms assez évocateurs (en anglais).

Étant donné que vous n'avez pas encore ajusté les largeurs des colonnes, vos icônes risquent de se chevaucher verticalement à cette étape du travail. Vous résoudrez ce problème à la prochaine section.

8. Cliquez sur l'onglet du panneau Pages pour l'afficher de nouveau , puis double-cliquez sur l'icône de la page 3 pour la centrer.

Mise en forme du texte dans un tableau

Il faut maintenant, dans votre projet de tableau, apporter quelques derniers ajuste-ments afin que le texte, les images et l'espacement du tableau s'harmonisent avec le reste de la page.

Modifier les styles de paragraphe importés dans un tableau

Si vous avez compris la méthode pour mettre en forme du texte dans les blocs de texte, l'enrichissement du texte des tableaux ne vous posera pas de problème.

1. À l'aide de l'outil Texte (T), sélectionnez le mot "name" dans la première ligne de votre tableau. Dans le panneau Styles de paragraphe, vous voyez que le style de paragraphe "header" est appliqué à ce texte. Ce style a été importé en même temps que le document Microsoft Word dans lequel il a été mis en forme à l'origine. Vous allez le mettre à jour avec une nouvelle mise en forme.

2. Dans le panneau Contrôle, configurez les paramètres suivants :

– Police : Myriad Pro ;

– Style : Regular ;

– Corps : **10 pt** ;

– Interligne : **14 pt** ;

– Casse : Petites capitales ;

– Approche : **150** ;

– Échelle horizontale : **125 %**.

3. Dans le panneau Nuancier, choisissez Noir pour le texte.

4. Dans le panneau Styles de paragraphe, vous devez maintenant voir un signe plus (+) à côté du style header. Dans le menu du panneau (▾≡), choisissez Redéfinir le style.

Des parties de texte risquent de ne plus se placer correctement dans les cellules. Le problème, signalé par un point rouge à l'intérieur des cellules, sera réglé à l'étape suivante.

5. Dans la troisième colonne, sélectionnez le mot "Looten". Dans le panneau Styles de paragraphe, vous voyez que le style de paragraphe est "bodytable". Il a lui aussi été importé en même temps que le document Microsoft Word où il a été mis en forme à l'origine. Vous allez également mettre à jour ce style avec une nouvelle mise en forme.

6. Dans le panneau Contrôle, configurez les paramètres suivants :

– Police : Myriad Pro ;
– Style : Regular ;
– Corps : **8 pt** ;
– Interligne : **10 pt**.

7. Dans le panneau Styles de paragraphe, vous devez maintenant voir un signe plus (+) à côté du style bodytable. Dans le menu du panneau (▾≡), choisissez Redéfinir le style.

Créer un nouveau style de cellule

Comme vous l'avez fait à la Leçon 7, vous allez créer un nouveau style de cellule qui contient le style de paragraphe que vous venez de modifier, ainsi que la mise en forme de la cellule. Le texte doit être centré verticalement.

1. Sélectionnez l'outil Texte (T) puis cliquez pour placer le point d'insertion dans le mot "Looten".

2. Sélectionnez Fenêtre > Texte et tableaux > Styles de cellule. Dans le menu du panneau Styles de cellule (▾≡), choisissez Nouveau style de cellule.

3. Nommez ce style **Corps tableau**.

4. Dans la liste Styles de paragraphe, sélectionnez **bodytable**. Cela permet de placer le style dans la mise en forme de la cellule.

5. Sélectionnez Texte dans la partie gauche de la boîte de dialogue. Dans la section Marges de la cellule, saisissez **0p5** dans le champ De tête, puis cliquez sur l'icône Uniformiser tous les paramètres pour donner la même valeur aux champs De pied, Gauche et Droite.

6. Dans la section Justification verticale, sélectionnez l'option Centrer dans la liste Alignement.

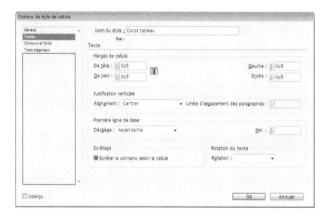

7. Cliquez sur OK. Le nouveau style Corps tableau doit s'afficher dans le panneau Styles de cellule.

8. À l'aide de l'outil Texte (T), sélectionnez toutes les lignes et les colonnes (à l'exception de la ligne d'en-tête), puis cliquez sur Corps tableau pour appliquer le nouveau style à toutes les cellules sélectionnées. Même s'il n'y a pas de texte dans la première colonne, vous pouvez constater que les photos sont centrées.

Note : *Si, après avoir effectué l'opération, le texte ne change pas et que vous voyiez un signe plus (+) à côté du style, appuyez sur la touche Alt (Windows) ou Option (Mac OS) lorsque vous sélectionnez le style.*

Vous remarquez dans la dernière colonne que l'interligne est trop petit pour les icônes. Vous allez le modifier.

9. L'outil Texte (T) activé, sélectionnez les trois icônes dans la cellule en haut de la dernière colonne.

10. Dans le panneau Contrôle, augmentez l'interligne à **20 pt**.

11. Dans le menu du panneau (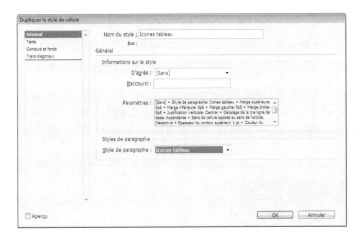), sélectionnez Nouveau style de paragraphe. Le nouvel interligne s'affiche dans la boîte de dialogue Nouveau style de paragraphe.

12. Nommez ce style **Icônes tableau**, puis cliquez sur OK.

13. Choisissez Fenêtre > Texte et tableaux > Styles de cellule pour afficher le panneau Styles de cellule. Puisque vous allez utiliser un style analogue au style Corps tableau mais avec un style de paragraphe différent, cliquez sur le style Corps tableau, puis choisissez Dupliquer un style.

14. La boîte de dialogue Dupliquer le style de cellule s'ouvre et affiche les mêmes paramètres que le style Corps tableau.

15. Nommez le style **Icônes tableau**.

16. Dans la section Styles de paragraphe, sélectionnez Icônes tableau dans la liste Style de paragraphe.

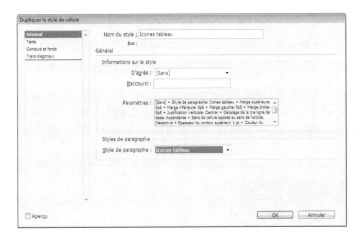

17. Cliquez sur OK. Le nouveau style Icônes tableau s'affiche dans le panneau Styles de cellule. Avec l'outil Texte, sélectionnez les cellules avec les icônes vertes (à l'exception de la ligne d'en-tête), puis cliquez sur le style Icônes tableau dans le panneau Styles de cellule, afin d'appliquer ce nouveau style.

Le contenu des cellules doit maintenant être correctement mis en forme. Si cela est nécessaire, modifiez les largeurs de colonnes.

Ajuster la taille d'une colonne

Lorsqu'un bloc de texte ordinaire contient un texte qui n'entre pas dans l'espace assigné, le port de sortie du bloc affiche un signe plus (+) rouge, indiquant ainsi qu'il existe du texte en excès. Vous pouvez alors soit agrandir le bloc de texte, soit faire continuer l'article dans un autre bloc de texte.

Dans les tableaux, c'est le même procédé : le texte ou les graphiques qui n'entrent pas dans les cellules sont également désignés par l'appellation *en excès*, et signalés par un petit cercle rouge dans le coin inférieur droit de la cellule. Les cellules de tableau ne pouvant être liées, vous devrez soit augmenter la taille de la cellule pour qu'elle puisse contenir tout le texte, soit rétrécir ce dernier.

Pour ce tableau, vous allez redimensionner le contenu afin que tous les éléments y entrent joliment :

1. Grossissez l'aperçu de la page en appuyant sur les touches Ctrl+2 (Windows) ou Cmd+2 (Mac OS). Vous atteignez ainsi le niveau de grossissement de 200 %.

2. Déplacez l'outil Texte (T) sur la ligne verticale qui sépare les colonnes 2 et 3 jusqu'à ce que le pointeur se transforme en double flèche (↔), puis faites glisser la marge de la colonne vers la droite pour la redimensionner afin de laisser plus de place pour l'en-tête.

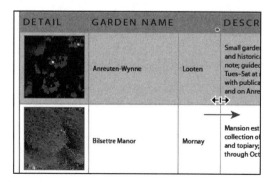

3. De gauche à droite, redimensionnez chacune des colonnes afin que le contenu entre dans la cellule. Définissez également le bord droit du tableau afin qu'il s'aligne sur le repère de la marge verticale, du côté droit de la page.

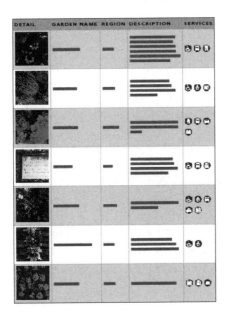

4. Désélectionnez tout, choisissez Affichage > Ajuster la planche à la fenêtre, puis enregistrez votre travail.

Finitions

Vous avez presque terminé votre travail. Procédez aux derniers réglages comme suit :

1. Dans le panneau Outils, cliquez sur le bouton Mode Aperçu.

2. Appuyez sur la touche Tab pour masquer tous les panneaux et voir le résultat de votre travail.

Félicitations ! Vous avez maintenant terminé cette leçon. Pour plus d'informations sur les tableaux, reportez-vous à l'Aide en ligne du logiciel.

À vous de jouer

Maintenant que vous connaissez les bases de la mise en forme des tableaux, vous pouvez tester d'autres techniques pour aller plus loin :

1. Pour créer un nouveau tableau, faites défiler l'écran au-delà de la double page sur la table de montage, et faites glisser l'outil Texte (T) pour créer un nouveau bloc de texte. Puis choisissez Tableau > Insérer un tableau, et entrez le nombre de lignes et de colonnes souhaitées.

2. Pour entrer des informations dans votre tableau, vérifiez que le point d'insertion clignotant se trouve dans la première cellule, puis saisissez. Pour passer à la cellule suivante sur la même ligne, appuyez sur Tab. Pour passer à la cellule suivante dans la même colonne, appuyez sur la flèche Bas.

3. Pour ajouter une colonne à l'aide de la souris, déplacez l'outil Texte sur le bord droit de l'une des colonnes du tableau, afin que le pointeur se transforme en double flèche. Maintenez la touche Alt (Windows) ou Option (Mac OS) enfoncée, puis faites glisser le curseur sur une courte distance vers la droite, à environ 2 cm. Lorsque vous relâchez, une nouvelle colonne apparaît, de la largeur du déplacement du curseur.

4. Pour combiner plusieurs cellules en une seule, sélectionnez-les toutes. Choisissez Tableau > Fusionner les cellules. Pour convertir le tableau en texte, choisissez Tableau > Convertir le tableau en texte. Des tabulations seront utilisées pour séparer les anciennes colonnes et des sauts de paragraphe pour séparer les anciennes lignes. Vous pouvez également modifier ces options. De la même façon, vous pouvez convertir du texte avec des tabulations en tableau, en le sélectionnant puis en choisissant Tableau > Convertir le texte en tableau.

5. Pour faire pivoter du texte, cliquez à l'aide de l'outil Texte dans la cellule fusionnée que vous venez de créer. Choisissez Fenêtre > Tableau pour faire apparaître le panneau, et sélectionnez l'option Rotation du texte de 270° (⊢). Puis saisissez le texte dans la cellule.

Révisions

Questions

1. Pourquoi utiliser des tableaux plutôt que du texte, lorsqu'on envisage ensuite d'appliquer des tabulations qui serviront à séparer les colonnes?

2. À quel moment risque-t-on d'obtenir des cellules contenant du texte en excès?

3. Quel outil est employé le plus souvent lorsqu'on travaille avec des tableaux?

Réponses

1. Les tableaux offrent plus de flexibilité et sont bien plus simples à mettre en forme. Dans un tableau, le texte peut être réparti dans une cellule; il n'est donc pas nécessaire d'ajouter des lignes supplémentaires pour agencer les cellules contenant de nombreux mots. On peut aussi attribuer des styles à des lignes, colonnes et cellules individuelles, et même des styles de caractère et de paragraphe, chaque cellule étant en effet considérée comme un paragraphe séparé.

2. Les cellules contenant du texte en excès apparaissent quand les dimensions d'une cellule sont limitées et que le contenu est plus important que la taille définie. Ce phénomène survient lorsque la largeur et la hauteur de la cellule (ou des lignes et colonnes) ont été définies spécifiquement. Dans le cas contraire, le texte placé dans une cellule s'y répartira; la cellule s'étendra alors verticalement afin que le texte soit correctement agencé. Lorsqu'on place un graphique dans une cellule qui ne possède pas de limites de taille définies, la cellule s'étend également verticalement mais pas horizontalement, afin que la colonne conserve sa largeur d'origine.

3. Pour travailler sur un tableau, l'outil Texte est le plus employé. D'autres outils sont également utilisés pour travailler avec les graphiques contenus dans des cellules de tableaux. Cependant, pour agir sur le tableau lui-même, par exemple pour sélectionner des lignes ou des colonnes, insérer du texte ou des graphiques, ajuster les dimensions du tableau, etc., on doit travailler avec l'outil Texte.

InDesign CS3 propose toute une gamme
de fonctions de transparence qui stimuleront
votre imagination et votre créativité.
Non seulement vous contrôlerez l'opacité et
les mélanges des couleurs, mais vous pourrez
également travailler sur des fichiers importés
et exportés qui utilisent la transparence.

Travailler avec la transparence

Au cours de cette leçon, vous apprendrez à :

• colorer une image importée en noir et blanc ;

• modifier l'opacité des objets dessinés dans InDesign ;

• ajuster les réglages de transparence pour les images importées ;

• appliquer des réglages de transparence à du texte ;

• appliquer des modes de fusion aux objets superposés ;

• appliquer un contour progressif aux objets ;

• appliquer plusieurs effets à un objet ;

• modifier et supprimer les effets.

Mise en route

Le projet de cette leçon est le menu d'un restaurant fictif, le *Bistro Nouveau*. En appliquant des effets de transparence à l'aide d'une série de calques, vous allez produire une mise en page visuellement riche.

Note : Si vous ne l'avez pas déjà fait, copiez les fichiers de cette leçon – qui se trouvent sur le CD-ROM Adobe InDesign CS3 Classroom in a Book *– sur votre disque dur. Reportez-vous à la section "Copie des fichiers d'exercices de* Classroom in a Book*" de l'Introduction.*

1. Pour vous assurer que le fonctionnement des outils et des panneaux sera exactement tel que décrit au fil de cette leçon, supprimez ou désactivez les fichiers de préférences en suivant la procédure détaillée à la section "Rétablissement des préférences par défaut" de l'Introduction.

2. Lancez Adobe InDesign CS3.

3. Allez dans Fichier > Ouvrir, et choisissez le fichier 10_a.indd qui se trouve dans les dossiers IDCIB/Lessons/Lesson_10.

4. Dans Fichier > Enregistrer sous, nommez le fichier **10_Menu.indd** et enregistrez-le dans le dossier Lesson_10.

Le menu apparaît sous forme de page vierge ; en effet, tous les calques sont actuellement masqués. Vous allez les afficher un à un lorsque vous en aurez besoin.

5. Pour voir à quoi ressemblera le projet finalisé, choisissez Fichier > Ouvrir et ouvrez le fichier 10_b.indd qui se trouve dans le même dossier.

6. Lorsque vous êtes prêt à commencer à travailler, vous pouvez soit fermer le fichier 10_b.indd qui vous sert d'exemple, soit choisir Fenêtre > 10_Menu.indd pour revenir à votre document, en conservant l'exemple du fichier terminé ouvert en guise de référence.

Importation et coloration d'une image en noir et blanc

Vous allez commencer par travailler avec le calque d'arrière-plan du menu. Ce calque tient lieu de fond à la texture aléatoire ; il sera visible au travers des objets disposés par-dessus et qui disposent de réglages de transparence. Étant donné qu'il n'y a rien sous ce calque dans la pile, vous n'aurez pas besoin de modifier son opacité.

1. Dans le panneau Calques, sélectionnez le calque Background, en faisant défiler le contenu du panneau si nécessaire. Vérifiez que les deux cases à gauche de son nom indiquent qu'il est visible (l'icône de l'œil (👁) apparaît) et déverrouillé (l'icône de verrouillage (🔒) est absente). L'icône de plume (✒) qui se trouve à droite indique qu'il s'agit du calque sur lequel tout objet importé sera placé ou tout bloc créé.

2. Choisissez Affichage > Grilles et repères > Afficher les repères.

3. Allez dans Fichier > Importer, puis sélectionnez et ouvrez le fichier 10_bg.tif dans votre dossier Lesson_10.

4. Déplacez l'icône de graphique chargé (📷) vers l'angle supérieur gauche de la page, à l'emplacement où les repères de fond perdu se croisent, et cliquez afin que l'image remplisse la totalité de la page, y compris les marges. Une fois le graphique importé, il demeure sélectionné. Ne le désélectionnez pas.

Note : *Si vous ne voyez pas les repères de fond perdu sur la page, choisissez Affichage > Grilles et repères > Afficher les repères.*

5. Choisissez Fenêtre > Nuancier et sélectionnez la case Fond (■). Faites défiler la liste des nuances et choisissez la teinte Light Green. Cliquez sur Teinte, puis faites glisser le curseur à **76 %**. Les zones blanches de l'image sont maintenant teintées à 76 % de la couleur verte, mais les zones noires restent telles quelles. Choisissez Édition > Tout désélectionner.

6. Dans le panneau Outils, utilisez l'outil Sélection directe ( ) pour activer à nouveau l'image, puis choisissez la teinte Light Green dans le panneau Nuancier. La couleur Light Green remplace le noir dans l'image d'origine et laisse les zones remplies de Light Green 76 % comme elles étaient.

Note : L'outil Sélection directe apparaît sous forme de main ( ) lorsqu'il se trouve sur un bloc, mais il sélectionne tout de même le contenu du bloc d'image lorsque vous cliquez.

7. Dans le panneau Calques, sélectionnez la case vide à gauche du nom du calque Background pour le verrouiller. Laissez le calque visible afin de voir les résultats du travail de transparence que vous effectuerez au-dessus de ce calque.

Il s'agit là d'une méthode rapide pour convertir une image en niveaux de gris en image couleur. Bien que cette méthode soit parfaite pour créer des composites, les commandes de couleur disponibles dans Adobe Photoshop CS3 sont généralement plus efficaces pour votre produit final.

Application de réglages de transparence

Les commandes relatives à la transparence d'InDesign CS3 sont particulièrement efficaces. Non seulement elles permettent de modifier l'opacité des fonds et contours des objets, du texte, ou encore des images importées, mais également d'utiliser des modes de fusion, des contours progressifs et des ombres portées.

Dans ce projet, vous vous entraînerez à appliquer les diverses options de transparence disponibles sur chacun des calques du menu.

Panneau Effets

Le panneau Effets (Fenêtre > Effets) permet de définir l'opacité et le mode de fusion des objets et des groupes, de limiter la portée de la fusion aux objets d'un groupe spécifique, de masquer les objets d'un groupe ou d'appliquer un effet de transparence.

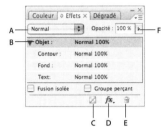

A. Mode de fusion. B. Niveaux. C. Effacer les effets.
D. Bouton fx. E. Supprimer. F. Modifier l'opacité.

Présentation du panneau Effets

Mode de fusion. Détermine le mode d'interaction entre les couleurs des objets transparents et les objets situés derrière (recherchez Définition du mode de fusion des couleurs, dans l'Aide en ligne).

Opacité. Définit l'opacité d'un objet, contour, fond ou texte (recherchez Définition de l'opacité d'un objet, dans l'Aide en ligne).

Niveau. Indique les paramètres d'opacité d'objet, de contour, de fond ou de texte de l'objet et si des effets de transparence sont appliqués. Cliquez sur l'icône en forme de triangle située à gauche du mot Objet (ou Groupe ou Graphique) pour afficher ou masquer ces paramètres de niveau. L'icône FX apparaît sur un niveau lorsque vous lui appliquez des paramètres de transparence. Cliquez deux fois dessus pour modifier les paramètres.

Fusion isolée. Applique un mode de fusion à un groupe d'objets sélectionné (recherchez Modes de fusion isolée, dans l'Aide en ligne).

Groupe perçant. Permet aux attributs d'opacité et de fusion de chaque objet d'un groupe de masquer ou bloquer les objets sous-jacents d'un groupe (recherchez Masquage des objets d'un groupe, dans l'Aide en ligne).

Bouton Tout effacer. Supprime les effets (contour, fond ou texte) appliqués à un objet, rétablit le mode de fusion Normal et redéfinit le paramètre Opacité à 100 % sur l'ensemble de l'objet.

Bouton fx. Affiche une liste des effets de transparence (recherchez Application d'effets de transparence, dans l'Aide en ligne).

Extrait de l'Aide en ligne d'Adobe InDesign CS3.C

Modifier l'opacité d'objets de couleur unie

L'image d'arrière-plan étant prête, vous pouvez commencer à ajouter de la transparence aux calques empilés par-dessus. Vous commencerez avec une série de formes simples dessinées dans InDesign CS3 :

1. Dans le panneau Calques, sélectionnez le calque Art1 afin de l'activer, puis cliquez sur la petite case à gauche de son nom pour le déverrouiller. Cliquez sur la case à l'extrême gauche de son nom pour le rendre visible : l'icône d'œil apparaît (👁).

2. À l'aide de l'outil Sélection (➤), cliquez sur le cercle rempli avec le dégradé jaune/vert à droite de la page. Ce bloc est une ellipse avec un fond uni, dessiné dans InDesign.

Note : Choisissez Fenêtre > Nuancier pour ouvrir le panneau du même nom pour cet exercice. Les formes seront nommées en fonction de la nuance de couleur employée pour le fond.

3. Choisissez Fenêtre > Effets pour ouvrir le panneau du même nom.

4. Dans le panneau Effets, cliquez sur la flèche qui se situe à droite du pourcentage d'Opacité. Vous accédez alors au bouton glissoir. Faites-le glisser et définissez l'Opacité à **70 %**. Vous pouvez également saisir directement 70 % dans l'option Opacité et appuyer sur Entrée (Windows) ou Retour (Mac OS).

Une fois la transparence ajustée, la barre mauve est visible sous l'ellipse jaune/verte.

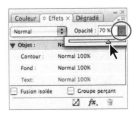

5. Sélectionnez le demi-cercle vert clair en haut à gauche de la page. Dans le panneau Effets, réglez l'Opacité à **50 %**. Le demi-cercle apparaît désormais comme une légère variation de couleur par rapport au fond.

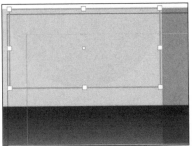 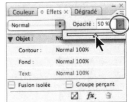

Sélectionnez l'image.   *Réglez l'opacité à 50 %.*

6. Répétez les étapes 4 et 5 pour chacun des demi-cercles unis du calque Art1, à l'aide des réglages suivants :

– côté gauche, ellipse au milieu, vert moyen, Opacité = **60 %** ;

– côté gauche, ellipse en bas, violet clair, Opacité = **70 %** ;

– côté droit, ellipse, violet avec un contour noir, Opacité = **60 %** ;

– côté droit, en bas, demi-cercle, vert clair, Opacité = **50 %**.

Appliquer le mode de fusion

Un réglage d'opacité crée une couleur qui combine les valeurs de couleur de l'objet avec les objets qui se trouvent dessous. Les *modes de fusion* offrent une autre méthode pour créer des interactions de couleurs entre les objets disposés sur des calques.

Dans cette section, vous modifierez une première fois l'opacité, puis vous appliquerez le mode de fusion Produit aux mêmes objets.

1. À l'aide de l'outil Sélection (↖), sélectionnez le cercle jaune/vert qui se trouve au milieu à droite de la page.

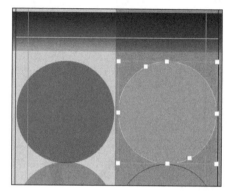

2. Dans le panneau Effets, ouvrez le menu déroulant des modes de fusion (qui affiche actuellement Normal) et sélectionnez Incrustation. Remarquez le changement dans l'apparence des couleurs.

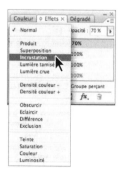

3. Sélectionnez le demi-cercle vert clair en bas à droite de la page, puis, en maintenant la touche Maj enfoncée, cliquez sur le demi-cercle en haut à gauche de la page. Appliquez-leur le mode de fusion Produit, de la même façon qu'à l'étape 2.

4. Choisissez Fichier > Enregistrer.

Pour plus d'informations sur les différents modes de fusion, reportez-vous à la rubrique "Options du mode de fusion" dans l'Aide d'InDesign. Cette rubrique décrit les résultats générés par chacun de ces modes.

Ajuster des réglages de transparence pour les images EPS

Jusqu'à présent, vous avez appliqué différents réglages de transparence aux objets dessinés dans InDesign. Vous pouvez également régler la valeur d'opacité et le mode de fusion pour les images importées dans des logiciels comme Adobe Illustrator.

1. Dans le panneau Calques, déverrouillez et affichez le calque Art2.

2. Dans le panneau Outils, activez l'outil Sélection (▸).

3. Sur le côté gauche de la page, cliquez sur l'image de la spirale noire, qui se trouve en haut du cercle de couleur vert moyen. Appuyez ensuite sur la touche Maj et cliquez également sur la spirale qui se trouve au-dessus du cercle violet clair, sur le côté droit de la page. Les deux spirales sont maintenant sélectionnées.

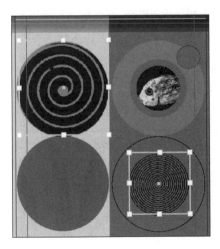

4. Dans le panneau Effets, sélectionnez le mode de fusion Densité couleur – et réglez Opacité sur **30 %**.

Vous allez maintenant appliquer un mode de fusion au contour d'un objet.

5. À l'aide de l'outil Sélection, cliquez sur l'image du poisson à droite de la page. Dans le panneau Effets, cliquez sur l'option Contour, placée sous l'Objet. Les modifications que vous apportez à l'opacité ou au mode de fusion seront appliquées au contour de l'objet sélectionné.

6. Dans la liste Mode de fusion, sélectionnez Lumière crue.

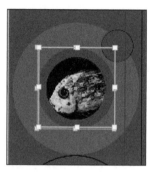
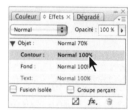

Sélectionnez l'image.   *Sélectionnez l'option Contour.*   *Choisissez Lumière crue.*

7. Dans le panneau Calques, cliquez sur la case qui se situe à gauche du nom du calque Art2 pour le verrouiller, puis choisissez Fichier > Enregistrer.

Ajuster la transparence pour les images Photoshop

Vous allez appliquer de la transparence à un fichier Photoshop importé. Pour cet exemple, nous utilisons une image monochrome, mais vous pouvez également appliquer ces réglages à des photographies multicolores complexes.

1. Dans le panneau Calques, sélectionnez le calque Art3 et cliquez sur les cases adéquates pour le rendre visible et le déverrouiller. Pour une meilleure visibilité, vous pouvez cliquer sur l'icône d'œil (👁) pour masquer soit le calque Art1, soit le calque Art2, ou encore les deux, mais affichez au moins un calque sous-jacent afin de voir les résultats des interactions de transparence.

2. À l'aide de l'outil Sélection (🔺), cliquez sur l'image de l'étoile noire dans l'angle supérieur droit de la page.

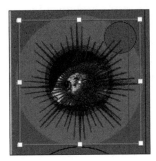

3. Dans le panneau Effets, entrez **70 %** comme valeur d'Opacité.

4. Passez à l'outil Sélection directe (🔺), déplacez le pointeur sur l'image de l'étoile afin qu'il apparaisse sous forme de main (🖐), puis cliquez une fois pour sélectionner à nouveau l'image.

5. Dans le panneau Nuancier, sélectionnez la nuance Red afin que la couleur rouge remplace les zones noires de l'image. Si d'autres calques sont visibles sous le calque Art3, l'étoile apparaît en orange estompé. Si aucun autre calque n'est visible, l'étoile est rouge. Laissez l'image de l'étoile sélectionnée ou activez-la à nouveau à l'aide de l'outil Sélection directe.

6. Dans le panneau Effets, sélectionnez le mode de fusion Superposition dans le menu déroulant. Laissez la valeur d'Opacité à 100 %. Selon les calques visibles, l'étoile change de couleur de diverses manières.

Importer et ajuster des fichiers Illustrator utilisant la transparence

Lorsque vous importez des fichiers Adobe Illustrator dans votre illustration InDesign, le logiciel reconnaît et préserve toute interaction de transparence appliquée dans Illustrator. Vous pouvez encore ajuster la transparence de l'image importée en appliquant des réglages InDesign pour l'opacité, les modes de fusion et le contour progressif de l'image entière.

1. Vérifiez que le calque Art3 est activé dans le panneau Calques et l'outil Sélection (➤) dans le panneau Outils, puis choisissez Édition > Tout désélectionner.

2. Allez dans Affichage > Ajuster la page à la fenêtre.

3. Choisissez Fichier > Importer. Cochez la case Afficher les options d'importation qui se situe dans la partie inférieure de la boîte de dialogue.

4. Localisez le fichier 10_d.ai dans votre dossier Lesson_10 et double-cliquez dessus pour le sélectionner.

5. Dans la boîte de dialogue Importation PDF, assurez-vous que l'option Cadre de sélection de la zone Recadrer selon est sélectionnée, puis cliquez sur OK.

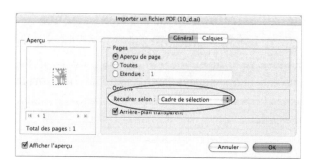

6. Positionnez le curseur, qui a pris la forme de l'icône de graphique chargé (), sur le cercle violet au milieu du côté droit de la page, et cliquez pour importer l'image. Si nécessaire, faites-la glisser afin qu'elle soit approximativement centrée sur le cercle violet. Prenez garde de ne pas placer l'image dans un bloc existant.

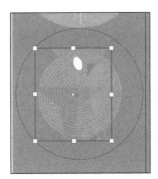

7. Dans le panneau Calques, cliquez sur les icônes de l'œil pour les calques Art2, Art1 et Background afin que seul le calque Art3 apparaisse et que vous puissiez voir les interactions des couleurs de transparence dans l'image d'origine. Cliquez ensuite à nouveau sur les cases pour rendre les calques Art2, Art1 et Background visibles. La forme représentant une olive blanche est opaque alors que les autres formes sont partiellement transparentes.

8. Le graphique des verres étant toujours sélectionné, positionnez le réglage Opacité dans le panneau Effets à **80 %**. Vous remarquerez que la spirale noire der-rière l'olive blanche ainsi que les verres ont une couleur plus subtile. Ne désélec-tionnez pas le graphique des verres.

9. Toujours dans le panneau Effets, choisissez le mode de fusion Densité cou-leur +. Désormais, les couleurs et les interactions de l'image prennent un caractère complètement différent.

10. Enregistrez votre travail.

Appliquer des réglages de transparence au texte

Modifier l'opacité du texte est aussi simple que d'appliquer des réglages de transparence à des objets graphiques dans la mise en page. Vous allez modifier la couleur et l'opacité de certains mots que vous ajouterez.

1. Dans le panneau Calques, verrouillez le calque Art3, puis déverrouillez et affichez le calque Type.

2. Dans le panneau Outils, choisissez l'outil Sélection (▶), puis cliquez sur le bloc de texte "I THINK, THEREFORE I DINE". Si nécessaire, zoomez en avant afin de lire facilement le texte.

3. Dans le panneau Effets, cliquez sur Texte, sélectionnez le mode de fusion Incrustation, et entrez **70 %** comme valeur d'Opacité.

Note : Il est impossible de spécifier des options de transparence lorsque l'outil Texte est actif. Activez l'outil Sélection pour que ces options puissent de nouveau être appliquées au bloc de texte et à son contenu.

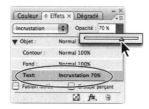

4. Choisissez Édition > Tout désélectionner, puis Fichier > Enregistrer.

Appliquer des réglages de transparence au fond d'un bloc de texte

Vous allez à présent modifier l'opacité du fond d'un bloc de texte.

1. Dans le panneau Outils, choisissez l'outil Sélection (▶), puis cliquez sur le bloc de texte "Boston | Chicago | Denver | Houston | Minneapolis". Si nécessaire, zoomez en avant afin de lire facilement le texte.

2. Dans le panneau Effets, sélectionnez Fond et entrez **70 %** comme valeur d'Opacité.

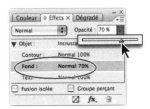

3. Choisissez Édition > Tout désélectionner, puis Fichier > Enregistrer.

Utilisation des effets

InDesign propose neuf effets de transparence. Nombreux sont les paramètres et les options similaires pour créer ces effets.

Les effets de transparence

Ombre portée. Ajoute une ombre tombant derrière l'objet, le contour, le fond ou le texte.

Ombre interne. Ajoute une ombre tombant juste à l'intérieur des bords de l'objet, du contour, du fond ou du texte, lui conférant un aspect encastré.

Lueur externe et **Lueur interne.** Ajoute une lueur qui émane des bords extérieurs ou intérieurs de l'objet, du contour, du fond ou du texte.

Biseau et estampage. Ajoute différentes combinaisons de tons clairs et foncés pour donner un aspect 3D au texte et aux images.

Satin. Applique un ombrage interne qui donne une touche satinée.

Contour progressif simple, **Contour progressif directionnel** et **Contour progressif dégradé.** Possibilité de lisser les contours d'un objet en les rendant transparents.

Extrait de l'Aide en ligne d'Adobe InDesign CS3.

Appliquer un contour progressif simple aux marges d'une image

Une autre manière d'appliquer de la transparence à un objet consiste à utiliser les contours progressifs. On trouve trois types de contours progressifs dans InDesign CS3 : Contour progressif simple (lisse les bords d'un objet en les rendant transparents sur une distance précise), Contour progressif directionnel (lisse les bords d'un objet en les rendant transparents dans une direction précise), Contour progressif dégradé (lisse des zones d'un objet en les rendant transparentes). Vous allez commencer par appliquer un contour progressif simple, puis vous terminerez par un contour progressif dégradé.

1. À l'aide de l'outil Sélection, déverrouillez le calque Art 1, puis sélectionnez le cercle rempli de violet clair, à gauche de la page.

2. Sélectionnez Objet > Effets > Contour progressif simple. La boîte de dialogue Effets s'ouvre.

3. Dans Épaisseur de contour progressif, saisissez **0,375 pouce**. Laissez l'option Angles sur Diffus. Modifiez les valeurs Maigri à **10 %** et Bruit à **10 %**. La case Aperçu étant cochée, vous pourrez constater que les marges du cercle violet sont maintenant floues. Cliquez sur OK pour fermer la boîte de dialogue.

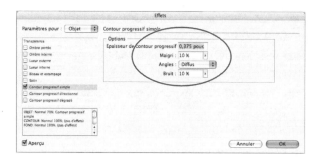

4. Choisissez Fichier > Enregistrer.

Appliquer un contour progressif dégradé

On emploie un effet de contour progressif dégradé pour lisser les zones d'un objet en les rendant transparentes. Ce type d'effet est l'une des nouveautés d'InDesign CS3. C'est l'une de celles que nous avons le plus utilisées.

1. Si nécessaire, déverrouillez le calque Art1. À l'aide de l'outil Sélection (⬉), cliquez sur la barre verticale violet clair, placée à droite de la page, sur le calque Art1.

2. Dans le panneau Effets, cliquez sur le bouton Fx (*fx.*), au bas du panneau, puis sélectionnez Contour progressif dégradé, dans le menu qui s'affiche.

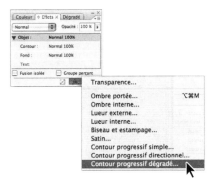

3. La boîte de dialogue Effets s'ouvre. Cliquez sur le bouton Inverser le dégradé (⇄) pour inverser les couleurs noir et transparent. Cliquez sur OK pour fermer la boîte de dialogue.

Note : Dans la boîte de dialogue Effets, les cases cochées dans la partie gauche indiquent les effets qui sont appliqués à l'objet sélectionné. Il est possible d'appliquer plusieurs effets à un objet.

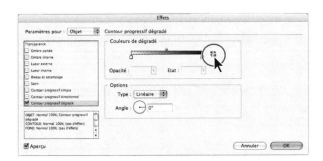

4. Le rectangle violet doit devenir transparent progressivement de la droite vers la gauche. Vous allez contrôler la direction de ce dégradé. Dans le panneau Outils, cliquez et maintenez sur l'outil Nuance de dégradé afin d'afficher l'outil Contour progressif dégradé. Sélectionnez cet outil. Tout en maintenant la touche Maj enfoncée, faites glisser le curseur de bas en haut sur le rectangle violet pour modifier la direction du dégradé. Si vous n'obtenez pas le résultat souhaité, essayez de nouveau.

5. Choisissez Édition > Tout désélectionner, puis Fichier > Enregistrer.

Appliquer plusieurs effets aux objets

Plusieurs types d'effets peuvent être appliqués aux objets. Vous pouvez, par exemple, donner l'impression qu'un objet est estampé à l'aide de l'effet Biseau et estampage ou créer l'illusion qu'un objet flotte sur la page en ajoutant une ombre portée. Vous allez découvrir ces effets ici.

1. À l'aide de l'outil Sélection (🢱), sélectionnez le demi-cercle vert clair dans le coin supérieur gauche de la page.

2. Dans le panneau Effets, cliquez sur le bouton Fx (*fx.*), au bas du panneau, puis sélectionnez Biseau et estampage, dans le menu qui s'affiche.

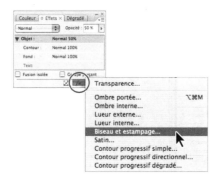

3. Dans la boîte de dialogue Effets, assurez-vous que la case Aperçu est cochée, puis, dans la section Structure, configurez les options suivantes :

– Changez la valeur de Taille pour **0,3125 pouce**.

– Changez la valeur d'Atténuation pour **0,3125 pouce**, également.

– Changez la valeur de Profondeur pour **30 %** en cliquant sur la flèche à droite du champ, puis en faisant glisser le curseur qui apparaît.

4. Conservez les autres paramètres avec leur valeur par défaut et laissez la boîte de dialogue Effets ouverte. Pour plus d'informations sur les paramètres, consultez la rubrique correspondante ("Biseau et estampage", par exemple) dans l'Aide en ligne d'InDesign. Ici, nous décrivons les paramètres pour les effets de transparence.

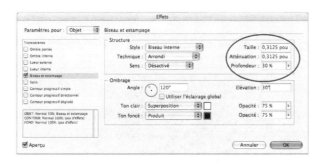

5. Dans la boîte de dialogue Effets, cochez la case à gauche de Lueur externe, pour ajouter cet effet au demi-cercle.

6. Cliquez sur l'élément Lueur externe dans la partie de gauche de la boîte de dialogue pour configurer les paramètres suivants :

– Sélectionnez Produit dans la liste Mode.

– Dans Opacité, saisissez **80 %**.

– Dans Taille, saisissez **0,25 pouce**.

– Dans Grossi, saisissez **10 %**.

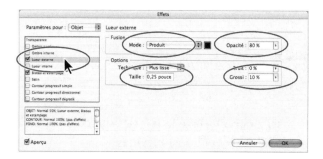

7. Cliquez sur OK pour fermer la boîte de dialogue.

Maintenant, vous allez appliquer les mêmes paramètres à l'autre demi-cercle de la page.

8. Double-cliquez sur l'outil Main (🖑) pour ajuster la page à la fenêtre.

9. Le demi-cercle du coin supérieur gauche étant toujours sélectionné et le panneau Effets toujours visible, utilisez l'outil Sélection pour cliquer sur l'icône Fx (à droite d'Objet) et la faire glisser sur le demi-cercle vert placé dans le coin inférieur droit de la page.

Note : *Si vous ratez le demi-cercle vert, sélectionnez Édition > Annuler, puis essayez de nouveau.*

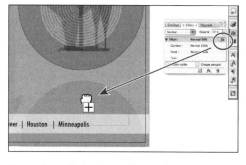
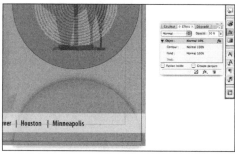

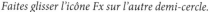

Faites glisser l'icône Fx sur l'autre demi-cercle.   *Résultat.*

10. Dans le panneau Calques, cliquez sur l'icône d'œil (👁) pour désactiver la visibilité du calque Art3. Cliquez et faites glisser le même effet sur le cercle gris, placé au-dessus et à droite du poisson.

11. Choisissez Fichier > Enregistrer.

Note : Lorsque vous exportez votre document InDesign sous forme de fichier Adobe PDF, la transparence est préservée lors de la création d'un fichier dans Adobe Acrobat version 5.0 ou supérieure.

Modifier et supprimer les effets

Vous pouvez modifier ou supprimer très facilement les effets que vous avez appliqués. Vous pouvez également vérifier rapidement si des effets sont appliqués à un objet précis.

1. Dans le panneau Calques, assurez-vous que le calque Art1 est déverrouillé et visible.

2. À l'aide de l'outil Sélection (🔖), cliquez sur la barre noire placée derrière le texte "Bistro Nouveau".

3. Dans le panneau Effets, cliquez sur le bouton Fx (*fx.*) placé au bas du panneau. Notez que dans le menu qui s'affiche, l'élément Contour progressif dégradé est coché. Choisissez cette option dans le menu.

4. La boîte de dialogue Effets s'affiche. Dans la section Couleurs de dégradé, cliquez sur le curseur placé tout à droite, puis modifiez la valeur Opacité à **30 %**. Modifiez aussi la valeur Angle à **90°**.

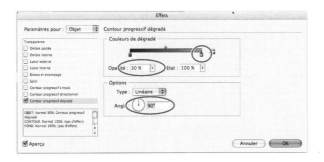

5. Cliquez sur OK pour fermer la boîte de dialogue Effets.

Vous allez maintenant supprimer un effet d'un objet.

6. Avec l'outil Sélection, cliquez sur le petit cercle gris à droite et au-dessus de l'image du poisson (à droite de la page).

7. Au bas du panneau Effets, cliquez sur le bouton Effacer les effets (▨) pour supprimer tous les effets appliqués au cercle.

Note : Cette commande supprime également toutes les modifications de transparence telles que l'opacité d'un objet.

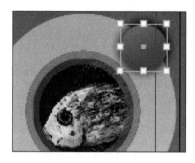

Sélectionnez le cercle.   *Cliquez sur le bouton Effacer les effets.*

💡 *Si vous souhaitez supprimer des effets appliqués à un objet sans toucher à l'opacité ou à la fusion, choisissez Objet > Effets > Effacer les effets.*

8. Dans le panneau Calques, cochez le calque Art3 de manière à le rendre visible.

9. Sélectionnez Fichier > Enregistrer.

Félicitations ! Vous avez terminé cette leçon.

À vous de jouer

Essayez certaines des méthodes suivantes pour travailler avec les options de transparence d'InDesign :

1. Faites défiler l'écran jusqu'à une zone vide de la table de montage et créez certaines formes (à l'aide des outils de dessin ou en important de nouvelles copies des fichiers images utilisés dans cette leçon) sur un nouveau calque. Positionnez les formes afin qu'elles se superposent, au moins partiellement. Puis, procédez comme suit :

– Sélectionnez l'objet le plus haut dans votre agencement de formes et testez les autres modes de fusion, comme Luminosité, Lumière crue et Différence, en les choisissant dans le panneau Effets. Sélectionnez ensuite un objet différent et choisissez les mêmes modes de fusion pour comparer les résultats. Lorsque vous aurez compris la manière dont fonctionnent les différents modes, sélectionnez tous les objets et choisissez le mode de fusion Normal.

– Dans le panneau Effets, modifiez la valeur d'Opacité de certains des objets seulement. Sélectionnez ensuite différents objets dans votre agencement, et utilisez Objet > Disposition > En arrière et Objet > Disposition > En avant pour observer les différents résultats.

– Testez des combinaisons de différentes opacités et différents modes de fusion appliqués à un objet. Puis faites la même chose avec d'autres objets qui chevauchent partiellement le premier pour explorer les nombreux effets qu'il est possible d'obtenir.

2. Double-cliquez sur l'icône de la page 1 dans le panneau Pages pour la centrer dans la fenêtre de document. Essayez ensuite de cliquer sur les icônes d'œil pour les différents calques Art, un à la fois, pour voir la différence dans l'effet général du projet.

3. Assurez-vous que tous les calques sont déverrouillés. Cliquez sur l'image des verres pour la sélectionner. Appliquez une ombre portée à l'aide du panneau Effets.

Révisions

Questions

1. Comment modifier la couleur des zones blanches d'une image en noir et blanc? Et pour les zones noires?

2. Comment modifier les effets de transparence sans toucher à la valeur d'Opacité d'un objet?

3. Quelle est l'importance de l'ordre d'empilage des calques et des objets sur les calques lorsqu'on travaille avec la transparence?

4. Les effets de transparence créés dans InDesign CS3 apparaîtront-ils dans un fichier PDF importé à partir d'InDesign?

Réponses

1. Pour modifier la couleur des zones blanches, il suffit de sélectionner l'objet à l'aide de l'outil Sélection, puis de choisir la couleur dans le panneau Nuancier. Pour modifier les zones noires, on sélectionne l'objet avec l'outil Sélection directe, puis on choisit la couleur dans le panneau Nuancier.

2. Outre la sélection de l'objet et la modification de la valeur d'Opacité dans le panneau Effets, on peut aussi créer des effets de transparence en modifiant le mode de fusion, les différents contours progressifs de l'objet ou en ajoutant des ombres portées ou des effets de biseau et d'estampage. Les modes de fusion déterminent la manière dont la *couleur de base* et la *couleur de fusion* seront associées pour produire la *couleur résultat*.

3. La transparence d'un objet affecte l'affichage des objets qui se trouvent dessous (derrière) dans l'ordre d'empilage. Par exemple, les objets présents sous un objet semi-transparent sont visibles à travers, comme s'il s'agissait d'un film en plastique coloré. Les objets opaques bloquent l'affichage de la zone qui se trouve derrière dans l'ordre d'empilage, même si les objets qui se trouvent derrière possèdent des valeurs d'Opacité réduites, de contour progressif, de modes de fusion ou de tout autre effet.

4. Oui, à condition d'exporter le fichier PDF en utilisant les paramètres de compatibilité d'Adobe Acrobat 5.0 ou version ultérieure. La transparence est ainsi préservée dans le fichier PDF résultant.

Il est possible d'assembler des documents InDesign sous forme de livres composés de plusieurs fichiers et de numéroter les pages de manière automatique. Les fonctionnalités du livre dans InDesign permettent également de créer des tables des matières et des index, mais aussi d'imprimer et de convertir au format PDF de multiples fichiers en une étape.

Assembler
de longs documents

Au cours de cette leçon, vous apprendrez à :

• associer plusieurs documents InDesign dans un livre ;

• contrôler la numérotation des pages de plusieurs documents ;

• créer une table des matières ;

• désigner un fichier comme source de définition des styles ;

• mettre à jour les fichiers du livre après modification de documents ;

• insérer des références d'index ;

• générer un fichier d'index et trier les entrées ;

• modifier des références d'index.

Mise en route

Dans ce projet, vous allez rassembler une série de documents InDesign CS3, chacun constituant un chapitre d'un livre de cuisine. Vous grouperez ces chapitres afin de créer facilement des éléments communs, comme une table des matières, un index, une numérotation unifiée des pages, des styles et des définitions de couleurs.

Note : *Si vous ne l'avez pas déjà fait, copiez les fichiers de cette leçon – qui se trouvent sur le CD-ROM* Adobe InDesign CS3 Classroom in a Book *– sur votre disque dur. Reportez-vous à la section "Copie des fichiers d'exercices de* Classroom in a Book*" de l'Introduction.*

Pour vous assurer que le fonctionnement des outils et des panneaux sera exactement tel que décrit au fil de cette leçon, supprimez ou désactivez les fichiers de préférences en suivant la procédure détaillée à la section "Rétablissement des préférences par défaut" de l'Introduction.

Création d'un livre

Votre projet consistera à rassembler six chapitres dans un *livre*. Un livre permet de spécifier des relations entre plusieurs fichiers, y compris le choix de ces fichiers et leur ordre d'apparition.

Les fichiers d'exemple que vous utiliserez pour ce projet sont extraits d'un livre de cuisine intitulé *Powerful Food for Powerful Minds & Bodies*.

En premier lieu, vous allez renommer les huit fichiers du projet comme suit :

– Renommez intro.indd **Intro.indd**.

– Renommez snacks.indd **Encas.indd**.

– Renommez treats.indd **Desserts.indd**.

– Renommez breakfast.indd **PetitDej.indd**.

– Renommez lunch.indd **Déjeuner.indd**.

– Renommez dinner.indd **Dîner.indd**.

– Renommez TOC.indd **TDM.indd**.

– Renommez index.indd **Index.indd**.

Créer un fichier de livre

La prochaine tâche consiste à définir les documents InDesign qui feront partie du livre :

1. Lancez Adobe InDesign CS3.

2. Choisissez Fichier > Nouveau > Livre.

3. Dans la boîte de dialogue Nouveau livre, saisissez **Livre.indb** comme nom de fichier, et enregistrez-le dans le dossier Lesson_11. Le panneau Livre s'ouvre, mais il est vide car vous n'avez pas encore spécifié les fichiers InDesign qui composeront le livre.

Note : Si une boîte de dialogue s'ouvre et vous demande de remplacer un fichier exis-tant, confirmez l'opération.

Note : Un fichier .indb est un fichier de livre qui ouvre le panneau Livre. Il ne contient pas la copie de chacun des documents InDesign qui constituent le livre, mais leur référence (ou lien).

4. Dans le menu du panneau Livre (▾≡), choisissez Ajouter un document, pour ouvrir la boîte de dialogue Ajouter des documents.

5. Dans le dossier Lesson_11, sélectionnez les documents InDesign CS3 PetitDej, Déjeuner, Dîner, Intro, Encas et Desserts. N'ajoutez ni l'index, ni la table des matières pour l'instant.

💡 *Pour sélectionner l'ensemble des fichiers, cliquez sur l'un des six documents, puis appuyez sur Ctrl (Windows) ou Cmd (Mac OS) tout en cliquant sur chacun des cinq autres fichiers. Vous pouvez également ajouter les documents un à un, en répé-tant les étapes 4 à 5 pour chacun des six fichiers.*

6. Les six fichiers étant sélectionnés, cliquez sur Ouvrir.

Les six noms des documents apparaissent maintenant dans le panneau Livre. Vous remarquerez que les numéros des pages de chaque chapitre sont également visibles.

7. Examinez chacun des six documents répertoriés dans le panneau Livre et notez l'ordre dans lequel ils apparaissent. L'ordre du panneau Livre peut différer de l'illustration précédente, en fonction de l'ordre dans lequel vous avez sélectionné et ajouté les fichiers.

Définir l'ordre et la pagination

Dans ce livre de cuisine, les chapitres doivent être organisés suivant l'ordre d'apparition des différents documents qui le composent, en l'occurrence Intro, PetitDej, Déjeuner, Dîner, Encas et enfin Desserts. Votre prochaine tâche consiste à les organiser dans l'ordre approprié pour le livre, afin que la suite et la numérotation des pages se fassent de manière cohérente :

1. Dans le panneauLivre, cliquez sur le fichier Intro.indd et faites-le glisser vers le haut de la liste. Lorsqu'une barre noire apparaît juste sous l'onglet Livre, relâchez la souris. La pagination a changé ; elle reflète maintenant le nouvel ordre des documents dans le livre.

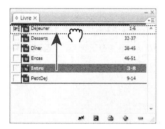

2. Faites glisser les autres fichiers vers leur emplacement dans la liste afin qu'ils apparaissent dans l'ordre suivant (de haut en bas) : Intro, PetitDej, Déjeuner, Dîner, Encas et Desserts.

Chaque chapitre doit commencer sur une page impaire afin d'assurer une présentation cohérente, tout au long du livre. Vous allez donc maintenant les paramétrer de sorte qu'ils débutent ainsi.

3. Dans le menu du panneau Livre (▾≡), choisissez Options de numérotation des pages du livre.

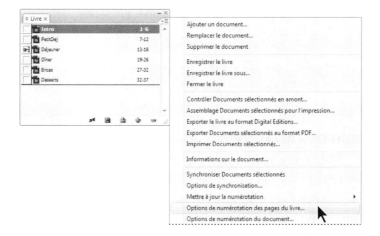

4. Dans la section Ordre des pages de la boîte de dialogue qui apparaît, sélection-nez À la suite de la page impaire suivante. Cochez la case Insérer une page blanche afin qu'InDesign ajoute une page blanche à la fin d'un document pour permettre le démarrage du suivant sur une page impaire. Cochez la case Mettre à jour automati-quement les numéros de page et de section. Cliquez sur OK. Tous les chapitres commenceront sur une page impaire. Maintenant vous allez modifier le numéro de la première page du livre.

5. Dans le panneau Livre, cliquez une fois sur le fichier Intro pour le sélectionner, puis choisissez Options de numérotation du document dans le menu du panneau.

6. Cochez l'option Début de numérotation des pages, et saisissez **3** afin que la pre-mière page du document apparaisse sur la page 3. Puis cliquez sur OK.

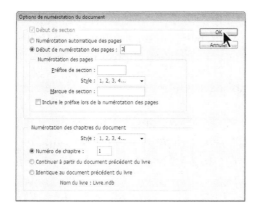

7. Choisissez Fichier > Enregistrer, puis Fichier > Fermer pour fermer le document Intro. Ne fermez pas le panneau Livre.

Note : Sélectionner la commande Options de numérotation du document dans le menu du panneau Livre ouvre aussi automatiquement le fichier.

Édition d'une table des matières

Une table des matières (TDM) peut constituer un document InDesign séparé ou être placée dans un document existant faisant partie d'un livre. Il est également possible de créer la table des matières d'un document autonome, sans nécessairement créer de livre. Dans ce projet, vous créerez une table des matières pour les titres de sections et les noms de recettes du livre de cuisine.

Ajouter le fichier de la table des matières

Lorsque vous créez un nouveau fichier réservé à la table des matières, vous devez spécifier précautionneusement les mêmes options de configuration de document que celles utilisées dans les autres chapitres du livre, comme le format du papier, son orientation, etc. Dans cette leçon, ce fichier a déjà été créé, mais vous devrez ajouter son contenu.

1. Dans le panneau Livre (▾≡), choisissez Ajouter un document, puis retrouvez le fichier TDM.indd dans le dossier Lesson_11 et sélectionnez-le.

2. Faites glisser le fichier TDM vers le haut de la liste du panneau Livre, afin qu'il s'agisse du premier fichier répertorié dans ce panneau.

3. Dans le panneau Livre, double-cliquez sur le nom du fichier TDM pour l'ouvrir dans la fenêtre de document. Vous allez maintenant définir la numérotation des pages de la table des matières de sorte qu'elle apparaisse en chiffres romains.

4. Dans le menu du panneau Livre, choisissez Options de numérotation du document.

Note : Pour accéder aux Options de numérotation d'un document donné, vous pouvez également double-cliquer sur les numéros de pages du fichier dans la liste du panneau Livre.

5. Activez l'option Début de numérotation des pages et saisissez **1**.

6. Dans le champ Style de la boîte de dialogue, sélectionnez l'option Chiffres romains en minuscules (i, ii, iii, iv, et ainsi de suite), puis cliquez sur OK.

7. Choisissez Fichier > Enregistrer. Puis sélectionnez Fichier > Enregistrer le livre dans le menu du panneau Livre (▾≡). Ne fermez pas le fichier de votre table des matières.

Générer une table des matières pour le livre

Vous pouvez maintenant demander à InDesign de créer les listes pour vous. La table des matières peut être générée à partir de n'importe quel paragraphe auquel un style a été appliqué. Vous devez simplement sélectionner les styles de paragraphe concernés. Ici, vous allez vous servir du texte mis en forme avec les styles de paragraphe section_start, headline_intro et recipes.

1. Le fichier TDM étant ouvert, choisissez Page > Table des matières.

2. En haut de la boîte de dialogue, choisissez TOC Cookbook dans le menu Style de table des matières. Le titre et certains autres attributs de cette table des matières ayant été définis à l'avance, la section Titre affiche les mots "Powerful Food". La section Style, située à droite de la section Titre, contient les mots "Titre de la table des matières". Les mots "Powerful Food" apparaîtront en haut de la page de la table des matières, dans le style de paragraphe Titre de la table des matières. Les styles section_start et headline_intro ayant déjà été ajoutés à la liste Inclure les styles de paragraphe, vous vous contenterez d'ajouter le style recipes.

3. Dans la liste Autres styles, sur le côté droit de la boîte de dialogue, sélectionnez "recipes", puis cliquez sur le bouton Ajouter pour placer ce style dans la liste Inclure les styles de paragraphe, dans la partie gauche de la boîte de dialogue.

4. Sélectionnez "recipes" dans la liste des styles de paragraphe inclus. Sous Style : recipes, sélectionnez le style des entrées TOC cookbook body text pour appliquer ce style de paragraphe à la liste des titres de chapitres dans la table des matières.

La case Inclure les documents du livre étant sélectionnée, le texte de chacun des documents du livre formaté avec le style de paragraphe recipes sera répertorié dans la table des matières.

5. Sélectionnez Créer des signets PDF pour créer automatiquement des signets PDF à partir des entrées de la table des matières. Ils facilitent la navigation dans le document lorsque les fichiers du livre sont convertis en PDF.

6. Cliquez sur OK pour générer la table des matières. Celle-ci apparaît sous la forme d'une icône de texte chargé.

7. Placez l'icône de texte chargé ( ) au centre de la page 1, puis cliquez pour placer le texte de la table des matières généré par InDesign. La table des matières se répartit dans la page, montrant les différents noms de chapitres, titres et recettes qui s'y trouvent.

8. Choisissez Fichier > Enregistrer.

Note : *Dans ce fichier, les styles de paragraphe personnalisés pour la table des matières ont été créés pour vous. Lorsque vous créez vos propres documents, vous pouvez ajuster et mettre en forme le texte et les définitions de styles comme vous le feriez pour tout autre bloc de texte.*

Si le contenu du livre est modifié et que la table des matières doive être mise à jour, ouvrez le fichier de la table des matières, placez un point d'insertion dans son texte et choisissez Page > Mettre à jour la table des matières.

Cohérence des fichiers du livre

Afin d'unifier l'aspect d'une longue publication, vous devrez vous assurer d'employer les mêmes spécifications de styles de paragraphe et définitions de couleurs tout au long du livre. Pour faciliter cette gestion, InDesign désigne l'un des fichiers comme document source des styles. Le style et les définitions de couleurs de ce document source sont ensuite appliqués à tous les autres documents. Par défaut, il s'agit du premier fichier que vous placez dans le livre. À noter qu'il ne s'agit pas nécessairement du fichier qui se trouve en haut de la liste du panneau Livre.

Vous reconnaîtrez ce fichier dans le panneau Livre. Une icône indiquant la source des styles (⬚) apparaît dans la case située à gauche du fichier source désigné. Cette case est vide pour tous les autres fichiers du livre.

Changer de source des styles

Désigner un autre fichier comme source des styles est simplissime : ici, vous allez définir le fichier Dîner comme source des styles.

Dans le panneau Livre, cliquez sur la case vide à gauche du fichier Dîner.

L'indicateur de source des styles apparaît maintenant dans la case du fichier Dîner.

Synchroniser les documents du livre

Lorsque vous synchronisez des documents, InDesign recherche automatiquement toutes les définitions de styles et de nuances dans les fichiers sélectionnés et les compare aux définitions du fichier de source des styles. Lorsque le jeu de définitions d'un fichier ne correspond pas, InDesign ajoute, supprime et modifie les définitions dans le fichier sélectionné, afin qu'elles correspondent à celles du fichier de source des styles. Après la synchronisation, tous les documents du livre disposent de jeux de styles identiques, assurant la cohérence tout le long du livre.

Actuellement, les définitions de paragraphes pour plusieurs des styles de paragraphe sont différentes dans les divers chapitres du livre. Vous allez mettre à jour les définitions de chaque liste de styles dans chaque chapitre en suivant cette procédure :

1. Vérifiez que l'icône de source des styles (⬚) apparaît près du fichier Dîner dans le panneau Livre.

2. En maintenant la touche Ctrl (Windows) ou Cmd (Mac OS) enfoncée, cliquez pour sélectionner ces cinq fichiers dans le panneau Livre : PetitDej, Déjeuner, Dîner, Encas et Desserts. Il n'est pas nécessaire de sélectionner les fichiers TDM ou Intro.

3. Dans le menu du panneau Livre (▾≡), sélectionnez Synchroniser Documents sélectionnés.

Note : Si tous les documents sont sélectionnés ou si aucun ne l'est, c'est l'option "Synchroniser livre" qui apparaît et non "Synchroniser Documents sélectionnés".

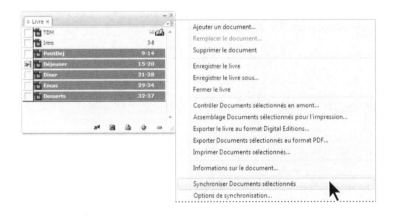

4. Après une courte attente, un message apparaît, indiquant que la synchronisation a réussi et que certains documents peuvent avoir changé. Cliquez sur OK.

Indexation du livre

La création d'un bon index est un art que chaque lecteur à la recherche d'une référence sur un sujet spécifique apprécie. L'indexation est également un travail qui nécessite une attention toute particulière du détail, une vérification minutieuse et répétée des entrées. InDesign CS3 facilite cette tâche en simplifiant les aspects mécaniques de l'exercice.

Pour créer un index avec InDesign CS3, vous devez intégrer les entrées d'index directement dans le texte. Lorsque vous ajoutez ou supprimez du texte ou des pages entières du document et que la pagination change, l'entrée d'index accompagne le texte. Ainsi, l'index mis à jour indique toujours la page correcte. Vous pouvez afficher ou masquer ces marques pendant votre travail, mais elles n'apparaîtront jamais dans le document imprimé.

Vous pouvez également créer des index pour des chapitres individuels, bien que l'index soit généralement publié à la fin du livre, pour couvrir la totalité du contenu.

Créer des entrées d'index

Une indexation a déjà été intégrée dans les documents du projet de cette leçon, mais vous allez apprendre à ajouter des entrées.

1. Dans le panneau Livre, double-cliquez sur le document PetitDej afin de l'ouvrir.

2. Positionnez-vous sur la page 10 afin d'afficher la recette intitulée "Eggs & Fruit breakfast".

3. Choisissez Fenêtre > Texte et tableaux > Index pour ouvrir le panneau Index.

4. Choisissez l'outil Texte (T) dans le panneau Outils et sélectionnez les mots "Eggs & Fruit breakfast" dans le titre de la recette.

5. Appuyez sur Ctrl+U (Windows) ou Cmd+U (Mac OS), puis cliquez sur OK dans la boîte de dialogue Nouvelle référence de page qui apparaît. L'entrée "Eggs & Fruit breakfast" est ajoutée au panneau Index. Si nécessaire, faites défiler la liste jusqu'à la lettre E et cliquez sur la flèche pour voir la nouvelle référence de page.

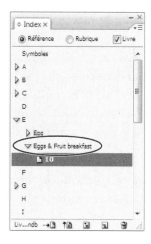

6. Le titre de la recette "Eggs & Fruit breakfast" étant toujours sélectionné dans la page, choisissez Nouvelle référence de page dans le menu du panneau Index pour ajouter une autre référence d'index à cette page.

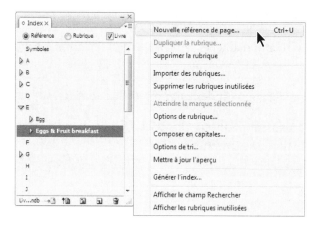

7. Dans la boîte de dialogue qui s'ouvre, sous Niveaux de rubrique, cliquez sur la flèche pointant vers le bas. L'entrée "Eggs & Fruit breakfast" est automatiquement positionnée au niveau 2. Saisissez **Petits déjeuners** dans la case "1". Vous créez ainsi une entrée d'index "Petits déjeuners" sous laquelle figurera ce petit déjeuner spécifique et il sera également dans l'index final. Cliquez sur OK.

8. Dans le panneau Index, faites défiler l'écran pour afficher vos nouvelles références de page dans la liste d'index. Si nécessaire, cliquez sur les flèches placées près des lettres pour détailler ou réduire les éléments de la liste.

Créer des références d'index croisées

De nombreux index incluent des références croisées vers d'autres entrées présentes dans l'index, en particulier en cas de synonymes d'un terme. Dans cette procédure, vous ajouterez une référence croisée dirigeant les lecteurs qui recherchent l'entrée "douceurs" vers l'entrée "desserts" :

1. Dans le fichier PetitDej.indd, choisissez Édition > Tout désélectionner.

2. Dans le menu du panneau Index (▾≡), choisissez Nouvelle référence croisée.

3. Dans le Niveau de rubrique 1, saisissez **douceurs**.

4. Dans le menu déroulant Type, sélectionnez Voir.

5. Dans la zone de texte Référencée, saisissez **desserts**.

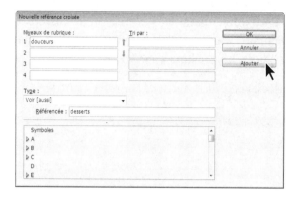

6. Cliquez sur Ajouter, puis sur Terminé.

7. Faites défiler la liste du panneau Index pour voir la nouvelle référence croisée. Enregistrez ensuite votre travail.

Générer l'index

À l'instar de la table des matières, vous pouvez placer l'index dans un document InDesign séparé ou l'ajouter à un fichier de votre livre déjà doté d'un contenu. Dans ce projet, vous placerez l'index dans un fichier séparé.

1. Dans le menu du panneau Livre ( ), choisissez Ajouter un document.

2. Retrouvez le fichier Index.indd dans votre dossier Lesson_11 et double-cliquez dessus pour l'ajouter au livre. Si le fichier ne se trouve pas au bas du panneau Livre, faites-le glisser vers cette position.

3. Dans le panneau Livre, double-cliquez sur le fichier Index pour l'ouvrir.

4. Si le panneau Index n'est pas déjà ouvert, choisissez Fenêtre > Texte et tableaux > Index, puis sélectionnez Générer l'index dans le menu du panneau ( ).

5. Dans la boîte de dialogue Générer l'index, procédez comme suit :

– Cochez la case Inclure les documents du livre.

– Désélectionnez Remplacer l'index existant.

– Cliquez sur OK.

***Note :** Il peut être nécessaire d'enregistrer vos fichiers avant de pouvoir générer l'index.*

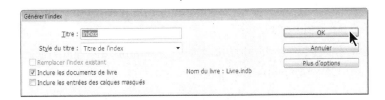

6. Après une courte pause, le pointeur se transforme en icône de texte chargé (⛶). Déplacez-le vers le centre de la page de document et cliquez. Vous placez l'index dans la page, remplissant ainsi les trois colonnes.

7. Choisissez Fichier > Enregistrer.

L'index combine toutes les entrées d'index intégrées dans les fichiers du livre en un index unifié.

Utilisez toujours le panneau Index pour entrer et modifier les entrées d'index. Même s'il est possible de modifier directement l'index, comme tout autre bloc de texte, ces changements seront perdus si vous le réactualisez.

Félicitations ! Vous avez terminé cette leçon.

Pour obtenir de plus amples informations sur les détails et la mise en forme des tables des matières et index, reportez-vous aux rubriques "Table des matières" et "Index" de l'Aide en ligne d'Adobe InDesign CS3.

À vous de jouer

1. Ouvrez le fichier Encas et supprimez plusieurs pages. Enregistrez le fichier. Puis actualisez la pagination du livre en procédant comme suit :

– Dans le menu du panneau Livre, choisissez Repaginer > Mettre à jour la numérotation > Mettre à jour tous les numéros.

– Dans le fichier Index, dans le menu du panneau Index, choisissez Générer l'index. Vérifiez que les cases Remplacer l'index existant et Inclure les documents du livre sont cochées, puis cliquez sur OK.

– Dans le fichier TDM, sélectionnez le bloc du texte de la table des matières et choisissez Page > Mettre à jour la table des matières.

Dans chaque cas, vous remarquerez les changements de numérotation de page dans le panneau Livre, les entrées d'index et les entrées de la table des matières, respectivement.

2. Étudiez les options disponibles lorsque vous sélectionnez tous les fichiers dans le panneau Livre et que vous choisissez les commandes suivantes (une à la fois) dans le menu du panneau Livre :

– Contrôler livre en amont ;

– Assemblage > Livre pour l'impression ;

– Exporter livre au format PDF ;

– Imprimer livre.

3. Créez une référence d'index pour toute une série de pages. Par exemple, dans le fichier PetitDej, sélectionnez le mot "Fruit" à la page 10, et choisissez Nouvelle référence de page dans le menu du panneau Index. Puis, sous Type, sélectionnez Jusqu'à la fin de la section pour créer une référence d'index des pages 10 à 14.

Révisions

Questions

1. Quels sont les avantages de la fonction Livre dans InDesign CS3 ?

2. Décrivez la procédure et les résultats du déplacement d'un fichier de chapitre dans un livre.

3. Quelle est la meilleure manière de modifier un index ? Pourquoi ?

Réponses

1. La fonction Livre facilite la coordination d'éléments liés dans un long document, constitué de plusieurs fichiers. L'association des documents sous forme de livre permet d'automatiser un travail très long, et notamment les tâches suivantes :

- la mise à jour d'une suite correcte de documents ;
- la mise à jour de la pagination de la totalité du livre après l'ajout ou le retrait de pages ;
- la génération d'un index et d'une table des matières valant pour tout le livre, avec des références de pages appropriées ;
- la spécification d'options pour le contrôle en amont, l'assemblage, l'exportation et l'impression du livre complet.

2. Pour déplacer un fichier au sein d'un livre, il faut d'abord le sélectionner dans le panneau Livre, puis le faire glisser jusqu'à sa nouvelle position dans la liste des fichiers du livre. Une fois ce repositionnement effectué, il se peut que les entrées de l'index et de la table des matières du livre soient erronées. Cela est généralement dû au fait que la repagination automatique est désactivée. Dans ce cas, on doit sélectionner la commande Repaginer dans le menu du panneau Livre. Au moment de la repagination ou de la mise à jour de l'index et de la table des matières, toutes les références aux pages qui se trouvaient sous le fichier supprimé changent. Toutefois, même si le fichier est supprimé du livre, il n'est pas effacé pour autant ; il se trouve toujours sur le disque dur.

3. Il faut toujours actualiser les références de pages d'index dans le panneau Index. Pour cela, il suffit de double-cliquer sur l'entrée d'index à modifier (ou de la sélectionner et choisir Options de rubrique dans le menu du panneau Index), de réaliser les changements dans la boîte de dialogue, puis de cliquer sur OK; après ces modifications, on ouvre le fichier Index, puis, dans le menu du panneau Index, on choisit Générer l'index pour remplacer l'index existant pour tous les documents du livre.

Il est important d'intégrer les modifications dans le panneau Index plutôt que de modifier le texte de l'index directement. En effet, toute modification effectuée directement dans le texte de l'index est perdue lors de la régénération de celui-ci. Si on apporte ensuite des modifications à la pagination du livre, de nombreuses références de pages d'index risquent d'être incorrectes. En revanche, intégrer les modifications dans le panneau Index permet que toutes ces références soient automatiquement mises à jour lors de la génération d'un nouvel index.

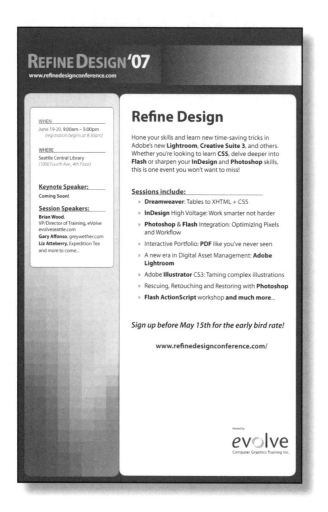

Vous pouvez utiliser les commandes avancées d'impression et de préparation à l'impression d'Adobe InDesign pour gérer vos paramètres d'impression, quel que soit votre périphérique de sortie. Avec Adobe InDesign, vous imprimerez facilement sur votre imprimante laser ou jet d'encre, un film haute résolution ou un périphérique d'impression ordinateur vers plaque.

Imprimer et exporter au format PDF

Au cours de cette leçon, vous apprendrez à :

• vérifier qu'un fichier InDesign ainsi que tous ses éléments sont prêts pour l'impression ;

• générer un fichier PDF afin de contrôler votre travail ;

• rassembler les fichiers nécessaires pour l'impression ou la livraison chez un fournisseur de services ;

• imprimer des documents contenant des couleurs en tons directs ;

• sélectionner les paramètres d'impression adéquats pour les polices et les graphiques ;

• déterminer un paramètre d'impression prédéfini pour automatiser la procédure d'impression.

Mise en route

Vous allez travailler sur un tract publicitaire d'une seule page qui contient des images quadrichromiques mais aussi une couleur en ton direct. Le document sera édité sur une imprimante couleur jet d'encre ou laser pour une épreuve ainsi que sur un périphérique d'impression à haute résolution, par exemple une photocomposeuse sur film ou ordinateur vers plaque. Avant son impression, le fichier sera exporté en tant que fichier Adobe PDF en vue de sa révision.

Note : Même si aucune imprimante n'est reliée à votre ordinateur ou si vous n'avez accès qu'à une imprimante noir et blanc pour tirer une épreuve, rien ne vous empêche de suivre les étapes de cette leçon. Vous utiliserez des paramètres d'impression par défaut qui vous aideront à mieux comprendre les commandes et capacités offertes par InDesign CS3 pour l'impression et l'imagerie.

Note : *Si vous ne l'avez pas déjà fait, copiez les fichiers de cette leçon – qui se trouvent sur le CD-ROM* Adobe InDesign CS3 Classroom in a Book *– sur votre disque dur. Reportez-vous à la section "Copie des fichiers d'exercices de* Classroom in a Book" *de l'Introduction.*

1. Pour vous assurer que le fonctionnement des outils et des panneaux sera exactement tel que décrit au fil de cette leçon, supprimez ou désactivez les fichiers de préférences en suivant la procédure détaillée à la section "Rétablissement des préférences par défaut" de l'Introduction.

2. Lancez Adobe InDesign CS3.

3. Choisissez Fichier > Ouvrir et ouvrez le fichier 12_a.indd situé dans les dossiers IDCIB/Lessons/Lesson_12.

4. Un message d'alerte vous informe que le document contient des liens manquants ou modifiés. Cliquez sur Ne pas réparer ; vous traiterez ce problème un peu plus loin.

Lorsque vous imprimez ou générez un fichier Adobe PDF, InDesign doit avoir accès aux illustrations originales qui sont placées dans la mise en page. Si l'une d'elles est déplacée, renommée ou si l'emplacement de stockage du fichier correspondant n'est plus valide, InDesign CS3 vous informe qu'elle ne peut être localisée. Ce type d'alerte survient lors de la première ouverture d'un document, de son impression ou de son exportation, ou encore lorsqu'un document est contrôlé avant son impression à l'aide de la commande Contrôle en amont. Notez qu'InDesign CS3 affiche également l'état de tous les fichiers nécessaires à l'impression dans le panneau Liens.

5. Choisissez Fichier > Enregistrer sous, renommez le fichier **12_brochure.indd** et enregistrez-le dans le dossier Lesson_12.

Contrôle en amont

Adobe InDesign fournit des commandes intégrées permettant de vérifier la disponibilité de tous les fichiers nécessaires à l'impression d'un document. Vous les utiliserez pour contrôler votre fichier en amont et vous assurer que tous ses graphiques et polices sont disponibles pour l'impression. Vous vérifierez également les couleurs employées dans le document, comme celles qui sont utilisées dans les graphiques importés.

1. Choisissez Fichier > Contrôle en amont.

2. Dans la boîte de dialogue Contrôle en amont, étudiez le panneau de synthèse qui apparaît. InDesign signale les problèmes potentiels suivants, indiqués par le triangle jaune adjacent à l'information :

– Une image est manquante.

– Une image utilise des couleurs RVB.

– Un double en tons directs peut exister.

La section Synthèse de la boîte de dialogue Contrôle en amont fournit un rapide aperçu des éventuels problèmes d'un document. Pour plus de détails, cliquez sur l'une des six options situées le long du côté gauche de la boîte de dialogue.

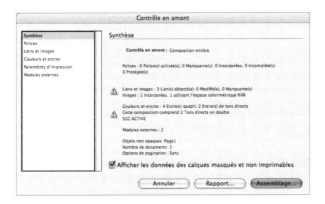

3. Cliquez sur l'option Polices pour afficher une liste détaillée des polices employées dans le document. Vous pouvez obtenir des informations sur ces polices et savoir si elles sont Open Type, PostScript ou True Type. Vous pouvez également recueillir d'autres renseignements :

– savoir si une police est OK pour l'impression, manquante ou incomplète ;

– savoir si une police est protégée contre l'incorporation par son fabricant ;

– connaître la première page sur laquelle la police est employée ;

– connaître l'emplacement du fichier de la police utilisée.

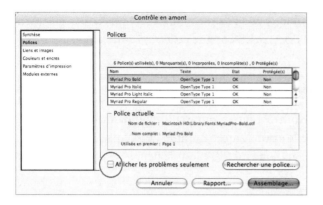

4. Tout en continuant d'examiner les polices, cochez la case Afficher les problèmes seulement. Plus aucune police n'est répertoriée ; elles sont toutes disponibles pour l'impression et ne posent aucun problème.

5. Cliquez sur l'option Liens et images sur le côté gauche de la boîte de dialogue.

Les informations concernant toutes les images utilisées dans le fichier sont affichées. Nous souhaitons visualiser uniquement les éventuels problèmes.

6. Cochez la case Afficher les problèmes seulement. Deux images sont affichées comme éventuels problèmes. Un fichier, top_banner.tif, utilise des couleurs RVB. Étant donné que le document sera imprimé à l'aide de couleurs CMJN, cela pourrait constituer un problème. L'autre image, rdlogo_red.ai, est manquante et doit être localisée avant que le document ne puisse être imprimé.

Vous remplacerez le logo rdlogo_red.ai par une version dont les couleurs ont été révisées. Vous vous occuperez de l'image RVB lors de la procédure d'impression.

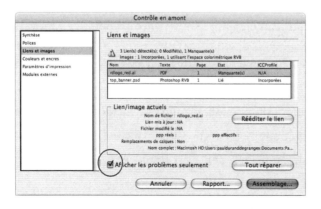

7. Cliquez sur le bouton Tout réparer. Recherchez le dossier Links dans les dossiers IDCIB/Lessons/Lesson_12. Double-cliquez sur rdlogo_red_new.ai. Le nouveau fichier est désormais lié et prend la place du fichier original.

8. Sélectionnez rdlogo_red_new.ai et cliquez sur Mettre à jour.

Le nom de fichier étant différent, InDesign n'a pas automatiquement mis à jour l'image. Si le fichier sélectionné n'avait pas été modifié depuis son importation, InDesign ne vous aurait pas demandé de mettre à jour le lien.

Note : Le bouton Tout réparer permet de réparer les liens manquants ou modifiés. Il ne permet cependant pas de modifier l'espace colorimétrique défini dans un graphique importé. Pour cela, vous devez ouvrir l'image liée dans Photoshop et changer son espace colorimétrique, ou demander à InDesign de convertir les couleurs pour l'impression.

9. Cliquez sur l'option Couleurs et encres.

Les quatre encres primaires sont répertoriées : Cyan, Magenta, Jaune et Noir, ainsi que trois variations de Pantone 1817 (C signifie *coated* [couché], M signifie *matte* [mat] et U, *uncoated* [non couché]). Nous ne souhaitons pas que ces trois couleurs soient imprimées indépendamment et traiterons ce problème au moment de l'impression du document.

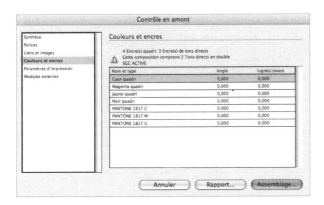

10. Cliquez sur le bouton Annuler.

Note : Vous pourriez ensuite directement assembler le fichier dans la prochaine étape de la préparation de votre fichier à l'impression. Pour cette leçon, nous avons décidé de créer l'assemblage lors d'une procédure à part.

Assemblage

Vous pouvez utiliser la commande Assemblage pour rassembler une copie de votre document InDesign et de tous les éléments associés, y compris les graphiques. InDesign copie également toutes les polices nécessaires à l'impression.

1. Choisissez Fichier > Assemblage.

2. Cliquez sur Continuer dans la boîte de dialogue qui vous informe sur d'éventuels problèmes découverts lors du contrôle en amont.

Chaque fois que vous assemblez un fichier, InDesign CS3 utilise automatiquement la commande Contrôle en amont pour vérifier que tous les éléments sont disponibles et qu'il n'y a pas d'éventuel problème. Étant donné que vous n'avez pas encore corrigé l'image RVB, InDesign CS3 vous alerte de sa présence. Vous convertirez cette image en CMJN pour l'impression, plus loin.

3. Dans la fenêtre Instructions d'impression, saisissez le nom du fichier d'instructions qui accompagnera le document InDesign, de même que les informations de contact, puis cliquez sur Continuer.

Note : Le nom du fichier d'instructions ne peut pas être identique au fichier du document.

Adobe InDesign se sert de ces informations pour créer un fichier texte d'instructions qui accompagnera les polices, les fichiers liés et le fichier InDesign. Ce fichier permet à votre destinataire de mieux comprendre ce que vous attendez de lui ou de savoir à qui s'adresser en cas de problème.

4. Dans la boîte de dialogue Créer dossier Assemblage, recherchez le dossier Lesson_12 et confirmez que le dossier en cours de création pour l'assemblage se nomme 12_brochure Folder. InDesign nomme automatiquement le dossier en fonction du nom du document que vous avez créé dans la section "Mise en route" de cette leçon.

5. Vérifiez que les options suivantes sont sélectionnées :

– Copier les polices (sauf CJC) ;

– Copier les graphiques liés ;

– Actualiser les liens graphiques dans l'assemblage.

6. Cliquez sur le bouton Assemblage (Windows) ou Enregistrer (Mac OS).

7. Lisez le message d'avertissement sur les polices qui vous informe des restrictions de licence pouvant affecter votre capacité à copier des polices, puis cliquez sur OK.

8. Passez à votre système d'exploitation et recherchez 12_brochure Folder dans les dossiers IDCIB/Lessons/Lesson_12.

Adobe InDesign a créé une version dupliquée de votre document et a copié tous les graphiques, les polices et les autres fichiers liés nécessaires à une impression en haute résolution. Comme vous avez sélectionné Actualiser les liens graphiques dans l'assemblage, le fichier InDesign dupliqué est maintenant lié aux graphiques copiés situés dans le dossier assemblé. Cela rend le document plus facile à gérer pour un imprimeur ou un fournisseur de services, et le fichier assemblé idéal pour l'archivage.

Fermez le dossier 12_brochure Folder lorsque vous avez terminé d'en visualiser le contenu.

Création d'une épreuve Adobe PDF

Les documents qui doivent être révisés par d'autres personnes peuvent facilement être partagés. Pour cela, il suffit de créer des fichiers Adobe PDF. Adobe InDesign CS3 exporte directement dans ce format de fichier.

1. Choisissez Fichier > Exporter.

Sélectionnez Adobe PDF dans le menu déroulant Type (Windows) ou Format (Mac OS), puis saisissez le nom de fichier **épreuve**. Si nécessaire, positionnez-vous sur le dossier Lesson_12 et cliquez sur Enregistrer. La fenêtre Exporter au format PDF s'ouvre.

2. Dans le menu déroulant Paramètre prédéfini Adobe PDF, choisissez l'option d'impression Qualité supérieure. Cela vous assure que la sortie papier des fichiers PDF générés sera correcte sur une imprimante laser de bureau.

3. Choisissez Acrobat 6 (PDF 1.5) dans le menu déroulant Compatibilité. Votre fichier PDF pourra ainsi inclure des fonctionnalités avancées, comme des calques.

4. Dans la section Options de la fenêtre, activez les options suivantes :

– Afficher le PDF après exportation ;

– Créer des calques Acrobat.

Le fait de pouvoir automatiquement visualiser le PDF après son exportation est un moyen efficace de contrôler le résultat du processus d'exportation du fichier. L'option Créer des calques Acrobat convertit les calques de la mise en page InDesign CS3 en calques visualisables dans le fichier Adobe PDF résultant.

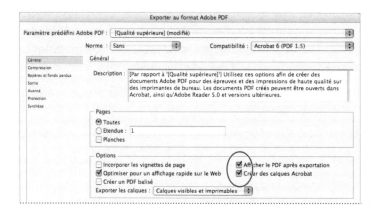

5. Sélectionnez Calques visibles dans la liste Exporter les calques.

InDesign CS3 permet de choisir les calques qui vont être exportés lors de la création du PDF. Cliquez sur la liste Exporter les calques pour voir les options Tous les calques, Calques visibles et Calques visibles et imprimables.

6. Cliquez sur le bouton Exporter.

Un message d'alerte peut apparaître, indiquant que certains objets de la mise en page se trouvent sur des calques masqués. Si c'est le cas, cliquez sur OK pour fermer cette fenêtre. Un fichier Adobe PDF est généré et affiché sur votre écran.

7. Examinez le fichier Adobe PDF ainsi généré, puis retournez dans Adobe InDesign CS3.

Afficher un fichier Adobe PDF en calques dans Adobe Acrobat 8

Pour visualiser un fichier PDF en calques créé dans Adobe InDesign CS3, procédez comme suit :

1. Cliquez sur l'icône calques qui se situe le long du bord gauche de la fenêtre de document ou choisissez Affichage > Panneaux de navigation > Calques pour afficher le panneau Calques.

2. Cliquez sur le signe plus (+), à gauche du nom du document dans le panneau Calques. Les calques du document sont affichés.

3. Cliquez sur l'icône de l'œil (👁), à gauche du calque Text. L'icône étant masquée, tous les objets de ce calque le sont également.

4. Cliquez sur la case vide, à gauche du calque Text pour afficher de nouveau le calque.

5. Choisissez Fichier > Fermer pour fermer le document. Puis, retournez dans Adobe InDesign CS3.

Aperçu des séparations

Si vos documents doivent être séparés en couleurs pour une impression commerciale, vous pouvez utiliser le panneau Aperçu des séparations pour avoir une meilleure idée de la façon dont chaque partie du document sera imprimée.

1. Choisissez Fenêtre > Sortie > Aperçu des séparations.

2. Sélectionnez Séparations dans le menu déroulant Affichage du panneau Aperçu des séparations.

3. Cliquez sur l'icône de l'œil (👁) adjacente à chacune des couleurs Pantone 1817 pour les désactiver.

Certains objets, images et textes, disparaissent à mesure que vous cliquez pour désactiver l'affichage de chaque séparation de couleur. Chacun de ces objets utilise une variante différente de la couleur Pantone qui lui est associée. Vous corrigerez cela plus tard à l'aide de la fonctionnalité Gestionnaire d'encres.

4. Choisissez Désactivé dans le menu déroulant Affichage du panneau Aperçu des séparations pour activer l'affichage de toutes les couleurs.

Aperçu de l'aplatissement

Les images de cette brochure ont été ajustées à l'aide de la fonction de transparence. Vous utiliserez l'aplatissement pour déterminer la façon dont la transparence affectera la version imprimée finale.

1. Choisissez Fenêtre > Sortie > Aperçu de l'aplatissement.

2. Choisissez Graphiques concernés dans le menu déroulant Sélecteur du panneau Aperçu de l'aplatissement.

3. Si nécessaire, choisissez Haute résolution dans le menu déroulant Prédéfini. Il s'agit du paramètre que vous utiliserez plus loin lors de la composition de ce fichier.

Remarquez la sélection rouge qui apparaît sur certains des objets de la page. Il s'agit des objets qui seront affectés par la transparence employée dans ce document. Cette sélection peut vous aider à identifier les zones de la page qui, par inadvertance, se trouvent affectées par la transparence. Ajustez vos paramètres de transparence en conséquence.

La transparence peut être appliquée dans Photoshop CS3, Illustrator CS3 ou directement dans la mise en page InDesign CS3. La fonction d'Aperçu de l'aplatissement identifie les objets transparents, que cette transparence ait été créée dans InDesign ou importée depuis un autre programme.

4. Choisissez Aucune dans le menu Sélection du panneau Aperçu de l'aplatissement.

Aplatissement d'illustrations transparentes

Si le document ou l'illustration fait appel à la transparence, il est généralement nécessaire d'appliquer un processus appelé *aplatissement* pour sa sortie. L'aplatissement divise l'illustration transparente en zones vectorielles et en zones pixellisées. Plus l'illustration est complexe (mêlant images, vecteurs, tons directs, surimpression, etc.), plus l'aplatissement et son résultat le sont également.

L'aplatissement peut être nécessaire lors de l'impression, de l'enregistrement ou de l'exportation dans des formats différents ne prenant pas en charge la transparence. Pour conserver la transparence sans aplatissement lorsque vous créez des fichiers PDF, enregistrez-les en tant que documents PDF Adobe 1.4 (Acrobat 5.0) ou version ultérieure.

Vous pouvez sélectionner un aplatissement prédéfini dans le panneau Avancés de la boîte de dialogue Imprimer ou de la boîte de dialogue propre au format qui apparaît après la boîte de dialogue initiale Exporter ou Enregistrer sous. Vous pouvez créer vos propres aplatissements prédéfinis ou sélectionner une option par défaut fournie avec le logiciel. Les paramètres de chacune de ces options sont conçus pour correspondre à la qualité et à la vitesse de l'aplatissement avec une résolution appropriée pour les zones transparentes pixellisées, suivant l'usage prévu du document :

Haute résolution. S'utilise pour les impressions finales sur presse et les épreuves haute qualité comme les épreuves présentant une séparation des couleurs.

Résolution moyenne. S'utilise pour les épreuves de bureau et les documents destinés à une impression sur demande sur des imprimantes couleur PostScript.

Basse résolution. S'utilise pour obtenir des épreuves rapides à imprimer sur des imprimantes de bureau en noir et blanc et pour des documents destinés à être publiés sur le Web ou exportés au format SVG.

Extrait de l'Aide en ligne d'Adobe InDesign CS3.

Aperçu de la page

1. Double-cliquez sur l'outil Main (🖐) pour ajuster le document à la taille de fenêtre disponible.

2. Choisissez Édition > Tout désélectionner.

3. Dans le coin inférieur droit du panneau Outils, cliquez sur le bouton Aperçu et maintenez-le enfoncé jusqu'à pouvoir choisir Aperçu. Tous les éléments qui ne doivent pas apparaître à l'impression, comme les repères et les contours de bloc, sont automatiquement masqués.

4. Cliquez de nouveau sur le bouton Aperçu et maintenez-le enfoncé jusqu'à pouvoir choisir le mode Fond perdu. Un espace supplémentaire apparaît autour du périmètre du document final. Une fois la tâche d'impression terminée, cette zone excédentaire est rognée ou coupée. Vous obtenez donc votre taille de document finale.

5. Toujours dans le coin inférieur droit du panneau Outils, cliquez sur le bouton Fond perdu et maintenez-le enfoncé jusqu'à pouvoir choisir le mode Ligne-bloc. La page affiche désormais un espace supplémentaire autour de la zone de fond perdu. Cette zone excédentaire est généralement utilisée pour imprimer des informations de production relatives au travail d'impression en cours. Ces informations sont visibles dans le bas du document, au centre de l'écran. La ligne-bloc se configure en sélectionnant Fichier > Format du document et en cliquant sur le bouton Plus d'options.

Une fois satisfait de l'aspect global de votre fichier, vous pouvez passer à l'étape d'impression.

Impression d'une épreuve laser ou jet d'encre

InDesign facilite l'impression des documents sur de multiples périphériques de sortie.

1. Choisissez Fichier > Imprimer.

2. Dans la liste déroulante Imprimante, choisissez votre imprimante laser ou jet d'encre.

Adobe InDesign sélectionne automatiquement le PPD (la description) associé à votre imprimante au moment de son installation.

Note : Si aucune imprimante n'est connectée à votre ordinateur ou à votre réseau, choisissez Fichier PostScript dans la liste Imprimante et Indépendant du périphérique dans la liste PPD. Vous pourrez ainsi effectuer la procédure qui suit.

3. Dans la section Options, sélectionnez Calques visibles dans la liste Imprimer les calques.

InDesign CS3 permet de choisir Tous les calques, Calques visibles et Calques visibles et imprimables.

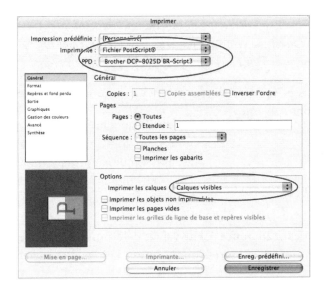

4. Cliquez sur l'option Format sur le côté gauche de la fenêtre Imprimer et choisissez les options suivantes :

- Format du papier : Letter ;
- Orientation : Portrait ;
- Ajuster.

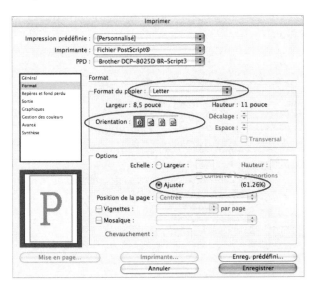

Note : Si vous avez sélectionné Fichier PostScript plutôt qu'une imprimante ainsi que le PPD Indépendant du périphérique, vous ne pourrez pas appliquer la mise à l'échelle ou régler le positionnement de l'emplacement où le fichier s'imprimera.

5. Cliquez sur l'option Repères et fond perdu sur le côté gauche de la fenêtre Imprimer et choisissez les options suivantes :

– Traits de coupe ;

– Informations sur la page ;

– Utiliser les paramètres de fond perdu du document ;

– Inclure la zone de ligne-bloc.

Entrez une valeur de Décalage de **0,125 pouce**. Cette valeur détermine la distance qui séparera la page de l'emplacement d'impression des informations de page et des repères spécifiés.

Les traits de coupe sont imprimés à l'extérieur du périmètre de la page. Comme leur nom l'indique, ils fournissent des repères sur l'emplacement exact où le document final sera rogné (ou coupé) après l'impression. Les informations de page incluent le nom du document et ses date et heure d'impression, dans la partie inférieure du document.

Le fait d'appliquer les paramètres de fond perdu et de ligne-bloc au document contraint InDesign à imprimer des éléments s'étendant au-delà de la simple zone de la page. Ces cases à cocher évitent d'avoir à spécifier manuellement la quantité d'espace supplémentaire à imprimer.

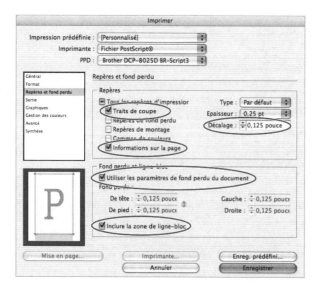

Dans la zone Aperçu (la grande lettre P sur la page), en bas à gauche de la boîte de dialogue Imprimer, vous pouvez voir une zone bleutée sous la page. Il s'agit du fond perdu.

6. Cliquez sur l'option Sortie sur le côté gauche de la fenêtre Imprimer. Vérifiez que la Couleur est définie sur CMJN composite dans le menu déroulant Couleur. Ainsi, chaque objet RVB, y compris les images, sera converti en CMJN au moment de l'impression. Cela ne modifiera pas le graphique importé original. Cette option n'est pas disponible si vous avez choisi l'option Fichier PostScript.

Note : Vous pouvez faire en sorte qu'InDesign conserve les couleurs existantes employées dans un document en choisissant Composite (ne pas modifier) dans le menu déroulant Couleur. Si vous êtes imprimeur ou fournisseur de services et devez imprimer des séparations de couleurs à partir d'Adobe InDesign, choisissez Séparations ou Séparations In-RIP en fonction du flux de travail utilisé. De plus, certaines imprimantes peuvent ne pas vous autoriser à sélectionner CMJN composite.

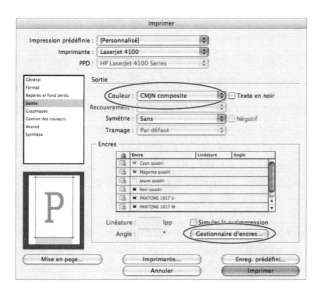

7. Cliquez sur le bouton Gestionnaire d'encres dans l'angle inférieur droit de la fenêtre Imprimer.

Vous pouvez utiliser le gestionnaire d'encres pour convertir les couleurs en tons directs en couleurs Pantone et gérer les couleurs en tons directs dupliquées. Vous traiterez ces deux problèmes.

8. Dans la fenêtre Gestionnaire d'encres, cliquez sur l'icône Tons directs (◉) à gauche du nuancier de couleur Pantone 398 C. Elle se change en icône CMJN (✖). Cette couleur s'imprimera désormais en tant que décomposition CMJN et non sur sa propre plaque de couleur. Ne fermez pas la fenêtre Gestionnaire d'encres.

9. Cliquez sur le nuancier de couleur Pantone 1817 M, puis sélectionnez Pantone 1817 U dans le menu déroulant Pseudonyme de l'encre. Cette option indique à Adobe InDesign d'imprimer cette couleur si vous imprimez des séparations de couleurs.

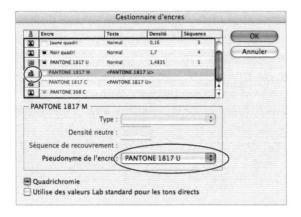

En appliquant un pseudonyme de l'encre, tous les objets de cette couleur s'impriment sur la même séparation que sa couleur pseudonyme. Plutôt que d'obtenir deux séparations de couleurs différentes, vous n'en avez qu'une. Répétez cette procédure pour sélectionner Pantone 1817 C et choisissez Pantone 1817 U. À partir de maintenant, les trois couleurs Pantone dupliquées s'imprimeront sur la même séparation. Cliquez sur OK.

10. Cliquez sur l'option Graphiques située sur le côté gauche de la fenêtre Imprimer. Vérifiez que l'option Échantillonnage optimisé est sélectionnée dans le menu déroulant Envoi des données.

Cette option étant sélectionnée, InDesign n'envoie que les données d'image nécessaires à l'imprimante que vous avez spécifiée dans la fenêtre Imprimer. Pour que toutes les informations d'image en haute résolution soient envoyées à l'imprimante – ce qui peut prendre plus de temps à imprimer – sélectionnez Toutes dans le menu déroulant Envoi des données.

Note : Cette option ne peut être modifiée si vous avez choisi le PPD Indépendant du périphérique.

Note : Dans le cas d'une impression vers un fichier PostScript, cette option n'est pas disponible.

11. Si nécessaire, sélectionnez Complet dans le menu déroulant Téléchargement de la section Polices. Grâce à cette option, toutes les polices utilisées sont envoyées au périphérique de sortie.

12. Cliquez sur l'onglet Avancé et définissez le style Aplatissement des transparences Haute résolution dans le menu déroulant.

Vous pouvez choisir l'aplatissement des transparences en fonction de vos besoins. Le style détermine la qualité des images ou illustrations importées qui utilisent la transparence. Le style affecte également la qualité des objets auxquels la transparence a été appliquée à l'aide de la fonction de transparence d'InDesign, comme les objets avec des ombres portées ou des contours progressifs.

13. Cliquez sur le bouton Enregistrement défini, nommez ce style **Proof** et cliquez sur OK.

La création d'un style d'impression enregistre ces paramètres afin que vous n'ayez pas à redéfinir chaque option individuellement chaque fois que vous lancez une impression sur le même périphérique. Vous pouvez créer plusieurs styles pour répondre aux différents besoins de qualité d'impression de chacune des imprimantes que vous utilisez.

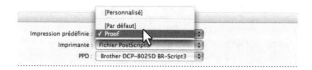

14. Cliquez sur Imprimer.

Si vous créez un fichier PostScript, cliquez sur Enregistrer et recherchez le dossier Lesson_12 situé dans les dossiers IDCIB/Lessons. Le fichier PostScript peut être transmis à votre fournisseur de services, votre imprimeur ou être converti en Adobe PDF à l'aide d'Adobe Acrobat Distiller. Si vous ne possédez pas Adobe Acrobat Distiller, vous pouvez supprimer le fichier PostScript une fois cette leçon terminée.

Utilisez la numérotation de page absolue lorsque vous travaillez avec des documents divisés en sections. Par exemple, pour imprimer la troisième page d'un document, vous pouvez saisir +3 dans la section Pages de la boîte de dialogue Imprimer. Vous pouvez aussi utiliser des noms de section. Pour de plus amples informations, reportez-vous à la section "Spécification des pages à imprimer" de l'Aide en ligne d'Adobe InDesign.

Options d'impression d'images

Lorsque vous exportez ou imprimez des documents contenant des images complexes (par exemple, des images haute résolution, des images EPS, des pages PDF ou des effets de transparence), vous devez souvent modifier les paramètres de résolution et de pixellisation afin d'optimiser les résultats de sortie.

Dans le volet Graphiques de la boîte de dialogue Imprimer, choisissez l'une des options suivantes pour spécifier la méthode de gestion des images lors de l'impression.

- **Envoi des données.** Contrôle la quantité de données d'image des images bitmap importées à envoyer vers l'imprimante ou le fichier.

- **Toutes.** Envoie les données de résolution maximale. Utilisez cette option pour une impression haute résolution ou une impression d'images en niveaux de gris ou en couleurs présentant un niveau de contraste élevé, comme c'est le cas du texte noir et blanc avec un ton direct. Cette option exige un espace important sur le disque.

- **Échantillonnage optimisé.** Envoie la quantité optimale de données d'image pour imprimer l'image à une résolution idéale pour le périphérique de sortie. (Une imprimante d'une résolution supérieure utilise davantage de données qu'un modèle de bureau basse résolution.) Sélectionnez cette option lorsque vous manipulez des images haute résolution mais imprimez des épreuves sur une imprimante de bureau.

Note : InDesign ne sous-échantillonne pas les éléments graphiques EPS ou PDF, même si l'option Échantillonnage optimisé est sélectionnée.

- **Doublure.** Envoie des versions avec une résolution d'écran des images bitmap importées (72 ppp), réduisant ainsi le temps d'impression.

- **Aucune.** Supprime temporairement toutes les images lors de l'impression et les remplace par des blocs d'image barrés, réduisant ainsi le temps d'impression. Les dimensions des blocs d'image étant les mêmes que celles des images ou des masques importés, vous pouvez toujours vérifier le positionnement et le format. En évitant d'imprimer des images importées, vous pouvez distribuer des épreuves de texte aux préparateurs de texte ou aux correcteurs d'épreuves. L'impression sans images est également utile lorsque vous tentez d'isoler la cause d'un problème d'impression.

Extrait de l'Aide en ligne d'Adobe InDesign CS3.

Options de téléchargement des polices vers une imprimante

Les polices résidant dans l'imprimante sont stockées dans sa mémoire ou sur le disque dur auquel elle est connectée. Tandis que les polices bitmap sont uniquement stockées dans l'ordinateur, les polices Type 1 et TrueType peuvent l'être soit dans l'imprimante, soit dans l'ordinateur. InDesign télécharge les polices si nécessaire, à condition qu'elles soient installées sur le disque dur.

Pour déterminer la méthode de téléchargement vers l'imprimante, dans le volet Graphiques de la boîte de dialogue Imprimer, choisissez l'une des options suivantes :

- **Aucune.** Inclut une référence à la police dans le fichier PostScript indiquant au processeur RIP ou au processeur de post-traitement l'emplacement d'intégration de la police. Utilisez cette option si les polices résident sur l'imprimante. Les polices TrueType sont nommées en fonction du nom PostScript de la police et les applications ne sont pas toutes en mesure d'interpréter ces noms. Pour une interprétation correcte de ces polices TrueType, utilisez une autre option de téléchargement des polices.

- **Complet.** Télécharge toutes les polices nécessaires au document au début du travail d'impression. InDesign organise automatiquement en jeux partiels les polices contenant plus de glyphes (caractères) que le nombre maximum spécifié dans la boîte de dialogue Préférences.

- **Jeu partiel.** Télécharge uniquement les caractères (glyphes) employés dans le document. Les glyphes sont téléchargés une fois par page. Cette option permet généralement d'obtenir des fichiers plus petits et plus rapides si elle est utilisée avec des documents page simple ou contenant peu de texte.

- **Télécharger les polices PPD.** Télécharge toutes les polices du document, même si elles résident dans l'imprimante. Cette option vous garantit l'utilisation par InDesign des contours de polices de votre ordinateur pour imprimer des polices usuelles, telles que Helvetica, Times et autres. Elle permet également de résoudre des problèmes de versions de polices, comme les discordances de jeux de caractères entre l'ordinateur et l'imprimante ou les variations de contours dans le recouvrement. Cependant, à moins d'utiliser des jeux de caractères étendus, il n'est pas nécessaire de sélectionner cette option pour imprimer des brouillons sur une imprimante de bureau.

Extrait de l'Aide en ligne d'Adobe InDesign CS3.

À vous de jouer

1. Créez un nouveau style d'impression en choisissant Fichier > Impressions prédéfinies > Définir. Utilisez les boîtes de dialogue résultantes pour créer des styles à employer pour des impressions surdimensionnées ou pour les diverses imprimantes couleur ou noir et blanc dont vous pouvez vous servir.

2. Ouvrez le fichier 12_brochure.indd et observez la manière dont chaque séparation de couleur peut être activée ou désactivée en utilisant l'Aperçu des séparations. Passez à l'affichage de l'aperçu Limite d'encre en utilisant le même panneau. Voyez comment tous les paramètres d'encre employés lors de la création des couleurs CMJN altèrent la façon dont les images s'imprimeront.

3. Le fichier 12_brochure.indd toujours ouvert, choisissez Fichier > Imprimer. Cliquez ensuite sur l'option Sortie sur le côté gauche de la fenêtre Imprimer et observez les différents choix d'impression de documents couleur.

4. Choisissez Gestionnaire d'encres dans le menu du panneau Nuancier. Entraînez-vous à ajouter des pseudonymes d'encre pour les couleurs en tons directs et à convertir ces couleurs en couleurs quadrichromiques.

Révisions

Questions

1. Quels éléments sont rassemblés par InDesign lorsque ce dernier assemble un fichier ?

2. Quels éléments sont recherchés par InDesign lorsqu'on utilise la commande Contrôle en amont ?

3. Pour imprimer la version de plus haute qualité d'une image scannée sur un proofer ou une imprimante laser de plus basse résolution, quelles options peut-on sélectionner ?

Réponses

1. Adobe InDesign rassemble une copie du document InDesign ainsi que les copies de toutes les polices et de tous les graphiques utilisés dans le document original. Les éléments originaux ne sont pas altérés.

2. On peut s'assurer que tous les éléments nécessaires à une impression haute résolution sont disponibles en choisissant Fichier > Contrôle en amont. Cette commande vérifie que toutes les polices employées dans le document ou les graphiques importés sont disponibles. InDesign recherche également les fichiers graphiques et même les fichiers texte liés pour vérifier qu'ils n'ont pas été modifiés depuis leur importation.

3. InDesign n'envoie que les informations d'image nécessaires au périphérique de sortie comme paramètre par défaut. Pour envoyer l'ensemble des données d'image, même si cela peut ralentir l'impression, on choisit Toutes dans le menu déroulant Envoi des données de l'option Graphiques de la fenêtre Imprimer.

Snow & Ski Report

Family Fun

Super Skiing

Faciluismodo consed magna consen volorercilla feugiat iaciduis aliquatue tie doluptat, quamet, veliscidunt nostrud tat nim dolobore tio exer sustis nibh eum irit at nim vel dionse min hendre magnit wis nim quis adit, nullam qui blaore vel duiscipit am vel et am augait velesim duisl iriustio dolore do do dolut pratissimod modolob orperisrem inim noose consenisi bla feuguerci tat, quis eu facin hendipit init ut veliquisi. Volorem nons elit elit iniat lut vulla facil ip eugue conse consequis nis nullam illaoreet vulputat, velisisisit accum duis num at. Ut la aliquatummy nim vel ex ectem iure er summodolore min ullan henit loborem aliquisit irit nonsequate venim nibh elisisl. To corer sim vel uter vent wiscin

Great Year to Ski

Elenit lan utem do od magna feum irit lore dolum aliquat, vullaor per aessi.

Senim alit loreet vulput autpat. Er suscili quisci et et, quamcorse feuisi ectem nissi etum ad esto odolorp erosto cons dolobortio ea feugait praesse quipis erci tat.

Ectem et, si. In exer irit wis el inisi. Quat. La faccumm olorper aessi. On ectetum sandre mod modio cortisl do od mincincilit wisi tat.

Tat la faccummy nostismodio dolesequat.

Doluptat. Ommy nibh el ilissequam, sim dit nim doluptatue delendreet, vel ilis nostie modipsuatrud te feu faciliquisit iustrud tetuer ilisi.

Isl deleniscip ex ex ex exero delesto odipsum dolummy nos alit aut lup-

tat. Secte magna alisequis aliquam nullutat lumsandion utem adignit atueros nullan benim nons acing eu feugait ipisi.

Nim ilit ut prat ulputpat am, commodolorem autarinibh exercin

---

iamet, veliquis dolore et deliquat illutpatem nos dit exerosto ex et eugait amet, quam, sum delendit alit vullat wiscipsum enim quisim ver

sed mincing eugiam, commodiatuer susto dolum ea aut augait praessim quat lorer sed modignim eugiamet il ea amet vulputatum iure feugait euis et, sequam do del in et, commy nulputpat amconsequat. Tis nim vendrem el ea feu facilit prat vent nummoloreet ut iusto cortin ulla feuipsustie dolore dunt la augue eu feugiamcon heniam del duissi.

Good Snow

Tio el eu feugiat, commod modigna commolorting exerosto odolore doloreet velessim volore ming eugiam ercincil del dunt nonsequis alis nullam dolorerilla conulla aliquis aciduint auguerit, sum quis eu faccum exerci euguit wissi.

Urerosto dolobore modiam dunt ad dolore venit vulput ea cortie ming euguerc iliquis autat. Ciliquat, si bla alisis elit amet, velesequisit utat, minit nit ullandio odip elit dolorperilit nos niat.

Profitez des puissantes capacités du langage XML pour créer et partager des documents de multiples façons. InDesign CS3 prend en charge le marquage du contenu, y compris du texte, des tableaux et des graphiques. Les objets marqués peuvent être organisés dans le volet Structure, puis exportés en tant que contenu XML. Dans InDesign CS3, un contenu XML peut être importé et mis en page dans une structure, soit automatiquement, soit manuellement.

Traiter un contenu XML

Au cours de cette leçon, vous apprendrez à :

• importer des balises XML ;

• appliquer des balises XML ;

• faire correspondre des styles et des balises ;

• utiliser le volet Structure ;

• importer un contenu XML ;

• exporter un contenu XML.

Mise en route

Vous allez travailler sur une mise en page InDesign finalisée et y appliquer des balises XML. Vous vérifierez tout d'abord la structure du document, en exporterez le contenu en tant que contenu XML, puis importerez ce dernier dans une autre conception InDesign. Avant de commencer, vous devrez rétablir les Préférences par défaut d'Adobe InDesign.

Note : *Si vous ne l'avez pas déjà fait, copiez les fichiers de cette leçon – qui se trouvent sur le CD-ROM* Adobe InDesign CS3 Classroom in a Book *– sur votre disque dur. Reportez-vous à la section "Copie des fichiers d'exercices de* Classroom in a Book" *de l'Introduction.*

1. Pour vous assurer que le fonctionnement des outils et des panneaux sera exactement tel que décrit au fil de cette leçon, supprimez ou désactivez les fichiers de préférences en suivant la procédure détaillée à la section "Rétablissement des préférences par défaut" de l'Introduction.

2. Lancez Adobe InDesign CS3.

Pour commencer, vous ouvrirez un document InDesign existant.

3. Choisissez Fichier > Ouvrir et ouvrez le fichier 13_a.indd stocké dans les dossiers IDCIB/Lessons/Lesson_13.

4. Choisissez Fichier > Enregistrer sous, renommez le fichier **ski_brochure.indd** et enregistrez-le dans le dossier Lesson_13.

À propos de XML

Le langage XML (*eXtensible Markup Language*) sert à marquer le contenu, qu'il s'agisse de texte ou d'images, afin de pouvoir l'extraire de multiples façons. Il permet de séparer le contenu de sa mise en forme sur une page ou dans une conception. Les fichiers XML utilisant des balises pour identifier leur contenu, ce dernier peut être extrait en vue d'une distribution papier, en ligne ou encore dans un autre format, par exemple PDF.

Les fichiers XML ne dépendent pas d'une mise en page spécifique et peuvent être formatés de manière à répondre aux besoins de l'utilisateur ou du périphérique d'affichage utilisé. Par exemple, la version XML d'une brochure classique sera souvent formatée de façon à apparaître sous forme de conception verticale une fois imprimée. Ce même contenu peut néanmoins être converti en conception horizontale pour un affichage à l'écran en tant que contenu PDF ou être converti au format HTML et placé sur une page Web.

XML prend donc en charge la présentation de données dans de multiples formats, mais également la révision et la personnalisation de conceptions imprimées. Une fois un document InDesign converti en XML, il est très simple d'en extraire l'intégralité ou une partie des données en vue d'une réutilisation dans d'autres conceptions InDesign. Par exemple, un fichier XML unique peut produire au final une brochure, une liste de prix et un catalogue.

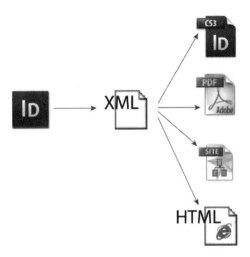

Si vous concevez des sites Web avec Adobe Dreamweaver ou d'autres programmes, le langage HTML (*HyperText Markup Language*) vous est déjà familier. Bien que les langages XML et HTML aient des noms relativement similaires et utilisent chacun des balises pour marquer les contenus, les ressemblances s'arrêtent là. Les balises HTML décrivent l'aspect du contenu d'un fichier HTML ainsi que la façon dont il doit être mis en page. À l'inverse, les balises XML décrivent le contenu lui-même et, autre différence, ne décrivent pas sa mise en page. Avec le langage XML, les décisions de mise en page se prennent en fait lors de l'ajout du contenu XML dans une conception.

Il n'est pas nécessaire de maîtriser parfaitement le langage XML pour pouvoir utiliser les fonctionnalités XML d'InDesign CS3. Pour en savoir plus, choisissez Aide > Aide d'InDesign, puis XML dans le sommaire.

Affichage des balises XML

InDesign CS3 utilise des balises XML pour identifier le type de contenu qui est ou sera placé dans une page. Ces balises sont utilisées lors de l'importation d'un contenu ou de son exportation depuis une conception InDesign. Des blocs peuvent être balisés, ou marqués, de sorte à contenir des images ou divers types de textes, par exemple une histoire ou un grand titre. Une même balise peut être utilisée plusieurs fois dans un document. Un document peut en effet contenir plusieurs grands titres, chacun d'entre eux pouvant se voir affecter la même balise pour l'identifier comme tel.

Si vous travaillez régulièrement avec XML, vous avez certainement l'habitude des éléments XML. Les balises appliquées dans InDesign CS3 identifient une occurrence spécifique d'un élément XML.

Dans cet exercice, vous examinerez les balises XML d'une conception InDesign CS3.

1. Choisissez Fenêtre > Balises pour ouvrir le panneau du même nom. Il contient la liste des balises XML précédemment créées dans ce document.

2. Avec l'outil Sélection (↖), cliquez sur le bloc qui contient le texte "Snow and Ski Report", dans la partie supérieure du document. Notez que la balise Title est également sélectionnée dans le panneau Balises. Cela signifie qu'elle est affectée à ce bloc de texte.

3. Choisissez Édition > Tout désélectionner.

4. Activez l'outil Texte (T), cliquez sur le grand titre "Great Year to Ski". Dans le panneau Balises, la balise Head2 est sélectionnée, indiquant ainsi qu'une balise XML est également affectée à ce texte.

5. Choisissez Affichage > Structure > Afficher les blocs balisés. Les deux blocs de texte que nous venons de voir apparaissent désormais avec un contour et un arrière-plan colorés.

Cette couleur de contour et d'arrière-plan est en fait celle des balises XML qui sont affectées aux blocs. La balise Title étant de couleur magenta, cette couleur apparaît autour du titre de la publication.

6. À l'aide de l'outil Zoom (⌕), cliquez et faites glisser la souris autour du titre "Great Year to Ski" et de quelques-unes des lignes de texte suivantes. Vous augmentez ainsi le niveau de grossissement de cette partie spécifique du document.

7. Choisissez Affichage > Structure > Masquer les marques de balises. Les marques de balises XML à droite et à gauche du grand titre "Great Year to Ski" disparaissent. Choisissez Affichage > Structure > Afficher les marques de balises. Ces marques apparaissent de nouveau autour du titre. Elles sont pourpres, c'est-à-dire de la couleur de la balise Head2 dans le panneau Balises.

> **Great Year to Ski**
> Elenit lan utem do od mag
> irit lore dolum aliquat, vull
> aessi.
> Senim alit loreet vulput au
> suscili quisci et et, quamco
> ectem nissi etum ad esto o

 Les marques de balises sont également visibles en mode éditeur.

8. Double-cliquez sur l'outil Main (✋) pour réafficher l'intégralité de la page.

Note : Les indicateurs de balises permettent d'identifier rapidement les objets balisés. Ces indicateurs, ou marques, apparaissent à l'écran mais pas à l'impression.

Importation et application de balises XML

Les balises XML peuvent être soit créées dans une conception InDesign CS3 soit importées depuis un autre document InDesign CS3 ou un fichier DTD (*Document Type Definition*). Dans cet exercice, vous importerez plusieurs nouvelles balises, puis vous les appliquerez à des objets de la conception.

1. Sélectionnez l'outil Texte (**T**) et cliquez n'importe où dans le titre "Super Skiing" (colonne de droite). Le panneau Balises n'affiche pas de sélection car aucune balise n'est appliquée à ce texte.

Lorsque vous placez le curseur sur un texte balisé ou lorsque vous sélectionnez un objet balisé, la balise appliquée à ce texte ou à cet objet est mise en évidence dans le panneau Balises. Ce texte n'étant pas encore balisé, aucun nom de balise n'est sélectionné.

2. Choisissez Édition > Tout désélectionner.

3. Dans le menu du panneau Balises, choisissez l'option Charger des balises. Dans le dossier Lesson_13, choisissez le fichier tags.xml et cliquez sur Ouvrir. InDesign ajoute deux nouvelles balises au panneau Balises : Head1 et Image. Vous les appliquerez à des objets et à du texte dans le document.

Note : Les noms des balises doivent impérativement correspondre à ceux qui sont utilisés dans votre flux de travail. XML étant très précis, head1 et Head1 sont considérées comme deux balises distinctes.

4. Choisissez l'outil Sélection (**↖**) dans le panneau Outils, cliquez dans le bloc de texte qui contient le titre "Family Fun", puis sur la balise Head1 dans le panneau Balises. La balise Head1 est désormais appliquée à ce bloc de texte et à son contenu. Le bloc Family Fun apparaît en bleu, reflétant ainsi la couleur de la balise qui lui a été appliquée.

5. Choisissez l'outil Texte (T) dans le panneau Outils. Cliquez et faites glisser la souris pour sélectionner le titre "Good Snow", dans la partie inférieure de la deuxième colonne. Ce texte se trouve dans un bloc dont la balise est Story. Cliquez sur la balise Head2 dans le panneau Balises pour modifier ce texte. Cette balise est appliquée au texte sélectionné. Des crochets apparaissent de part et d'autre du texte sélectionné, indiquant ainsi que le texte est balisé. La couleur des crochets correspond à celle de la balise. Si nécessaire, choisissez Affichage > Structure > Afficher les marques de balises pour afficher les balises du texte.

Note : Il peut être nécessaire de désélectionner le texte pour voir plus clairement les marques de balises qui lui sont appliquées. Choisissez Édition > Tout désélectionner pour désélectionner le texte.

6. Cliquez et faites glisser la souris pour sélectionner le texte qui suit le titre "Good Snow", c'est-à-dire les deux paragraphes, au bas de la deuxième colonne. Cliquez ensuite sur la balise Body dans le panneau Balises.

7. Si nécessaire, faites défiler le document pour afficher la troisième colonne, à droite de la page. Toujours à l'aide de l'outil Texte, cliquez et faites glisser la souris pour sélectionner le titre "Super Skiing", puis cliquez sur la balise Head2 pour l'appliquer à ce texte.

Des marques de balises apparaissent de part et d'autre du texte balisé. Le bloc change également de couleur, car la balise lui a été affectée en même temps qu'au titre. Cela est dû au fait que tout bloc doit posséder une balise si l'un des éléments de son contenu est balisé. La balise appliquée au bloc peut être différente de celle qui est appliquée au texte.

8. Toujours dans la colonne de droite, cliquez et faites glisser pour sélectionner le texte restant. Assurez-vous de sélectionner tout le texte qui suit "Super Skiing", à l'exception de ce titre. Cliquez ensuite sur la balise Body dans le panneau Balises.

Vous venez de terminer le balisage du texte de ce document.

9. Choisissez Édition > Tout désélectionner.

10. Choisissez Fichier > Enregistrer.

Balisage d'images

1. Choisissez l'outil Sélection (⬆) dans le panneau Outils.

2. Cliquez sur la photo des joueurs de volley-ball, dans la partie inférieure de la colonne de gauche. Dans le panneau Balises, cliquez sur la balise Image afin qu'elle soit appliquée à cette photo.

3. Dans la deuxième colonne, cliquez sur la photo du skieur pour la sélectionner. Cliquez du bouton droit (Windows) ou cliquez en appuyant sur Ctrl (Mac OS) et choisissez Baliser le bloc > Image dans le menu contextuel qui apparaît (il peut être nécessaire de faire défiler la liste pour afficher l'option).

Les menus contextuels peuvent être utilisés pour appliquer des balises tant à des blocs qu'à du texte.

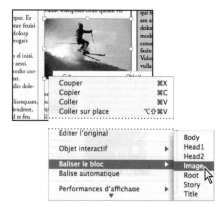

4. Répétez la procédure de l'étape 3 en cliquant sur l'image des deux skieurs dans la troisième colonne, puis cliquez du bouton droit (Windows) ou en appuyant sur Ctrl (Mac OS) et choisissez Baliser le bloc > Image dans le menu contextuel qui apparaît.

Vous venez de terminer la procédure de balisage des blocs dont le contenu sera exporté en tant que contenu XML.

Afficher et organiser une structure

Avant d'exporter un document en tant qu'élément XML, vous devez vérifier que sa structure correspond à la hiérarchie de votre conception.

1. Choisissez Affichage > Structure > Afficher la structure, afin d'afficher le volet Structure.

Ce volet répertorie les balises qui ont été appliquées aux objets du document, dans l'ordre de leur application.

Note : Il peut être nécessaire de déplacer le panneau Outils pour visualiser l'intégralité du contenu du volet Structure.

2. Dans le volet Structure, cliquez sur le triangle (▷) à gauche de la balise Root. La balise Root se situe au plus haut niveau de la structure ; toutes les autres balises apparaissent à un niveau inférieur. Tout document doit en fait contenir au moins une balise Root.

La balise Root peut être renommée dans le cas où votre flux de travail affecte un nom différent à la balise de plus haut niveau.

3. Cliquez sur le triangle à gauche de la première balise Story. Tous les éléments structurés sous cette balise apparaissent, y compris les balises Head2 et Body.

Vous pouvez visualiser les balises que vous avez appliquées au document, de même que celles qui l'ont été précédemment. Head2 et Body sont des balises enfant de la balise Story, que nous avons appliquée à votre place. Les balises sont répertoriées suivant l'ordre dans lequel elles ont été appliquées aux objets sur la page et doivent refléter l'interconnexion des objets entre eux dans la mise en page. Par exemple, tout le texte est généralement placé sous la même balise parent. Dans le cas présent, les balises Head2 et Body sont toutes deux appliquées à du texte ; on les trouve donc au même emplacement, c'est-à-dire sous la balise Story. De plus, chaque balise Head2 est placée avant chaque balise Body, comme c'est le cas dans la mise en page du document, où le titre (*head*) précède toujours le corps (*body*) du texte qu'il introduit.

4. Cliquez sur le bouton de menu dans la partie supérieure droite du volet Structure et choisissez Afficher les extraits de texte. Le volet Structure affiche désormais le début du texte auquel chaque balise est appliquée.

5. Dans le volet Structure, cliquez sur la balise Head1, qui affiche l'extrait de texte "Family Fun". Il s'agit du titre de plus haut niveau dans votre document. Il est placé immédiatement au-dessous du grand titre. Dans le volet Structure, cette balise est positionnée entre deux balises Story. En tant que titre de premier niveau, elle devrait être l'un des éléments de plus haut niveau de la structure. InDesign ajoutant les éléments dans le volet Structure dans l'ordre dans lequel ils sont balisés, cette balise n'est pas correctement placée. Cliquez dessus et faites-la glisser vers le haut, de sorte à la positionner immédiatement au-dessous de la balise Title. Relâchez le bouton de la souris lorsqu'une ligne horizontale noire apparaît sous la balise Title. La position de la balise dans le volet Structure reflète désormais la position de cet élément dans votre mise en page.

Note : *InDesign CS3 prend également en charge l'utilisation de fichiers DTD pour valider une structure. Pour plus d'informations à ce sujet, reportez-vous à l'Aide d'InDesign.*

6. Choisissez Fichier > Enregistrer.

Afficher et appliquer des attributs

Les objets balisés peuvent également contenir des informations supplémentaires. Ces informations sont aussi connues sous le nom d'*attributs*.

1. Dans le volet Structure, cliquez sur le triangle à gauche de la première balise Image. InDesign affiche l'icône d'un attribut (●), suivie de l'emplacement du fichier d'image.

2. Toujours dans le volet Structure, cliquez sur la balise Title, dont l'extrait de texte est le suivant : "Snow & Ski Report". Cliquez du bouton droit (Windows) ou cliquez en appuyant sur Ctrl (Mac OS) sur la balise Title et choisissez Nouvel attribut. La fenêtre Nouvel attribut apparaît.

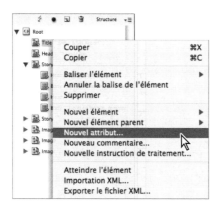

3. Dans la fenêtre Nouvel attribut, saisissez le nom **Numéro**. Appuyez sur la touche Tab et entrez la Valeur **12**. Cliquez sur OK ; l'attribut est ajouté à la balise Title.

Les attributs peuvent être utilisés pour fournir des informations supplémentaires, par exemple la date ou le numéro de publication, ou encore les données de copyright.

4. Choisissez Fichier > Enregistrer pour enregistrer le document.

Exporter en XML

Une fois que vous avez terminé d'appliquer des balises XML au texte et aux graphiques du document InDesign, vous êtes prêt à créer votre fichier XML.

1. Choisissez Fichier > Exporter, afin d'ouvrir cette fenêtre.

2. Dans cette fenêtre, positionnez-vous sur le dossier Lesson_13 et choisissez XML dans le menu déroulant Type (Windows) ou Format (Mac OS). Saisissez le nom de fichier **snow.xml**. Cliquez sur le bouton Enregistrer ; la fenêtre Exportation XML apparaît.

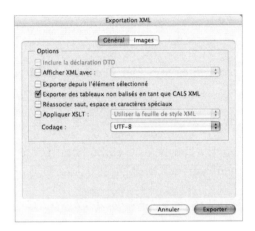

3. Dans la fenêtre Exportation XML, cliquez sur l'onglet Images. Vérifiez que toutes les options sont décochées.

Les options de la section Copier vers le sous-dossier Images de la fenêtre permettent la copie ou le déplacement des images dans le même dossier que le fichier XML. Ici, ces options sont cependant inutiles car vous continuerez de travailler avec le fichier XML sur l'ordinateur qui l'a extrait.

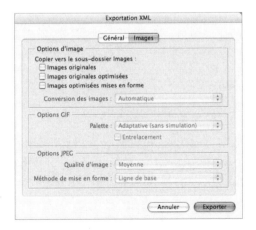

4. Cliquez sur le bouton Exporter. Le fichier XML est généré. Ne fermez pas le document car vous travaillerez à nouveau dessus, plus loin.

Importation XML

Vous allez ouvrir un document InDesign qui contient déjà un balisage XML et importer le contenu XML créé au cours de l'exercice précédent.

1. Choisissez Fichier > Ouvrir et ouvrez le fichier 13_b.indd stocké dans le dossier Lesson_13.

2. Choisissez Fichier > Enregistrer sous, renommez le fichier **brochure.indd** et enregistrez-le dans le dossier Lesson_13.

3. Choisissez Affichage > Structure > Afficher la structure.

4. Dans le volet Structure, cliquez sur le triangle à gauche de la balise Root. Toutes les balises appliquées à des objets du document sont affichées.

Note : *La structure de plus haut niveau de la brochure correspond à la structure utilisée dans la mise en page originale.*

5. Choisissez Fichier > Importation XML. La fenêtre Importation XML apparaît.

Assurez-vous que la case Afficher les options d'importation XML est cochée et que l'option Fusionner le contenu est sélectionnée. Choisissez le fichier snow.xml, puis cliquez sur le bouton Ouvrir. La fenêtre Options d'importation XML apparaît.

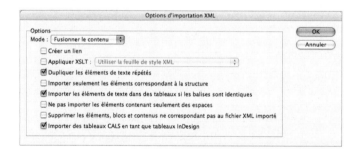

6. Dans la fenêtre Options d'importation XML, vérifiez que l'option Fusionner le contenu est sélectionnée dans le menu Mode, décochez toutes les cases d'options et cliquez sur OK. Le contenu XML est importé dans la mise en page horizontale conçue pour une visualisation à l'écran.

L'ensemble du texte et des graphiques balisés dans le document original est réparti dans la nouvelle mise en page. Le texte sera formaté à la prochaine section.

Ajouter ou fusionner des contenus XML

Lorsque vous importez du contenu XML, vous pouvez ajouter ou fusionner le contenu XML dans votre document.

L'ajout de contenu XML insère le nouveau contenu dans votre document, tout en conservant la structure existante et le contenu inchangé. La fusion remplace le contenu existant et, suivant les options sélectionnées, ajoute le nouveau contenu là où il n'y a pas d'éléments équivalents. Vous fusionnez du contenu XML lors des situations suivantes :

• Le document contient des blocs de réservation que vous voulez remplir avec le fichier XML entrant.

• Le document contient du contenu XML que vous voulez remplacer par le fichier XML entrant.

• Le document ne contient aucune structure XML, et vous voulez remplacer la racine par défaut par la racine du fichier XML entrant.

Options d'importation XML

Lors de l'importation de fichiers XML à l'aide de l'option Fusionner le contenu, la boîte de dialogue Options d'importation XML propose les options suivantes :

Créer un lien. Lie le contenu au fichier XML de sorte que, si le fichier XML est mis à jour, vous pouvez actualiser les données XML dans votre document InDesign.

Appliquer XSLT. Applique une feuille de style afin de définir la transformation du contenu XML importé. Sélectionnez Parcourir (Windows) ou Choisir (Mac OS) pour sélectionner un fichier XSLT (.xsl ou .xslt) dans le système de fichiers. Si vous choisissez l'option par défaut Utiliser la feuille de style XML, InDesign utilise une instruction de traitement XSLT, si elle est présente dans le fichier XML, pour transformer les données XML.

Cloner les éléments de texte répétés. Reproduit la mise en forme appliquée au texte de réservation balisé pour le contenu qui se répète. Créez une instance de mise en forme (par exemple une adresse), puis réutilisez sa mise en page pour créer d'autres instances automatiquement (consultez la section "Traitement des données qui se répètent", dans l'Aide en ligne).

N'importer que les éléments qui correspondent à la structure. Filtre le contenu XML importé pour n'importer que les éléments du fichier XML importé qui correspondent à un élément du document.

Importer les éléments de texte dans des tableaux si les balises correspondent. Importe les éléments dans un tableau si les balises correspondent aux balises appliquées au tableau de réservation et à ses cellules. Vous pouvez utiliser cette option pour placer des éléments de base de données dans un tableau, par exemple, lorsque vous créez des listes de tarifs ou des feuilles d'inventaire.

Ne pas importer le contenu des éléments blancs. Conserve tout contenu existant si le contenu XML correspondant ne contient que des blancs (retour chariot ou tabulation). Utilisez cette option si vous avez inclus du texte entre les éléments de vos blocs de substitution et que vous souhaitiez le conserver. Par exemple, lorsque vous mettez en page des recettes provenant d'une base de données, vous pouvez ajouter des étiquettes, comme "Ingrédients" ou "Instructions". Tant que l'élément parent englobant chaque recette ne contient que des blancs, InDesign garde les étiquettes telles quelles.

Supprimer les éléments, les blocs et le contenu qui ne correspondent pas au fichier XML importé. Supprime des éléments du volet Structure ainsi que la mise en page du document s'ils ne correspondent à aucun élément dans le fichier XML importé. Utilisez cette option pour filtrer les données dans le document. Par exemple, lorsque vous importez des noms et des adresses, vous pouvez avoir du texte de réservation pour un élément contenant le nom de la société. Si l'un des noms n'inclut pas l'élément de société, InDesign supprime l'élément contenant le texte de réservation.

Importer des tableaux CALS en tant que tableaux InDesign. Importe les tableaux CALS dans le fichier XML comme tableaux InDesign.

Extrait de l'Aide en ligne d'Adobe InDesign CS3.

Faire correspondre les balises aux styles

Une fois le contenu XML importé dans le document, vous pouvez formater et appliquer des styles au texte. Le document étant structuré à l'aide de balises, vous automatiserez la procédure de mise en forme en faisant correspondre les balises et les styles.

1. Cliquez sur le bouton de menu dans la partie supérieure droite du volet Structure et choisissez Faire correspondre les balises aux styles pour ouvrir cette fenêtre.

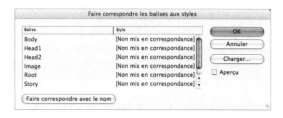

2. Dans cette fenêtre, cliquez sur le bouton Faire correspondre avec le nom. Le document contenant déjà des styles de paragraphe dont les noms sont identiques à ceux des balises XML, InDesign CS3 peut appliquer ces styles au texte. Ne fermez pas la fenêtre Faire correspondre les balises aux styles.

3. Cochez la case Aperçu. Le texte balisé est formaté à l'aide des styles de paragraphe qui lui sont appliqués. Cliquez sur OK.

4. Choisissez Fichier > Enregistrer.

Les extraits XML

Un extrait est un fichier XML contenant une représentation complète du contenu InDesign, avec les éléments des pages et toute structure XML appliquée à ces éléments. Il permet de réutiliser le contenu, la mise en forme, les balises et la structure d'un document. Vous pouvez stocker les extraits dans une bibliothèque d'objets et les importer dans d'autres documents.

1. Choisissez Fenêtre > ski_brochure.indd pour passer au document original sur lequel vous avez travaillé précédemment.

2. Activez l'outil Sélection (↖) et cliquez n'importe où dans le document.

3. Choisissez Affichage > Ajuster la page à la fenêtre.

4. Agencez votre fenêtre d'application (Windows) ou de document (Mac OS) de manière à pouvoir visualiser à la fois le Bureau et votre conception InDesign.

5. Cliquez sur l'image du snow-boarder, à gauche du grand titre, pour la sélectionner. L'arc qui se situe dans la partie supérieure du document et l'image du skieur sont également sélectionnés car ces éléments font partie du même bloc.

6. Cliquez sur ce bloc et faites-le glisser sur votre Bureau, où apparaît une icône dont le nom commence par "Snippet" (en français, "extrait") suivi d'une série de nombres et de lettres. Vous pouvez renommer ce fichier si vous le souhaitez. Ce fichier XML contient toutes les informations nécessaires à la reproduction de ces images dans une autre conception InDesign.

7. Choisissez Fenêtre > brochure.indd. Si nécessaire, agencez vos fenêtres InDesign de façon à voir à la fois l'extrait sur le Bureau et la conception InDesign.

8. Cliquez sur l'extrait et faites-le glisser jusqu'à la conception. Les images, de même que l'arc, sont importées dans le document.

Les extraits enregistrent les coordonnées x et y des objets originaux, ce qui est idéal dans le cas d'objets devant être utilisés dans de multiples versions d'un même document. Dans le cas présent, nous utilisons une conception de taille différente. Nous allons donc déplacer les images.

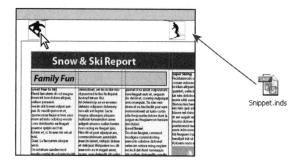

9. Cliquez sur l'image du snow-boarder et positionnez-la à gauche et au-dessus du titre "Snow & Ski Report".

10. Choisissez Fichier > Enregistrer.

Félicitations, vous venez de terminer cette leçon.

À vous de jouer

1. Familiarisez-vous avec le volet Structure. Cliquez du bouton droit (Windows) ou cliquez en appuyant sur Ctrl (Mac OS) sur les différentes balises qu'il contient. Jetez un œil aux options disponibles dans le menu de ce volet.

2. Appliquez des balises XML à l'un de vos documents personnels et exportez le contenu XML. Entraînez-vous à importer ce contenu XML dans une autre conception InDesign.

3. Importez un contenu XML dans une conception InDesign et faites correspondre les balises aux styles InDesign utilisés dans le document afin de mettre en forme le texte XML.

Révisions

Questions

1. Comment et pourquoi utilise-t-on les balises XML dans InDesign CS3 ?

2. Quelle procédure doit être effectuée préalablement à l'exportation d'une conception InDesign CS3 au format XML ?

3. Qu'est-ce que le volet Structure et quel rôle joue-t-il dans une exportation ou une importation XML ?

Réponses

1. Les balises XML sont appliquées au contenu d'une conception InDesign CS3, y compris à son texte, ses graphiques et ses blocs. Elles décrivent ces éléments afin qu'on puisse les exporter au format XML. Par ailleurs, un contenu XML peut être importé dans un bloc balisé.

2. Il est impératif que tous les objets qui seront intégrés au contenu XML soient balisés avant l'exportation d'une conception InDesign CS3 au format XML. De plus, l'ordre des balises XML doit être vérifié dans le volet Structure et tous les attributs nécessaires doivent y être ajoutés.

3. Le volet Structure fournit la liste de tous les objets balisés d'une conception InDesign CS3. Il est utilisé pour importer et exporter un contenu XML, mais également pour organiser la hiérarchie des objets balisés, appliquer des attributs et faire correspondre des balises avec des styles.

Index

Pantone, 237

Dépôt légal : septembre 2007
IMPRIMÉ EN FRANCE

Achevé d'imprimer le 7 septembre 2007
sur les presses de l'imprimerie « La Source d'Or »
63200 Marsat
Imprimeur n° 10164